LE VENIN
DE L'HÉRÉSIE

CHRÉTIENS DANS L'HISTOIRE

Collection dirigée par Claude Prud'homme

L'histoire religieuse constitue un des chantiers les plus actifs de la recherche historique contemporaine. Histoire des institutions et des mentalités ; histoire des élites et du peuple croyant ; histoire des idées et des pratiques : la diversité des approches témoigne de cette vitalité.

Comme les travaux scientifiques sont difficilement accessibles, la collection *Chrétiens dans l'histoire* souhaite jeter un pont entre les chercheurs et le public. Chaque ouvrage, rédigé par un spécialiste, est ordonné autour d'un thème bien délimité. Il se veut d'une lecture aisée quant à la forme, sans concession quant au fond. Les questions d'aujourd'hui sont prises en compte et confrontées aux expériences ou aux problématiques d'hier. Ainsi sont mises en évidence les permanences et les ruptures les plus significatives.

Alexandre Faivre, *Les laïcs aux origines de l'Église*
Joseph Cuoq, *L'Église d'Afrique du Nord*
M. Bernos, J. Guyon, Ch. de La Roncière, Ph. Lécrivain, *Le fruit défendu, les chrétiens et la sexualité de l'Antiquité à nos jours*

BERNARD DOMPNIER

Le venin
de l'hérésie

Image du protestantisme
et combat catholique au XVIIᵉ siècle

PRÉFACE DE JEAN DELUMEAU

« Chrétiens dans l'histoire »

LE CENTURION

ISBN 2-227-32103-2.
© Éditions du Centurion, 1985.
17, rue de Babylone, 75007 Paris.

PRÉFACE

Ce livre, avec ses originalités propres, s'ajoute aux nombreuses publications et émissions consacrées cette année au tricentenaire de la révocation de l'édit de Nantes et, à ce titre, il est l'une des composantes d'un phénomène historique assez inattendu que nous sommes en train de vivre. L'édit de Fontainebleau ne frappa en 1685 qu'une minorité de Français. Aujourd'hui les protestants sont encore plus minoritaires par rapport à la population de la France qu'ils ne l'étaient sous Louis XIV. Pourtant, l'anniversaire de la Révocation prend chez nous une dimension surprenante. Certes, les médias contribuent à lui donner cette dimension. Mais, en sens inverse, la librairie, la radio et la télévision ne se jetteraient pas comme elles le font sur le rappel de cet événement si elles ne sentaient une attente dans l'opinion. Celle-ci, en redonnant actualité à une mesure législative vieille de trois cents ans, exprime à l'évidence un sentiment profond, partagé, au-delà même du groupe des Réformés, par de nombreux catholiques et agnostiques.

Ce que l'historien, le journaliste et l'homme de la rue signifient ensemble par cette célébration, c'est la volonté de ne pas rechuter dans l'intolérance — un mal éternel qui nous menace toujours et qui sévit à nouveau avec une violence jusque-là inégalée sur la plus grande partie de la terre. Dans cette optique l'ouvrage de Bernard Dompnier s'avère précieux. Son titre, Le venin de l'hérésie, en indique bien le contenu. Il ne rappelle pas les circonstances détaillées de la Révocation, mais explique sur un *siècle comment la royauté, poussée par l'Église catholique, en est venue à rapporter l'édit d'Henri IV. Nous sont ainsi restituées les violentes polémiques religieuses du début du XVIIᵉ siècle, avec leur ton guerrier et leurs arguments péremptoires. L'hérétique a tous les vices et il est le complice de Satan. Dès lors comment les militants des deux bords ne condamneraient-ils pas la cohabitation pacifique entre les deux communautés? Relayant les affrontements oratoires, les missions catholiques en terre protestante, les caisses de conversion, l'application de plus en plus étroite et tatillonne de l'édit de Nantes, les vexations administratives de toutes sortes cherchèrent à étouffer le protestantisme. La Révocation fut la suite logique et le terme de ce combat long et multiforme contre le « venin de l'hérésie ».*

Avec beaucoup d'aisance et de clarté, en utilisant des documents de première main que ses recherches sur le Dauphiné lui ont révélés, en tenant compte des travaux les plus récents sur les polémiques religieuses du XVIIᵉ siècle – ceux en particulier de Jacques Solé –, Bernard Dompnier fait revivre avec bonheur les relations quotidiennes des catholiques et des protestants dans la France du XVIIᵉ siècle. Comme d'autres historiens travaillant actuellement sur le même sujet [1], il montre que sur le terrain, en dépit d'explosions ponctuelles et de l'agressivité des « militants », les fidèles des deux confessions cohabitèrent souvent de façon pacifique. Il s'agit là d'une vérité historique importante sur laquelle les documents sont malheureusement dispersés, mais qui mérite d'être pleinement éclairée.

Bernard Dompnier – sujet oblige – s'est surtout placé du côté des victimes. En France il s'agissait des protestants. Mais en Angleterre et dans une bonne partie de l'Europe du Nord, il s'agissait des catholiques. L'intolérance a été partagée. La peur de l'hérétique a été égale dans les deux camps... dans un oubli commun de l'Évangile.

Jean DELUMEAU,
Professeur au Collège de France

---

1. E. LABROUSSE, *La Révocation de l'Édit de Nantes*, Paris, Payot-Labor et Fides, 1985; J. QUENIART, *La Révocation de l'Édit de Nantes*, Paris, Desclée de Brouwer, 1985.

Avant-propos

Le venin de l'hérésie. Ce titre n'est pas le résultat d'une savante étude de marketing. Il voudrait seulement refléter le propos central de cet ouvrage. En cette année du troisième centenaire de la révocation de l'édit de Nantes, plus d'un historien a mis la main à la plume pour faire revivre à nouveau les divers épisodes de l'étouffement que subit au XVIIe siècle le protestantisme français. Profitant des acquis les plus récents de l'histoire religieuse, certains livres s'attacheront sans doute aussi à l'étude des rapports quotidiens, faits tantôt de tensions et tantôt de relations pacifiques, entre catholiques et huguenots. Vraisemblablement, des ouvrages évoqueront aussi le rêve toujours déçu et toujours renaissant d'une réunion des deux communautés chrétiennes de la France du Grand Siècle.

Les divers aspects de cette histoire, nous les rencontrerons au fil des pages. Mais nous voudrions les aborder sous un angle particulier, d'où le titre un peu original de ce livre.

Le venin de l'hérésie. Ce titre s'est peu à peu imposé de lui-même au cours du travail de préparation de cet ouvrage, à la lecture des documents d'archives et des volumineux traités publiés par les ecclésiastiques du XVIIe siècle.

Cette image est en effet celle que les clercs préfèrent à toutes les autres lorsqu'ils désirent ramasser en peu de mots leur conception du protestantisme. Pour eux, l'hérésie conduit infailliblement à la mort puisque ses adeptes sont tous promis à la damnation éternelle. Elle agit pernicieusement, comme un venin, car elle persuade ses victimes qu'ils sont dans la vérité, alors qu'elle leur fait adopter des maximes religieuses et morales contraires au salut. Enfin, par cette image, l'hérésie est rattachée à son véritable père et chef, Satan; comme il prenait l'aspect du serpent tentateur dans le jardin d'Éden, il multiplie encore les ruses et masque son véritable visage pour mieux perdre les âmes.

Par l'ensemble de ses connotations dans l'esprit des clercs du XVIIᵉ siècle, cette formule nous a semblé pouvoir aussi résumer le dessein de ce livre. Notre objectif est en effet de cerner les représentations de l'hérésie chez les catholiques du temps pour mieux comprendre les moyens qui furent mis en œuvre pour en venir à bout. Ce type d'histoire, qui associe étroitement l'analyse des conceptions et des pratiques du clergé, permet seul, à notre sens, de retrouver la logique des diverses initiatives prises contre le protestantisme. Sans cela, on est souvent réduit à dresser un catalogue de mesures diverses, hétéroclites et apparemment incohérentes. Ce que nous proposons est donc une histoire de la stratégie catholique à l'égard des huguenots ou, pour mieux dire, une histoire de la pastorale utilisée envers les minoritaires religieux.

Notre titre annonce ainsi la tonalité de l'action entreprise par le clergé. Refusant toute concession à la minorité religieuse et réprouvant la situation de tolérance instaurée par l'édit de Nantes, les clercs s'acharnèrent à démontrer que la coexistence avec cet Autre qu'était le protestantisme était pernicieuse. Il lui semblait qu'il fallait isoler les huguenots pour éviter toute contamination des fidèles catholiques, faire éclater au grand jour l'erreur des doctrines calvinistes et ramener au bercail de la véritable religion le plus grand nombre possible de ces errants. La lutte contre le protestantisme était pour l'Église catholique une guerre sainte, un épisode du combat central de l'histoire de l'humanité, celui des forces du Bien contre celles du Mal.

Par ailleurs, le clergé ne ménagea pas ses efforts pour que ses analyses de l'hérésie soient largement partagées et il inspira directement certaines des mesures du pouvoir. Aussi l'image cléricale de l'hérésie permet-elle de comprendre bien des décisions prises par la monarchie à l'égard des protestants. En particulier, les dispositions de l'édit de révocation – l'édit de Fontainebleau – apparaissent comme le terme logique d'un processus engagé de longue main, même si ce texte conserve par ailleurs, comme tout texte législatif, l'empreinte d'un contexte plus immédiat.

C'est peut-être auprès des fidèles que le clergé eut le plus de peine à faire triompher ses conceptions. L'ardeur à combattre le protestantisme s'y révéla fort inégale selon les dates, les lieux et les milieux sociaux. Sans renoncer à aborder cette difficile question, il nous faut bien reconnaître qu'elle mérite de susciter de nouveaux travaux pour pouvoir être traitée de manière satisfaisante. En particulier, dans l'optique qui est la nôtre, il serait à souhaiter que soit approfondie l'étude de la réception du discours des clercs dans les milieux populaires.

Conscient que les analyses de l'hérésie ont pu s'infléchir au cours du siècle et que les moyens mis en œuvre ont pu connaître une faveur plus ou moins grande selon les dates ou prendre une tonalité nouvelle en s'éprouvant, nous avons cru cependant qu'il était préférable de privilégier les lignes de force de cette analyse et de ce combat plutôt que de suivre scrupuleusement le fil des événements. La volonté de toucher un public plus large que celui des seuls spécialistes nous a aussi semblé justifier un tel choix.

Après une présentation de la communauté protestante, nous proposons donc une étude de la vision catholique de l'histoire et de la nature de la Réforme. Nous examinons ensuite à quels facteurs le clergé attribue le succès et la persistance de l'hérésie et comment il lit la situation créée par l'édit de Nantes. Dans une seconde partie, consacrée à la lutte contre le protestantisme, nous analyserons la combativité des troupes catholiques (clergé et fidèles) et les méthodes utilisées pour prouver l'erreur des doctrines réformées – la controverse – et pour ramener les égarés. Enfin, un dernier chapitre portera sur le concours apporté par le bras séculier, si souvent sollicité et apparemment décisif.

En fonction de notre dessein, les documents les plus souvent cités seront ceux qui nous ont été légués par les ecclésiastiques du temps. Seront ici convoqués à déposer, à tour de rôle, les controversistes, spécialistes du débat intellectuel, et les missionnaires, hommes de la lutte sur le terrain. Sera aussi entendue l'assemblée du clergé qui, régulièrement, adressait des suppliques au roi sur la question de la tolérance des minoritaires religieux. Mais il est aussi évident qu'un tel travail prend largement appui sur ceux que des générations d'historiens ont consacrés à la situation du « petit troupeau » dans la France du Grand Siècle. Une bibliographie signale, en fin de volume, les ouvrages auxquels nous sommes le plus redevable.

Il pourrait sembler qu'une telle histoire ne relève que de la pure curiosité intellectuelle. Elle nous plonge en effet dans un univers culturel fort éloigné du nôtre, où l'idée d'œcuménisme, par exemple, ne paraît pas moins diabolique que l'hérésie elle-même. Elle nous fait pénétrer dans un monde où le pouvoir temporel et le pouvoir spirituel s'alliaient étroitement face à une minorité inquiétante parce que différente. Mais est-il bien certain que le harcèlement idéologique et l'étouffement des libertés des « mal-sentants de la foi » soient seulement des réalités d'hier?

Première partie

REGARDS CATHOLIQUES
SUR LE PROTESTANTISME

Chapitre 1

LE « PETIT TROUPEAU »

Le tableau que nous proposons ici du protestantisme n'a d'autre ambition que de rappeler les caractères généraux de cette communauté et de permettre de mieux comprendre les analyses du clergé. Le discours des clercs du XVIIᵉ siècle contient en effet de nombreuses allusions, plus ou moins explicites, à des réalités qui leur étaient familières et qui nous le sont moins, qu'il s'agisse du statut juridique du protestantisme ou de l'organisation des Églises issues de la Réforme.

Les huguenots

C'est sous ce vocable, on le sait, que dès le XVIᵉ siècle furent souvent désignés les protestants français. L'origine du terme a été l'objet de nombreuses controverses. Retenons seulement qu'il semble bien qu'il fut d'abord utilisé pour parler des réformés de Genève, la cité qui devint au milieu du XVIᵉ siècle la « Rome du calvinisme ».

Le protestantisme français se rattache en effet majoritairement à la branche calviniste de la Réforme. A la fin du siècle, le royaume compte bien un certain nombre d'Églises luthériennes, mais toutes sont situées dans les provinces de l'Est dont le rattachement à la couronne de France n'est pas antérieur à Louis XIV.

Il est pourtant certain que dès les années 1520 les idées de

Luther étaient connues en France et commençaient à recevoir un accueil favorable dans les milieux épris de renouveau religieux. Mais c'est à Jean Calvin qu'est due la véritable organisation du protestantisme français. Les premiers groupes « évangéliques » avaient vécu sans rupture avec le catholicisme, soucieux surtout d'une intense vie de piété; Calvin s'employa à ce que soient « dressées » des Églises, pourvues d'un pasteur, organisées selon le modèle genevois. La rupture franche avec Rome lui apparaissait nécessaire, et elle était rendue possible par le succès que connaissaient alors en France les idées réformées, malgré la vigueur des persécutions. Cette structuration commence vers 1555, et déjà près de 700 Églises auraient existé en 1561. Les synodes nationaux qui se réunirent à partir de 1559 adoptèrent une Confession de foi et une Discipline (organisation des Églises) dont les modifications progressives montrent l'attrait croissant du schéma genevois.

Très lié dans ses origines à l'ensemble de la Réforme du XVIe siècle, le protestantisme français en partage les grandes options religieuses. Et tout d'abord la certitude que l'homme, en raison de sa nature pécheresse, ne peut en aucune manière contribuer à son propre salut. Celui-ci ne doit donc rien aux mérites de chacun, mais procède uniquement du sacrifice de Jésus-Christ. L'homme est sauvé par la foi, que Dieu accorde par la grâce. Calvin souligne fortement que Dieu, dans sa totale liberté, ne dispense la grâce – et donc le salut – qu'à un nombre limité d'hommes qu'il a choisis de toute éternité, les « élus ». Cette doctrine de la prédestination est admise par le protestantisme français du XVIIe siècle, bien que contestée par un certain nombre de ses théologiens.

Les conséquences pratiques de la doctrine du salut par la foi sont évidentes. Dès l'instant de la mort, l'âme accède au séjour qui lui est promis pour l'éternité, enfer ou paradis. Il n'y a donc plus de purgatoire, plus de prières pour les morts. Nul ne peut intervenir en faveur des vivants et le culte des saints n'a plus lieu d'être. L'homme étant incapable d'infléchir la décision divine à son sujet, le sacrement de pénitence disparaît ainsi que des pratiques de piété telles que les pèlerinages.

La Bible tient une place essentielle chez les protestants. Parole de Dieu, elle est la seule voie, pour le fidèle éclairé par la grâce, pour entrer en relation avec lui et connaître sa volonté. Elle est la seule autorité en matière de foi, la Réforme rejetant cette deuxième autorité qu'est pour les catholiques la Tradition, interprétation de l'Écriture par l'Église au fil des siècles.

Deux sacrements seulement sont retenus par les calvinistes : le Baptême et la Cène. Cependant, il ne s'agit pas là d'un renouvellement du sacrifice du Christ, comme dans la messe catholique, puisque ce sacrifice est parfait; de plus, la présence du Christ dans l'hostie est seulement spirituelle.

La Réforme, comme des analyses plus approfondies le montreraient mieux, a considérablement élagué dans l'arbre touffu des croyances et pratiques chrétiennes du Moyen Age finissant. Elle s'est voulue retour aux sources et rejet des « traditions humaines » introduites par la papauté au fil des siècles. Le dépouillement du culte réformé lui-même est comme le symbole de cette soif de retrouver les fondements les plus sûrs de la foi chrétienne et de la relation de l'homme pécheur à Dieu.

Une minorité dans la France du XVIIᵉ siècle

En un siècle où les recensements de population n'existaient pas, nul n'entreprit jamais – c'est bien évident – de dénombrer les protestants du royaume. C'est donc au prix de longues recherches érudites que des historiens ont pu fixer approximativement le nombre des réformés. Les travaux les plus fiables sont ceux du pasteur Samuel Mours, qui estime qu'au début du règne personnel de Louis XIV la « Religion Prétendue Réformée » comptait environ 850 000 fidèles. Par déductions, des historiens évaluent à un peu plus d'un million le nombre des protestants au début du XVIIᵉ siècle. Mais il est évident que des questions aussi importantes que celles du volume global des passages d'une confession à l'autre au fil du siècle ou que les différences de comportements démographiques entre catholiques et protestants ne semblent pas sur le point de recevoir des réponses satisfaisantes. Or elles sont essentielles pour une approche plus fine.

850 000 protestants. Sans être négligeable (la population pari-

sienne ne dépasse alors guère le demi-million d'habitants), ce nombre reste faible. Cela ne représente pas tout à fait 1 protestant pour 20 catholiques, puisque le royaume compte alors près de 20 millions d'habitants. Évidemment, cette minorité n'est pas dispersée de manière uniforme sur l'ensemble du territoire français; sinon, il est fort probable que l'extinction du protestantisme aurait été relativement rapide. Il existe donc des bastions huguenots. Au premier coup d'œil sur une carte, il apparaît immédiatement que le centre de gravité du protestantisme français est méridional : les trois quarts des fidèles sont installés au sud de la Loire [1]. La plupart des Églises sont situées à l'intérieur d'une vaste bande semi-circulaire qui longe l'ouest et le sud du Massif central, du bas-Poitou aux Cévennes en passant par la Saintonge et la Guyenne, et trouve son terme de part et d'autre de la vallée du Rhône, dans le Vivarais et le Dauphiné. Toujours dans la moitié sud de la France, le Béarn constitue un autre pôle de forte implantation réformée. Dans toutes ces régions, le réseau des Églises est dense, voire très dense; le protestantisme y est un phénomène à la fois urbain et rural, et chaque fidèle peut trouver un lieu de culte sans avoir à parcourir de nombreuses lieues, ce qui constitue un facteur essentiel dans la cohésion – et donc dans la capacité de résistance – des communautés réformées. Ici, certaines villes ont une population majoritairement protestante, comme Montauban, Millau, Castres, Mazamet, Nîmes, Montélimar ou Die; beaucoup de communautés rurales comptent aussi plus de réformés que de catholiques, comme dans le diocèse de Nîmes étudié par Robert Sauzet [2].

Les régions où la densité du réseau des Églises protestantes est la plus faible sont le Massif central (l'Auvergne ne comptait en 1685 que 194 familles protestantes) ainsi que la Bretagne et la frontière nord du royaume. Si l'on excepte les provinces luthériennes, le quart nord-est ne présente qu'un semis assez lâche d'Églises, chacune d'elles accueillant les réformés habitant dans les environs plus ou moins proches : ainsi, dans la région correspondant à l'actuelle Côte-d'Or et à une partie de l'Yonne, 5 ou 6 paroisses rassemblaient les 2 000 à 3 000 fidèles des villes et des villages; en Champagne, on trouve même une Église regroupant les protestants d'une trentaine de villages. Quelques provinces enfin présentaient une physionomie intermédiaire; la Normandie et une bonne partie du bassin parisien correspondent à cette situation de densité moyenne, avec quelques noyaux importants au milieu d'un réseau plus lâche. Paris comptait 10 000 à 12 000 protestants qui, à partir de 1606, se réunissaient pour le culte à Charenton où un temple de 4 000 places fut construit en 1621.

A partir des traités de Westphalie de 1648, qui placent l'Alsace sous l'autorité du roi de France, des Luthériens deviennent sujets de Louis XIV. Jusque-là, la seule paroisse luthérienne du royaume était celle de Paris; composée surtout d'étrangers résidant dans la capitale, elle célébrait le culte à l'ambassade de Suède. En Alsace, environ les deux cinquièmes des habitants sont luthériens et c'est au total de 60 000 à 70 000 fidèles de cette confession que s'enrichit le royaume en plusieurs étapes, l'annexion de Strasbourg ne datant pour sa part que de 1681. En théorie, le changement de souveraineté sur la province ne devait pas entraîner de modification en matière de religion. Mais Louis XIV s'employa à obtenir des conversions au catholicisme, tant par les pressions que par l'envoi de missionnaires. La remise de la cathédrale de Strasbourg aux autorités catholiques dès 1681 illustre bien cette politique royale. Toutefois, la révocation de l'édit de Nantes ne s'appliqua pas à l'Alsace puisque, à l'extérieur du royaume au moment de sa publication, elle n'était pas entrée dans son champ d'application.

Lors de son entrée en guerre contre les Provinces-Unies en 1672, Louis XIV occupa le comté de Montbéliard et, de ce fait, accrut le nombre des Luthériens placés sous son autorité. La politique menée à leur égard ne différa guère de ce qui se passait en Alsace.

Sociologie du protestantisme

Assez fréquemment, l'adhésion au protestantisme est considérée en France comme le fait d'une élite sociale. Qu'en était-il au XVIIᵉ siècle? Il est certain qu'au lendemain de l'édit de Nantes, la noblesse était très bien représentée dans les Églises réformées, de la haute noblesse de la Cour à la petite gentilhommerie de province, et qu'elle occupe au sein du protestantisme une place non négligeable. Elle continue en quelque sorte à y bénéficier de la position que lui a permis d'acquérir son rôle dans les guerres de religion. D'autre part, elle bénéficie très directement du maintien par l'édit de Nantes d'une organisation politique et militaire du protestantisme : au sein du « parti huguenot », elle trouve des fonctions en rapport avec son idéal.

Mais, dès les premières années du règne de Louis XIII, les emplois, charges et honneurs de quelque importance ne sont plus accordés à des nobles protestants, et l'on sait que Lesdiguières ne devint connétable qu'après sa conversion. Le sentiment de frustration qu'éprouve alors cette noblesse peut expliquer, en partie au moins, ses prises d'armes des années 1620; on pourrait dire que les gentilshommes huguenots manifestent ainsi leur refus d'être marginalisés. Dans ce cas, il faut constater que le résultat obtenu fut l'exact contraire de ce qui était souhaité : l'édit de Nîmes, en 1629, supprima en effet toutes les institutions militaires du protestantisme et ne fit donc que priver davantage les nobles réformés d'occasions de servir dans des emplois en rapport avec leur qualité. D'où sans doute la multiplication des abjurations de nobles après 1630. Se convertirent-ils au catholicisme par intérêt, pour pouvoir être appelés au service du roi? Il y a plus que cela. L'adhésion à la religion du souverain représentait un gage de fidélité à son égard et créait un lien supplémentaire avec le chef de la noblesse qu'était le roi. Tout noble tenait à se situer dans la mouvance royale.

Ces défections ne prirent pas la même importance dans toutes les catégories de la noblesse. Les petits nobles de province furent proportionnellement moins nombreux à devenir « papistes » que les grands, dont la conversion n'est qu'une illustration supplémentaire de la « domestication » de la noblesse au temps du Roi-Soleil. Le changement de confession de Turenne, en 1668, est le plus célèbre de ces abandons du protestantisme. La relative fermeté des nobles de province fut parfois bien utile : lorsqu'ils avaient le droit d'organiser le culte dans leur demeure (« culte de fief »), ils purent accueillir des fidèles dépourvus de lieux de réunion au temps de la politique de destruction des temples, dans les décennies précédant la révocation de l'édit de Nantes.

Le monde des hommes de loi avait fourni de nombreux adeptes à la Réforme au XVIᵉ siècle. Mais le nombre des protestants appartenant à ce milieu – de service du roi lui aussi – est en déclin au cours du siècle suivant. Sous le règne personnel de Louis XIV, l'allongement progressif de la liste des professions interdites aux membres de la « Religion Prétendue Réformée » explique bien des défections. Mais il faut aussi tenir compte d'une exigence de loyalisme à l'égard du souverain, comparable à celle de la noblesse, et sans doute même plus précoce. Il ne faut pas oublier non plus les diverses pressions ou sollicitations. Les magistrats catholiques, nettement majoritaires dans les Parlements, furent souvent de farouches adversaires du protestantisme et menèrent sans doute bien des fois la vie dure à leurs chers collègues de la « Religion »; on peut imaginer des découragements naissant au fil des années... De plus, le milieu parlementaire fut de ceux que toucha le plus profondément le jansénisme naissant; la conversion du protestantisme à un catholicisme teinté de la sorte – avec sa tonalité augustinienne et ses exigences éthiques – pouvait ne pas apparaître comme un reniement des convictions religieuses profondes. On sait par exemple que la famille d'Antoine Arnauld, tête de file du mouvement janséniste, avait eu des attaches protestantes. Les magistrats subalternes furent plus nombreux à demeurer fidèles à la Réforme. Dans ce milieu des hommes de loi, c'est incontestablement le groupe des avocats qui représente le bastion le plus solide du protestantisme, jouant d'ailleurs un rôle important dans ses diverses instances de décision.

Mais sans doute est-ce la bourgeoisie commerçante qui forme le milieu le plus dynamique du protestantisme français du XVIIᵉ siècle. Des explications avancées plus haut doivent ici encore rester présentes en mémoire. Le rêve d'ascension sociale qui hantait plus d'un bourgeois prenait normalement corps dans la société d'Ancien Régime par l'acquisition d'un office. Ces charges de justice ou de finances, négociables comme transmissibles à un héritier, conféraient un statut social en rapport avec leur prix; elles permettaient aussi ordinairement d'arrondir la fortune familiale avant d'accéder à un palier supérieur. Or, nous l'avons vu, les possibilités d'accès à ces charges se réduisirent considérablement pour les protestants au fil du siècle. Dès lors, c'est vers les affaires que se tourne le réformé un peu aisé qui veut réussir socialement, peut-être encouragé dans cette voie par « l'éthique protestante » : pour les calvinistes, la réussite matérielle est signe de l'élection divine et, par ailleurs, la vie quotidienne est empreinte d'une austérité qui bannit oisiveté et dépenses ostentatoires ou superflues. La réussite des négociants huguenots tient aussi plus concrètement à leurs réseaux de relations familiales et confessionnelles, au plan international comme national, qui facilitèrent leurs activités économiques. Les protestants sont donc très bien représentés dans le grand capitalisme de l'époque. Les uns s'occupent de finance et de banque (63 banquiers protestants en 1685); d'autres investissent dans les compagnies de commerce, arment des navires pour l'Amérique, l'Angleterre et les Pays-Bas ou créent des entreprises industrielles. Beaucoup des plus grands ateliers textiles sont dirigés par des huguenots, qui font travailler une main-d'œuvre majoritairement catholique.

Ce n'est pas que l'on ne rencontre pas de protestants dans les catégories populaires de la France classique : Languedoc, Vivarais ou Béarn comptent beaucoup de paysans huguenots. Mais s'il faut en croire divers travaux d'historiens, à l'intérieur même de la paysannerie ce serait le paysan aisé qui fréquenterait le temple, alors que le pauvre manouvrier sanctifierait le dimanche à l'église paroissiale.

La crise économique du XVIIᵉ siècle donna peut-être du poids, en certains cas, aux arguments sonnants et trébuchants de convertisseurs partis à la chasse aux abjurations dans les milieux populaires. Le fait vaut pour les campagnes, et plus encore sans doute pour les villes. De plus, l'artisan huguenot rencontre vite au cours du siècle des tracasseries dans l'exercice de sa profession, du boycottage organisé par les dévots catholiques à l'impossibilité d'accéder aux postes de responsabilité dans sa communauté de métier. L'abjuration pouvait tenter les uns, les chemins de l'exil les autres...

D'une diversité sociale réelle – et suffisante pour qu'existent

des tensions internes – la société protestante n'est cependant pas
« la réduction de la société globale [3] ».

Le régime juridique de l'édit de Nantes

Si la répartition des protestants à l'intérieur du royaume ne
connaît pas de grandes variations au cours du XVIIᵉ siècle, cela
tient en grande partie au fait que l'édit de Nantes avait déterminé
de manière quasi immuable l'implantation du culte réformé, sur
la base d'une situation antérieure. Signé par Henri IV en avril
1598, l'édit de Nantes est en effet essentiellement un acte de
paix civile apportant aux protestants certaines garanties après
l'accession au trône et la conversion de leur ancien « protecteur ».
Il représente ainsi beaucoup plus une solution empirique, visant
à préserver les intérêts de chacune des deux confessions, qu'une
construction théorique liée à une conception abstraite des rapports entre l'État et les Églises. Il est, c'est donc certain, un acte
de circonstance, au sens noble du terme.

A la mort d'Henri III en 1589, alors que les conflits armés
avaient déchiré et dévasté le royaume par vagues successives
depuis le massacre de Vassy de 1562, Henri de Navarre, cousin
du défunt roi, était devenu l'héritier le plus direct du trône. Mais
son adhésion à la Réforme constituait pour beaucoup un obstacle
à son accession à la couronne. Après sa célèbre conversion de
1593, les événements se précipitèrent : sacré en 1594, Henri IV
est absous par le pape en 1595. Ralliements et manifestations
d'allégeance se multiplient dans le même temps : rapidement
rejoint par les membres du tiers parti – ces « politiques » d'abord
préoccupés de l'intérêt de l'État – le roi obtient, moyennant
finances, que s'estompe l'opposition du parti catholique et espa-
gnol, la Ligue. De plus, il signe en mai 1598 la paix de Vervins
avec l'Espagne. Restait le problème protestant : ayant combattu
derrière Henri de Navarre et œuvré pour son accession au trône,
les huguenots espéraient que le roi catholique n'oublierait pas
ses anciens frères de religion. Pour plus de sûreté, à la suite de
la conversion du roi, ils redonnèrent vigueur à leurs institutions

politiques et montrèrent qu'ils demeuraient mobilisés, tandis que se poursuivaient les négociations qui aboutirent à l'édit de Nantes.

Par ses clauses, l'édit de Nantes est en grande partie une nouvelle version de textes analogues pris durant la période des guerres de religion, à des moments où s'était fait jour l'espoir d'un arrêt du conflit. Il ne présente donc pas en lui-même une grande originalité mais, à la différence des autres, fut appliqué au moins partiellement pendant plusieurs décennies. La lassitude générale – pour ne pas dire l'épuisement – du royaume après ces décennies de lutte contribua à la réelle entrée en vigueur et à la durée de cet édit. Mais la personnalité et la détermination du roi comptèrent surtout pour beaucoup dans l'instauration de cette paix religieuse. Le préambule, qui marque le regret du roi que le royaume n'ait pu retrouver l'unité dans la foi, ajoute que l'objectif du texte est d'éviter « tumulte » et « trouble » entre les sujets pour des motifs tenant à la religion.

Sans détailler les clauses contenues dans ses 92 articles, on peut retenir que l'édit, tout en accordant aux protestants la liberté de conscience, limite singulièrement pour eux la liberté de culte. En effet, alors qu'il prévoit que le culte catholique doit pouvoir être célébré en tout lieu du royaume et que l'Église doit retrouver tous les biens qu'elle a perdus par vente ou usurpation pendant les guerres, la liste des lieux de culte protestants est fixée de manière limitative. Les seigneurs huguenots reçoivent certes une liberté de culte à peu près totale, selon des modalités complexes liées à leurs titres; mais, pour le reste, les restrictions sont nombreuses sous une apparente libéralité : le culte protestant est autorisé partout où il a eu lieu publiquement plusieurs fois au cours des années 1596 et 1597; d'autre part, deux localités par bailliage seront désignées pour être lieux de culte. On saisit immédiatement qu'outre les difficultés qui pourront survenir ultérieurement pour apporter des preuves de l'exercice en 1596-1597, les protestants sont placés sur la défensive : dans l'hypothèse où les conversions seraient nombreuses dans des régions de faible implantation de la Réforme, les nouveaux fidèles ne pourraient ouvrir de nouveaux temples. Ajoutons que pour satisfaire les anciens Ligueurs, des villes voire des régions entières sont exclues du bénéfice de ces dispositions et ne peuvent abriter de temples.

Jouissant de tout ce que nous appellerions les libertés civiles (possibilité d'admission dans les charges et offices, droit de fréquenter les établissements d'enseignement ou d'être admis dans les hôpitaux), les protestants doivent en revanche reconnaître par diverses marques extérieures le primat de la religion catholique. Il leur faut payer les dîmes, chômer les fêtes catholiques, respecter la législation de l'Église romaine en matière de mariage. Un nombre important d'articles se rapportent à l'administration de la justice, dans l'intention de protéger les réformés de juridictions qui ne seraient composées que de magistrats catholiques. La clause la plus importante, de ce point de vue, est celle qui instaure des chambres mi-parties dans quatre villes du royaume : composées d'officiers de justice des deux confessions, en nombre égal, elles avaient pour fonction de juger en dernier ressort des affaires dans lesquelles serait impliqué un huguenot.

A côté de l'édit proprement dit, un autre texte du roi – les « articles secrets et particuliers » – précise ou nuance certains points contenus dans les 92 articles, notamment pour les lieux de culte. Il apporte aussi l'autorisation royale à la tenue d'assemblées religieuses par les réformés et à la perception de « deniers » pour le culte. Il précise aussi que les huguenots ne pourront avoir des écoles que dans les localités où est célébré le culte, l'édit lui-même stipulant pour sa part que la même restriction s'appliquait à la vente des ouvrages protestants.

Enfin, le roi accordait aux réformés des « brevets ». Documents à caractère financier, ils constituent des grâces royales, mais ne peuvent évidemment avoir la valeur et la pérennité d'un texte législatif officiel. L'un d'eux apporte une contribution royale aux frais du culte protestant. Le second autorise le maintien d'une organisation militaire du protestantisme, que subventionne le roi. Dans 51 places de sûreté, un gouverneur protestant disposerait de troupes rétribuées par le roi; 80 autres places étaient placées sous l'autorité de huguenots, mais sans contribution financière de la monarchie. Obtenus sous la pression, ces brevets – et notamment le second – représentaient des garanties contre des tentatives de coup de force contre le protestantisme qui demeurait ainsi une puissance politique à l'intérieur de l'État. Mais il ne s'agissait que de brevets, donc de textes plus aisément révocables...

Pour l'édit lui-même, son entrée en application exigeait que les Parlements, bastions du catholicisme, l'enregistrent. Après négociations, celui de Paris enregistra en février 1599; ceux de province suivirent, plus ou moins rapidement, celui de Rouen ne le faisant qu'en 1609. Des quelques modifications du texte qui conditionnèrent son adoption par le Parlement de Paris, on retiendra que l'exercice du culte protestant devenait à peu près impossible dans les villes.

L'édit enregistré, des groupes de commissaires appartenant aux deux confessions parcoururent les provinces pour sa mise en œuvre, veillant à la restauration du culte catholique, dressant la liste des localités où serait autorisé l'exercice de la « Religion Prétendue Réformée ».

Lectures de l'édit

L'édit de Nantes et ses diverses annexes laissent le lecteur assez perplexe : peut-on considérer que la situation faite au protestantisme par ces textes était favorable aux huguenots à court et à long termes? Sans cesse l'édit semble souffler le chaud et le froid, faisant alterner, dans sa présentation même, reconnaissances de droits et mesures restrictives. Le profane ne sait trop quelle conclusion tirer, et il n'est pas certain que la consultation des ouvrages de bons historiens lui ôte ses interrogations, tant les avis sont divergents. Jugeons sur pièce, en ne sélectionnant que des auteurs de notre époque (nous reviendrons sur ceux du XVIIᵉ siècle) et d'obédience réformée (pour ne pas compliquer le débat).

Dans son *Histoire de la Réforme française,* de 1926, John Viénot écrit :

« Par l'édit de Nantes, le principe de la tolérance est posé. L'unité religieuse factice est rompue au profit de la liberté, et la France a l'honneur d'avoir proclamé pour la première fois dans un acte officiel et public que les âmes sont libres de professer la religion qui leur paraît la meilleure. Ailleurs en Europe, dans les pays protestants, et même, en Pologne, il y avait des tolérances de fait, imposées par les mœurs, par une nouvelle conscience en formation; mais la route était encore obscurcie par le rêve et la recherche de l'unité en matière de foi... Avec l'édit de Nantes, le droit est proclamé dans un acte public... L'édit de Nantes, pour la première fois, apportait aux Réformés de France liberté, justice, sûreté [4]. »

Le jugement d'Émile G. Léonard est plus nuancé, puisqu'il lui apparaît que l'édit faisait des protestants français « un corps religieusement défavorisé (leur culte n'étant pas autorisé partout) et civilement privilégié ». Mais la philosophie générale du texte lui semble « d'une hardiesse presque révolutionnaire... Parce qu'il donnait une réponse fédéraliste aux problèmes posés par la Réforme... L'État français était un État catholique *et* protestant... Solution que nous comprenons moins facilement que la neutralité [5] ».

Quant à Janine Garrisson-Estèbe, dans un récent ouvrage, elle ne retient guère que les dangers que contenait à terme cet édit :

« Ce texte dont tant de plumes républicaines ont salué l'esprit de tolérance apparaît pourtant comme un poison lent que l'on aurait versé dans le potage religionnaire. Certes, aux termes de l'édit, les protestants disposent de la liberté de conscience; dès lors ils sont reconnus comme Français à part entière. On leur accorde également la liberté de culte, mais celle-ci est limitée à des villes et à des lieux bien précis. Au-delà de ces libertés élémentaires... les protestants se trouvent gratifiés de privilèges extravagants... C'est une erreur politique et un manque de lucidité que d'avoir accepté ces super privilèges féodaux...

Comment les huguenots ont-ils pu se réjouir de ces garanties qui sont comme des oripeaux du passé? Sans doute parce que ces défroques ont encore quelques rutilances pour les hobereaux grands ou petits qui ont versé dans la Réforme [6]. »

Les contradictions entre ces prises de position procèdent essentiellement de la manière de concevoir ce que les politologues dénomment les libertés « formelles », dont fait partie la liberté de conscience. Si l'on s'attache surtout à l'affirmation de principes, comme le fait J. Viénot, il est certain que l'édit de

Nantes crée en France une situation profondément originale dans l'Europe du temps. En revanche, pour qui ne voit dans la seule proclamation des libertés formelles qu'une enveloppe vide, l'édit – avec ses restrictions sur la liberté de culte – n'a finalement qu'un intérêt limité. De plus, n'est-il pas exagéré de parler de tolérance alors que le préambule même de l'édit montre que le roi ne désespère pas de voir le royaume retourner à l'unité religieuse et que cette tolérance n'est effective qu'en certains lieux? Il y a pour le moins ambiguïté dans l'emploi de ce concept. Il faut ici l'entendre comme concession à ce qui pourrait être interdit et non comme acceptation des idées d'autrui. Cela vaut-il vraiment un tel éloge du législateur et une telle insistance sur le caractère pionnier de son œuvre? On a envie de rétorquer que de tout temps ce type de tolérance a existé, ne serait-ce que par incapacité à réduire l'adversaire. Car finalement il y a beaucoup de cela dans la situation qui nous intéresse : en 1598, le protestantisme reste politiquement et militairement fort. L'édit de Nantes n'est pas le produit d'un esprit désincarné dans un espace éthéré.

C'est bien d'ailleurs ce qui explique les « super-privilèges féodaux » que sont les places de sûreté. Les chefs réformés ne pouvaient concevoir de mettre un terme au conflit sans la certitude que la « tolérance » ne serait pas brutalement remise en cause. L'édit de Nantes tient plus de l'armistice que de la mise en œuvre d'une nouvelle philosophie des rapports entre État et Églises. On met un terme aux hostilités en laissant ses positions à l'adversaire – comme le montre la référence à l'exercice du culte en 1596-1597 – et on lui accorde des garanties contre une reprise unilatérale des combats.

Mais chacun sait que l'armistice n'est pas la paix. Émile Léonard avait raison de souligner le caractère fédéraliste que prenait le royaume de France avec un souverain à la fois catholique et protecteur des Églises protestantes. La situation était-elle cependant viable à long terme? Henri IV – le converti – n'était-il pas seul à pouvoir accepter un tel rôle et le remplir effectivement? Et surtout est-ce vraiment le fédéralisme qui est instauré dans la mesure où le culte catholique devait pouvoir être célébré partout? Très vite, le protestantisme – et son organisation politico-militaire – apparaîtraient comme un État dans l'État, à un moment où précisément l'ordre du jour monarchique est à la réduction des particularismes. Les protestants ne seraient plus alors qu'un « corps religieusement défavorisé ».

En somme, l'édit de Nantes reflète bien l'étroite imbrication du politique et du religieux en cette fin du XVIᵉ siècle, et donc l'impossibilité de cette époque à penser une véritable tolérance, dans la mesure où celle-ci suppose la distance entre l'État et les Églises. L'idée de l'unité religieuse du royaume est loin d'être abandonnée, comme le montre l'histoire du XVIIᵉ siècle. Mais les guerres civiles ont fait la preuve de leur inefficacité pour le règlement de cette question. Il importe d'abord d'arrêter le combat, quitte à le reprendre sous d'autres modalités. Cela implique que, bon gré mal gré, en y croyant ou non, avec ou sans illusions sur son avenir, on proclame la liberté de conscience...

La vie d'une Église

Le temple est le centre de la vie paroissiale. Sa taille et sa forme peuvent être très variées, mais toujours se retrouvent quelques traits caractéristiques, comme le dépouillement de la décoration (ni croix, ni statues, ni tableaux) ou la mise en valeur de la chaire. Les fidèles s'y retrouvent pour le culte dominical dont la partie essentielle est le prêche, commentaire d'un passage de la Bible par le pasteur; installés sur des bancs (les hommes d'un côté, les femmes de l'autre), les fidèles participent à ce culte par diverses prières mais surtout par le chant de psaumes, qui ponctue la cérémonie. La Cène n'a ordinairement lieu que quatre fois par an, au temps de Noël, à Pâques, à la Pentecôte et en septembre. D'autres circonstances réunissent encore les fidèles au temple : prières organisées certains jours de la semaine, baptêmes, mariages. En revanche, la Discipline des Églises réformées exclut toute cérémonie religieuse pour les funérailles, « pour prévenir toutes superstitions »; il semble bien toutefois qu'assez souvent cette interdiction fut tournée.

Chacune des 700 paroisses – qui portent le titre d'Églises –

est administrée par une assemblée, le consistoire, comprenant le pasteur et des « anciens ». Ces anciens, des laïcs au nombre d'une douzaine au moins et souvent d'une vingtaine, sont choisis par cooptation de ceux qui sont en charge ; l'ensemble des fidèles a toutefois un droit d'opposition lors de la proclamation de ce choix. Le consistoire a d'abord un rôle matériel et financier. C'est lui qui administre l'Église. Il paie le pasteur et en cas de changement de celui-ci, passe contrat avec le nouveau venu ; il s'occupe aussi du financement de l'école, de l'entretien du temple, de la participation de l'Église aux dépenses de la province à laquelle elle est rattachée. Pour tout cela, chaque chef de famille est appelé à apporter sa contribution.

Mais l'activité principale des consistoires, au cours de leurs réunions, ici hebdomadaires et ailleurs mensuelles, s'exerce dans le domaine de la morale, sociale et privée. Le consistoire veille au respect de la Discipline, c'est-à-dire qu'il débat de tous les manquements aux règles édictées par les Églises, et décide de sanctions à l'égard des coupables. Toujours, toutefois, ceux-ci sont invités à venir s'expliquer devant le consistoire. Les peines prononcées vont du simple blâme à la privation de la Cène, voire l'excommunication, l'objectif demeurant en permanence d'amener l'auteur de la faute à s'amender. Quels délits sont le plus fréquemment évoqués dans les délibérations des consistoires ? La participation à des divertissements profanes, qui montre bien que le fidèle moyen a quelque peine à se plier à l'austérité de l'existence prônée par le calvinisme : danseurs et joueurs sont poursuivis par les autorités de l'Église. Plus largement, les conduites indignes et scandaleuses (concubinage, grossesses illégitimes, ivresse...) suscitent les foudres du consistoire. Celui-ci s'efforce aussi de régler les litiges entre réformés, de mettre un terme aux inimitiés et aux querelles de ménage. On le voit, le consistoire se donne comme but de faire adopter par les fidèles un comportement digne de leur condition d'« élus », ce qui inclut au XVIIe siècle de rompre avec les idolâtres, c'est-à-dire les papistes. Nombreuses sont en effet les délibérations relatives à des fidèles qui acceptent trop facilement la coexistence avec les catholiques, jouant ici aux cartes avec certains d'entre eux (dont le curé !), mariant ailleurs leurs filles sans tenir compte du fossé confessionnel. On s'en tirait ordinairement en promettant de ne pas recommencer... Mais la présence de ces affaires dans les registres consistoriaux nous montre que certaines des attitudes que nous analyserons plus avant sont largement partagées par les élites des deux confessions.

Le consistoire – on s'en doute – ne reflète pas de manière fidèle la composition sociale de l'Église, même si toutes les classes y sont ordinairement représentées. Prenons deux exemples en Dauphiné. A Mens, les artisans, qui sont majoritaires dans la paroisse (58,6 %), ne fournissent que 33,3 % des membres du consistoire dans la deuxième moitié du siècle; certaines branches de l'artisanat, proches des milieux populaires, n'ont aucun représentant au consistoire. En revanche, les notables (hommes de loi, rentiers, « professions libérales ») sont très présents dans cette assemblée (31,6 % des membres) alors qu'ils ne constituent qu'une minorité parmi les protestants du lieu (14,8 %). A Gap, ville où les réformés sont peu nombreux au sein d'une population catholique, les mêmes phénomènes peuvent être observés : ainsi les notables, qui représentent le tiers de la paroisse réformée, fournissent 53,5 % des anciens [7]. A ce constat d'une sur-représentation des élites au sein des consistoires, il faut ajouter que tous les anciens ne restent pas en charge pendant la même durée. Les renouvellements ont lieu ordinairement tous les deux ou trois ans, mais certains anciens restent en place pendant des laps de temps beaucoup plus longs; or ce sont précisément ceux qui appartiennent aux classes les plus aisées qui font preuve de la plus belle longévité. Cette mainmise des élites sur les consistoires peut s'expliquer par la nécessité d'une instruction minimale pour appartenir à ces assemblées, ne serait-ce que pour pouvoir connaître de manière suffisamment approfondie le texte de la Discipline. Mais on voit aussi immédiatement les effets de cette prééminence au sein des Églises : la censure des mœurs a pu être un moyen d'acculturation, de transformation des comportements et des attitudes populaires selon des vues non exclusivement religieuses.

Le rôle des anciens dans la vie paroissiale montre combien concrètement la Réforme rejette toute forme de cléricalisme. Certes le pasteur est membre du consistoire – il en préside même les réunions – mais il n'a pas un rôle prépondérant dans la direction de la communauté. Sa fonction est avant tout religieuse, ses devoirs sont de l'ordre du culte : prêcher, catéchiser, défendre le petit troupeau contre les assauts catholiques, administrer les sacrements, visiter les malades. Il doit se consacrer à son ministère et ne peut exercer une autre profession. Formés dans une des Académies, les pasteurs restent généralement assez longtemps en poste dans la même paroisse. Mariés et pères de famille la plupart du temps, astreints à la résidence dans leur localité, ils doivent aussi fournir un exemple de vie chrétienne. Si tous ne furent pas d'éminents théologiens, encore que leur « niveau » soit en moyenne bien supérieur à celui des curés pendant la majeure partie du siècle, la plupart remplirent dignement leurs fonctions. Sans doute contribuèrent-ils ainsi à maintenir la cohésion de leur communauté, qu'ils connaissaient bien en raison de leur stabilité dans leur poste, face aux assauts des convertisseurs catholiques.

Au sein des Églises, les diacres exerçaient le ministère de la charité. Selon la Discipline, leur rôle était de « recueillir et de distribuer, par l'avis du consistoire, les deniers des pauvres, des prisonniers et des malades, les visiter et en avoir soin ». Chaque Église devait prendre soin de ses pauvres. Les diacres utilisaient à cet effet le produit des « cueillettes » (quêtes) faites à l'issue de l'office dominical et les dons et legs dont pouvait disposer l'Église. Les secours distribués par les diacres n'étaient pas seulement en argent; l'aide accordée pouvait consister en nourriture, outils de travail ou matière première. On voit par là que l'objectif recherché, par l'intermédiaire des diacres, est la réintégration du pauvre dans l'activité économique.

La plupart des Églises se sont aussi préoccupées de l'instruction des enfants et se sont efforcées d'ouvrir une « petite école » dispensant un enseignement élémentaire. Le contact avec l'Écriture pour tous les fidèles – principe essentiel de la Réforme – explique que les communautés protestantes aient manifesté un constant souci pour l'instruction. La difficulté principale fut de trouver des maîtres compétents et demeurant assez longtemps dans le même poste. La faiblesse des gages qui leur étaient versés peut expliquer en grande partie la pénurie chronique en pédagogues à la hauteur de la tâche. Toujours est-il que l'Église catholique comprit fort bien que la reconquête des régions protestantes imposait d'engager aussi la lutte sur le terrain scolaire ; elle s'efforça donc, quoique souvent tardivement, d'y constituer un réseau d'écoles.

Les institutions communes :
synodes et académies

La Réforme calviniste avait rejeté toute idée de supériorité d'une Église sur une autre. Aussi dans le protestantisme français n'y a-t-il pas de hiérarchie analogue au système épiscopal de l'Église catholique, mais une organisation fédérative, appelée synodale.

Chaque Église appartenait à une des seize provinces synodales qui se partageaient la totalité du territoire. Chaque province était elle-même subdivisée en plusieurs colloques. Si nous connaissons assez mal le fonctionnement des assemblées de colloque, qui n'eurent sans doute qu'un rôle secondaire, nous sommes en revanche bien informés sur les synodes provinciaux. Chaque Église députait deux membres – son pasteur et l'un des anciens – à cette réunion de plusieurs jours qui se déroulait annuellement. Le lieu de l'assemblée changeait chaque année pour affirmer dans les faits cette égalité des Églises. Si la monarchie ne fit pas de difficulté pendant la majeure partie du siècle pour autoriser la réunion des synodes, elle imposa à partir de 1623 la présence d'un commissaire royal, gentilhomme ou officier protestant, puis d'un second commissaire, catholique cette fois.

L'autorité du synode provincial est très ample. Il s'intéresse aussi bien aux questions d'intérêt général, concernant toutes les Églises de la province, qu'aux questions particulières concernant une Église ou un pasteur. Au rang des premières figurent par exemple l'observation de la Discipline, l'instruction des enfants, la désignation du député au synode général ou les contributions de la province au fonctionnement des Académies. Sans doute plus nombreuses sont les affaires particulières, dont le synode est saisi en appel par les colloques ou les consistoires, ou qui sont de son ressort propre. L'assemblée provinciale a ainsi la responsabilité de l'affectation des pasteurs, chaque Église conservant toutefois un droit d'opposition à la nomination effectuée par le synode. C'est aussi lui qui reçoit les nouveaux pasteurs, appelés « proposants », non sans examiner leurs connaissances et leurs aptitudes à la prédication, exercices pratiques à l'appui. Il veille à la bonne harmonie au sein des Églises et examine les conflits entre le pasteur et ses paroissiens; il se soucie aussi du bon fonctionnement des institutions, en particulier des consistoires, et peut éventuellement déléguer certains de ses membres pour aller régler sur place des questions difficiles. Il ne faut toutefois pas limiter les attributions des synodes aux questions concrètes : ainsi ont-ils par exemple pouvoir d'examiner les écrits des pasteurs; ils peuvent les censurer – voire les déposer – si leur orthodoxie est en cause. La participation de laïcs à des délibérations s'étendant même à des questions de doctrine ne manquait pas de choquer le clergé catholique, qui ne concevait pas que de simples artisans (peu nombreux à vrai dire dans ces assemblées) puissent avoir voix au chapitre en des domaines de cette importance.

Chaque synode provincial délègue deux ou quatre représentants, selon l'importance de la province, au synode national, autorité suprême des Églises réformées. Il avait été prévu que la réunion de cette instance aurait lieu tous les trois ans, après avoir eu un rythme annuel. Mais à partir de 1626 l'intervalle qui sépare deux synodes nationaux s'allonge : des réunions ont lieu en 1631, 1637, 1644, puis 1659. Ensuite, il n'y eut plus de synode jusqu'à la révocation de l'édit de Nantes. Louis XIV, en effet, n'accorda plus jamais l'autorisation de le convoquer, tant sans doute parce qu'il considérait comme dangereuse pour l'État toute forme d'assemblée réunissant des délégués de diverses provinces du royaume que parce qu'il espérait ainsi affaiblir, voire diviser, le protestantisme français. Mais on doit aussi observer que les réformés ne mirent jamais beaucoup d'ardeur à réclamer la convocation d'un nouveau synode; peut-être ne jugeaient-ils pas essentiel le rôle de cette institution, les synodes provinciaux suffisant à pourvoir aux problèmes que pouvaient rencontrer les Églises.

Le rôle du synode national n'était pas, toutefois, négligeable.

Portrait de l'hérésiarque. *(Cl. B.N.)*

Les emblèmes
de l'hérésie
(Cl. B.N.)

Quem mihi tu nidum? Res haud indigna rogatu.
Tartara, lucifugas, nigro cum Pectore, Siluas.

Welck is toch desen nest? de sake is weerdt te vraghen.
Hell; en boos Herte-pest: als Bosschen oock, en Haghen.

De quelle voirie, Vient ceste furie, Quest-ce que ce nid?
Cachots de l'Auerne, Boys, hayes, cauernes, Coeurs gros de despit.

Aux origines de l'hérésie, Satan. *(Cl. B.N.)*

Qui fucum faciunt, mera quamquam oracula fundant?
Qua solet arte, horum stygius Doctorq; Paterq;

Hoe liegt een Heretyck, al seght hy schoone waer?
Dat is duyuels practyck: Syn meester, ende Vaer.

La Verité sainte, Est elle vne feinte, Quand ell'est en eux.
Ouy; c'est de leur Maistre, Ce viel serpent traistre, Vn tour malheureux.

Le diable inspire tous les propos de l'hérétique.
(Cl. B.N.)

Jacques Jollain sculp.

L'hérésie,
mère d'impiété
et maîtresse
de violence.
(Cl. D.R.D.P.)
Clermont-Ferrand)

Toutefois, les assauts de son esquif demeurent impuissants contre la nef de l'Eglise. *(Cl. C.R.D.P. Clermont-Ferrand)*

L'erreur renversée. (*Cl. C.R.D.P. Clermont-Ferrand*)

La lumière de la vérité. *(Cl. C.R.D.P. Clermont-Ferrand)*

La lecture officielle de l'histoire du XVIIe siècle :
l'hydre vaincue et le triomphe de la croix. *(Cl. B.N.)*

Il tranchait en appel sur les décisions des synodes provinciaux soulevant contestation, intervenait en matière de doctrine et de discipline pour permettre une unité entre toutes les Églises de France. De plus, il avait la charge des relations des Églises avec la monarchie, tant par la rédaction de cahiers de plaintes que par la désignation de députés à la Cour.

Dans le champ de compétence des synodes figure aussi le financement des Académies. Établissements d'enseignement supérieur comprenant une Faculté des Arts et une Faculté de Théologie, les Académies sont le lieu de formation des pasteurs, encore qu'un certain nombre des futurs ministres aient préféré au XVIIᵉ siècle suivre les cours dispensés à l'étranger, et particulièrement à Genève. Ces diverses Académies, fondées pour la plupart au cours du XVIᵉ siècle, eurent une durée d'existence et un rayonnement très inégaux. Les plus importantes sont celles de Saumur, de Sedan, de Montauban – transférée en 1659 à Puylaurens – et de Nîmes. On peut ajouter à cette liste celle de Die, fondée en 1604, qui présente la particularité d'être provinciale : son financement est assuré par la seule province du Dauphiné qu'elle fournit en pasteurs.

Les études à l'Académie étaient ouvertes aux étudiants ayant suivi un cursus de sept années de grammaire, humanités et rhétorique – ordinairement dans les bâtiments mêmes de l'Académie – selon un schéma général qui n'est pas sans rappeler celui des collèges jésuites. Deux années de philosophie permettaient d'acquérir les titres de bachelier et de maître ès arts, et de s'orienter alors éventuellement vers d'autres Facultés. Pour les candidats aux fonctions de pasteur, un cycle de trois ans comprenait l'étude de la théologie et de l'hébreu. L'étudiant s'entraînait au cours de ce cycle à la préparation de sermons. A l'issue de ses études, il recevait une attestation lui permettant de se présenter en qualité de « proposant » devant le synode de sa province, comme nous l'avons déjà mentionné. Le corps professoral de l'Académie, composé théoriquement de six personnes, est souvent plus réduit, ne serait-ce qu'en raison des difficultés à verser régulièrement un traitement à ces professeurs. Mais les Académies, avec leurs spécialistes des langues de la

Bible et de la controverse, représentaient pour l'Église catholique autant de dangereux bastions de l'hérésie.

Pour qui regarde avec un certain recul les Académies il peut sembler que les évêques et leur clergé exagérèrent le danger représenté par cette poignée d'établissements dont le nombre de professeurs se comptait pour chacun sur les doigts de la main. Plus largement, au terme de cette présentation du protestantisme français, ne doit-on pas considérer que l'Église catholique accorda beaucoup (trop?) d'importance à cette confession minoritaire et déjà étroitement contenue par la réglementation royale? Fallait-il lui consacrer tant d'ouvrages savants et de libelles, préparer contre elle tant de prédicateurs et de controversistes, déployer tant d'énergie pour obtenir sa disparition totale? Il est évident que les efforts du catholicisme ne sauraient se comprendre si l'on néglige la charge passionnelle, liée à la notion même d'hérésie, si l'on ne prend en compte le prix accordé à l'idée d'unité religieuse : le protestantisme est d'abord, quelle que soit sa force, l'ennemi de la Vérité religieuse qu'entend défendre le clergé.

Chapitre 2

LES ORIGINES DE LA RÉFORME
Les enseignements de l'histoire

« Un seul Seigneur, une seule foi, un seul baptême » (Épître de Paul aux Éphésiens 4, 4). Catholiques ou protestants, les théologiens et les élites chrétiennes du XVIIᵉ siècle partagent la conviction qu'il n'y a qu'une seule véritable Église. Certes, ils ne la conçoivent pas de la même manière, les réformés insistant davantage sur son aspect spirituel et les catholiques sur sa visibilité. Mais il est certain que pour tous la fidélité à Jésus-Christ ne peut être le fait de plusieurs confessions chrétiennes. Avec pugnacité, les uns et les autres vont tenter de prouver l'erreur de l'adversaire. Pour ce faire, aucune arme n'est négligée; en particulier, le recours à l'histoire constitue une méthode privilégiée. Aux protestants qui refusent au catholicisme la possibilité de se proclamer Église de Jésus-Christ, en raison des déviations humaines qui entachent son passé et son présent, les champions de l'Église romaine répondent en soulignant la nouveauté de la Réforme. Si un jour l'histoire s'écrivit dans le silence des cabinets de travail, bien loin des champs de bataille du temps, ce n'est certes pas au XVIIᵉ siècle. Aussi les ouvrages de ces historiens catholiques, qui convoquent le passé à titre de témoin à charge contre les huguenots, constituent-ils une documentation particulièrement riche pour saisir l'image qu'ont du protestantisme les élites de la religion dominante. Leur présentation des origines de la Réforme, au-delà des portraits des pères fondateurs, laisse percer leur conception globale et de l'hérésie et de l'histoire chrétienne. Souvent simple illustration de postulats théologiques, cette historiographie nous fournira une première approche de l'image catholique du protestantisme.

Un magistrat historien
à l'époque de l'édit de Nantes

Parmi les historiens catholiques de la Réforme, le magistrat bordelais Florimond de Raemond occupe une place de premier plan. Son *Histoire de la naissance, progrès et décadence de l'hérésie de ce siècle,* publiée pour la première fois en 1605, soit deux ans après sa mort, servit de modèle – pour ne pas dire de mine – à beaucoup de ses successeurs. A la fin du siècle, Pierre Bayle notait que cet ouvrage avait représenté « une fontaine publique pour quantité d'autres écrivains; on ne saurait dire combien de gens y ont puisé ». Hormis cette notoriété, qui lui valut plusieurs rééditions, l'*Histoire* de Raemond mérite aussi de retenir l'attention par la personnalité de son auteur et l'analyse du protestantisme qu'elle propose. Florimond de Raemond nous servira de guide dans le présent chapitre; nous référant à lui, il nous sera plus aisé de mesurer permanences et inflexions de l'historiographie catholique au cours du siècle.

Florimond de Raemond fait partie de ces hommes qui furent les exacts contemporains du développement du protestantisme en France et traversèrent les temps troublés des guerres de religion. Au cours de ses études, il manifesta quelque sympathie pour les idées nouvelles, en particulier sous l'influence de Ramus dont il fut l'élève. Il semble même que le supplice d'Anne du Bourg, ce magistrat dont l'unique crime fut de prôner la tolérance à l'égard des protestants, finit de le gagner au calvinisme. Mais, selon ses propres dires, il retourna au catholicisme à la suite d'un miracle, la guérison d'une possédée par application d'une hostie consacrée. Cette conversion de 1566 est intéressante pour comprendre la mentalité de l'homme et de beaucoup de ses contemporains; Dieu intervient directement dans la vie des hommes et le miracle demeure un des signes de la vérité religieuse. Cette certitude de la présence du surnaturel à chaque détour de l'histoire, nous la retrouverons dans l'œuvre de notre magistrat.

Devenu conseiller au Parlement de Bordeaux en 1572, il consacre à la défense de la cause catholique les loisirs que lui laisse sa charge de justice. Un premier ouvrage s'attache à réfuter le mythe de la papesse Jeanne, que les protestants utilisaient tant pour rejeter la thèse de la succession ininterrompue des papes que pour mettre en évidence les turpitudes de la Rome médiévale. Puis Raemond s'en prend à l'assimilation protestante de l'Église romaine à l'Antéchrist, si utile pour justifier la rupture religieuse instaurée par la Réforme. Dans les deux cas, notre auteur met à profit son érudition pour démontrer que le discours protestant sur le catholicisme est entaché d'ignorance et de mensonge.

Son troisième ouvrage, l'*Histoire* qui nous intéresse ici, a une ambition plus vaste. Ses mille pages se veulent une explication globale du protestantisme, « hérésie de ce siècle ». Le propos est ici plus ouvertement offensif ; cette *Histoire* est partisane et entend dévoiler la vraie nature du protestantisme. Pierre Bayle – déjà cité – releva évidemment le caractère engagé de notre historien : « Il était l'homme du monde le moins propre à réussir dans cette entreprise, vu la haine qu'il avait conçue contre le parti où il avait été élevé. » Mais mieux vaut encore, pour saisir les conceptions historiographiques de Florimond de Raemond, recourir à la source elle-même et examiner en quels termes il présente son projet au début de l'ouvrage. L'histoire est d'abord, pour Raemond, un spectacle qui doit instruire. Il faut que « chacun sache l'infâme naissance, ou plutôt l'avortement honteux, connaisse le malheureux progrès, et juge la décadence infaillible de l'Hérésie. C'est la réfuter, d'en montrer et découvrir la source et l'origine, dit saint Jérôme. L'échafaud sur lequel je la ferai monter a diverses scènes, et chaque scène a divers actes... Sur ce théâtre, on verra l'Hérésie furieuse et échevelée, les yeux dardant le feu, les couleuvres sortant de la bouche, conduite par insensé – ou Hercule furieux – Satan, dépitant le ciel et menaçant la terre, suivie d'un grand nombre d'opiniâtres et têtus hérétiques, qui en seront les personnages [1] ».

On aura évidemment noté au passage l'emploi du terme « échafaud » dont le double sens résume finalement tout le propos de l'auteur : donner à voir l'hérésie sous son vrai jour, comme sur des tréteaux de théâtre, mais aussi par là même contribuer à sa réfutation, à sa disparition, et la conduire ainsi à l'échafaud du supplice. Notre auteur n'hésitait pas à faire de l'historien le champion de la cause catholique dans un combat dont l'issue devait être le triomphe de l'Église, attaquée par des « lions rugissants, loups ravissants, dragons monstrueux et mordantes vipères ». L'histoire n'est donc pas un aimable passe-temps, mais bien une tâche qui s'impose, un combat nécessaire. Elle doit, en donnant à voir la vérité de l'hérésie, permettre de comprendre qu'un ordre avait été renversé et contribuer à le restaurer. Dans le même esprit et la même veine que Florimond de Raemond, son fils François écrivait dans « l'Épître dédicatoire au pape » de cette *Histoire,* dont il prit en charge l'édition, qu'on y verrait « diviser l'Église en autant de schismes que fut jadis en lambeaux la robe du prophète Nathan, altérer et corrompre la conscience des peuples de mille diverses et folles erreurs, les aveugles-nés accuser la clairvoyante Antiquité d'avoir les yeux pochés, et les plus grandes lumières qui aient jamais éclairé l'Église être ensevelies dans le gouffre d'une nuit éternelle ».

On le voit, avec Florimond de Raemond, le ton est à la guerre à outrance. Aucune concession ne peut être faite à l'adversaire. En un sens, cet écrivain fait bien partie des polémistes du début du XVIIᵉ siècle qui continuent les luttes religieuses, abandonnant seulement l'épée pour la plume. Mais il ne faut pas toutefois amputer le portrait de cet historien-partisan : sa conviction profonde est aussi que seul le débat d'idées peut permettre de faire reculer l'erreur et de retrouver l'unité religieuse. Raemond est de ces hommes pour qui les atrocités des guerres de religion n'ont nullement permis de progresser dans cette voie. La répression n'a fait que donner à l'erreur ses martyrs et lui gagner de nouveaux adeptes, « ne se pouvant la plupart persuader que ces gens n'eussent la raison de leur côté, puisqu'au prix de leur vie ils la maintenaient avec tant de fermeté et de résolution ». Ni les supplices, ni les menaces de mort ne peuvent obtenir la conversion des hérétiques; durant la seconde moitié du XVIᵉ siècle, affirme Raemond, « il semblait que tant plus on en envoyait au feu, d'autant plus on en voyait renaître de leurs cendres... Quand le mal a gagné pied, ces publics et tristes spectacles par justice sont de dangereux remèdes et plus propres souvent pour allumer le feu que pour l'étouffer [2] ». A l'inverse, il ne faudrait cependant pas faire de notre auteur un champion de la tolérance ou de la liberté de conscience, notions qu'il rejette vigoureusement. Certain que la Vérité n'a pas quitté l'Église romaine, il entend le montrer et juguler le danger protestant par la force de sa plume.

Au fil des huit livres que comporte l'*Histoire de l'Hérésie,* on voit, comme l'avait annoncé l'auteur, défiler une galerie de portraits, celle des grands hérésiarques. On suit aussi une intéressante argumentation sur les facteurs du développement du protestantisme et sur les méfaits qu'il entraîna derrière lui. On saisit ainsi, au gré des récits et des analyses, ou parfois plus explicitement, quelle est pour l'auteur la définition de l'hérésie et quels en sont les traits caractéristiques. On rencontre surtout, d'un bout à l'autre de l'ouvrage, ce qui est pour Raemond davantage une certitude première qu'une thèse à prouver : le diable est à l'origine du protestantisme, comme de toutes les hérésies. Pour perdre les hommes par la ruse, Satan se sert principalement des hérésies :

« Voici à troupes infinies, Seigneur, des ennemis armés, que le Serpent jaloux de ta grandeur a fait naître, semant les dents de son envie dans le champ de ton Église [3]. »

Ces grands thèmes de l'*Histoire de l'hérésie* sont ceux que nous allons maintenant aborder en compagnie de Florimond de Raemond et des autres historiens catholiques.

Comment devient-on hérésiarque?
L'histoire de Luther

Le père de la Réforme, Martin Luther, est évidemment le premier des personnages auxquels s'intéressent nos historiens, qui vont tenter d'expliquer sa « révolte » contre l'Église. Comme pour tous les personnages qu'il présente, Raemond commence par analyser son signe astral et intitule un développement « Mars et Jupiter montrant en Luther sa révolte ». Puis après un rappel de l'entrée en religion du réformateur allemand, notre auteur s'intéresse à ses qualités et défauts. Ce portrait ne cherche pas à masquer les qualités de Luther qui a « l'esprit prompt et vif, une heureuse mémoire, beaucoup de facilité à s'expliquer. [Il est] éloquent et disert en sa langue, plus qu'autre de son âge. Quand il était en chaire, tout transporté d'ardeur et de passion, il savait animer et donner vie à ce qu'il disait, et comme un torrent emporter les esprits des auditeurs qu'il rencontrait ». Déjà perce, il est vrai, le revers possible de ce portrait plutôt flatteur : mise au service d'une mauvaise cause, cette intelligence peut devenir dangereuse ; mais Raemond insiste encore sur l'éloquence de Luther, quelque peu extraordinaire car les Européens du Nord sont « gens massifs qui, sans action, font leurs sermons et lectures, attachés en leurs chaires, les mains clouées dessus, comme s'ils étaient des statues immobiles ». Puissance de travail et générosité sont également concédées à Luther qui, par ailleurs, est un bon théologien : « Il était homme de beaucoup de leçon, ayant assez heureusement manié les bons livres, pendant quatorze ans qu'il demeura dans le cloître. »

Les défauts du réformateur sont pour Raemond à la mesure de ses qualités : « D'un esprit rogue, fier, hautain, insolent et insupportable... il avait ordinairement la langue trempée dans le venin, et la médisance en la bouche. Peu de ses amis ont échappé [à] ses morsures et atteintes. » Impitoyable et orgueilleux, Luther a un caractère qui lui rend la vie religieuse insupportable :

« Il fut au reste ennemi mortel et capital de toute sujétion, austérité et pénitence, qui assoupit l'ire de Dieu. Le jeûne était sa mort, la chasteté son enfer... Homme, s'il en fut jamais, ensoufré d'ambition, et de vaine gloire, vraie mère de l'Hérésie... Et surtout, si plein de l'amour de soi-même qu'il lui semblait qu'en sa grosse tête seule était l'abrégé de toute la science du passé et de l'avenir. »

Finalement, pour Florimond de Raemond, Luther est l'antithèse même du bon religieux. Au lieu des vertus d'humilité, obéissance et chasteté, on trouve chez lui l'orgueil, la suffisance et le rejet de toute mortification. Comme son intelligence était hors du commun, il avait tous les traits nécessaires pour prendre la tête d'une hérésie :

« Il le fallait tout tel pour ouvrir la porte à la liberté et au vice, et la fermer à l'obéissance et à la vertu [4]. »

Le pas fut franchi parce que Satan jeta son dévolu sur le moine allemand. Qu'on ne s'étonne pas, dit notre auteur, que le diable guette particulièrement les religieux : il sait très bien que les couvents sont des « tranchées de ses ennemis... aux gages de Dieu » et les « boulevards de la Chrétienté ». Mais il agit toujours par ruse, à la manière d'un espion infiltré dans les troupes adverses; et là, il « dresse des embûches » à ceux qui supportent difficilement les austérités de la vie conventuelle, « leur présente ce qu'il connaît s'accommoder le plus à leurs humeurs, n'y entremêlant jamais leurs contraires ». Luther était donc la proie idéale. Satan « reconnut ce jeune moine hardi, courageux et plein de feu, sophiste, superbe et ambitieux... Cette vaine gloire, principalement, fut le crampon avec lequel il l'accrocha... La superbe, dit saint Augustin, est la commune mère de tous les hérétiques [5] ».

Le jeu des forces ainsi présenté, l'histoire de Luther n'est plus dès lors que le déroulement logique d'un scénario largement prévisible. Ainsi, nous explique Raemond, l'excommunication de Luther fut pour lui l'occasion d'un pas supplémentaire dans sa révolte. S'étant aperçu, « après avoir vidé sa colère et sa rage, que ses injures... n'étaient qu'autant de volées de canon perdues contre ce mur diamantin, il délibéra [de] donner plus avant, et, pour ébranler le pape, attaquer l'Église, quitter les mœurs pour s'en prendre à la doctrine... Il espérait que la fortune peut-être lui serait plus favorable qu'elle n'avait été à plusieurs autres qui l'avaient devancé, succombés aux faits de pareille entreprise [6] ».

Le Luther de Raemond est donc d'abord l'instrument de Satan, au sens le plus fort de l'expression. C'est le diable qui a choisi ce moine dont le caractère comportait tous les ingrédients nécessaires à la révolte religieuse, et c'est lui qui l'a poussé vers celle-ci. Luther est le protagoniste d'une histoire dont le vrai maître est extérieur au monde d'ici-bas. Si c'est bien lui qui décide de franchir les diverses étapes de la révolte, c'est en quelque sorte dans la logique de l'impulsion qu'il a reçue initialement, comme en vertu de la vitesse acquise. Satan donne la chiquenaude initiale; les traits de caractère du sujet qu'il a (bien) choisi suffisent alors pour que l'histoire se déroule à son gré.

Les retouches du portrait

Pour prendre la mesure des inflexions de l'historiographie catholique de Luther au cours du XVIIᵉ siècle, il n'est qu'à se reporter à l'*Histoire du luthéranisme* publiée en 1680 par le Père Maimbourg. Les ouvrages d'histoire religieuse que ce jésuite avait livrés au public depuis une dizaine d'années avaient tous connu un certain succès. Le style agréable de l'auteur, la préférence qu'il accordait à la belle rhétorique sur l'érudition pédante, bref son ton très « honnête homme », peuvent expliquer ce succès. Mais les prises de position gallicanes de Maimbourg, qui pensait par exemple qu'au cours des âges la monarchie française avait plus fait que Rome pour la cause catholique, lui attiraient aussi les sympathies d'une bonne partie du clergé de France. Elles lui valurent finalement d'être chassé de la Compagnie de Jésus; toutefois Maimbourg, protégé par l'archevêque de Paris, du Harlay, continua son œuvre, devenant de plus en plus une sorte d'écrivain officiel dans le domaine de l'histoire religieuse. Les louanges qu'il décerne à Louis XIV pour sa politique d'étouffement du protestantisme montrent combien existait alors une sorte de surenchère entre le roi et le clergé dans la voie qui conduisait à la révocation de l'édit de Nantes. Si donc on ne rencontre pas chez Maimbourg le ton passionné de Florimond de Raemond, il est évident que cela ne signifie pas que l'auteur de l'*Histoire du luthéranisme* ait une quelconque complaisance à l'égard de l'hérésie.

Le souci de conserver une certaine mesure dans l'analyse du passé est explicitement affirmé en divers passages de l'*Histoire du luthéranisme*. Ainsi, lorsqu'il s'apprête à traiter du décès de Luther, Maimbourg écrit :

« Je sais que les écrivains catholiques et les luthériens racontent fort diversement les circonstances de sa mort. Ceux-ci le font mourir comme un grand saint à leur mode et veulent qu'il ait rendu l'âme en remerciant Dieu de ce qu'il lui avait fait connaître et aimer de tout son cœur Jésus-Christ son fils; qu'il lui avait donné par sa grâce le courage et la force d'annoncer à son pays la vérité de l'Évangile, le priant de l'y conserver, et de maudire le Pape et son Concile qui la persécutent. Les autres veulent au contraire qu'il soit mort comme une bête, sans aucun sentiment de Dieu après avoir bien bu et bien mangé. Pour moi, qui crains fort de donner dans les extrémités où la préoccupation porte assez souvent les écrivains, je dirai de bonne foi ce qu'après avoir lu les uns et les autres je trouve qu'il y a de plus véritable en ceci [7]. »

Suit alors un récit aussi minutieux que possible des dernières heures du réformateur, écrit – il faut le reconnaître – sans acrimonie particulière, insistant seulement quelque peu sur le penchant de Luther pour la bonne chère. Mais ce ton assez neutre sur les événements précis est vite abandonné lorsqu'il s'agit de la personnalité du moine de Wittenberg. Certes, comme Florimond de Raemond, Maimbourg reconnaît de grandes qualités intellectuelles à Luther, reçu chez les Augustins « avec joie, comme un sujet de grand mérite ». Chez eux, il fit « de grands progrès dans les hautes sciences, auxquelles il s'appliqua avec une grande assiduité; de sorte que comme il passa bientôt pour le plus bel esprit et le plus habile homme de son Ordre en Allemagne, le Vicaire général qui travaillait fort à l'avancement de l'Université de Wittenberg l'y appela pour y prêcher, et pour y enseigner en même temps la philosophie. Il s'acquitta de ces emplois avec un grand applaudissement [8] ». Éloquent, travailleur infatigable, esprit vif, Luther devint une des gloires de son Ordre.

Mais cet homme est aussi, pour Maimbourg, pétri d'hypocrisie et d'orgueil : « Il avait la complexion forte et robuste..., le tempérament bilieux et sanguin, ayant l'œil pénétrant et tout de feu; le ton de voix agréable, et fort élevé quand il était une fois échauffé; l'air fier, intrépide et hautain, qu'il savait pourtant radoucir, quand il voulait pour contrefaire l'humble, le modeste et le mortifié, ce qui ne lui arrivait pas trop souvent; et surtout dans l'âme un grand fond d'orgueil et de présomption, qui lui inspirait le mépris de tout ce qui n'entrait pas dans ses sentiments, et cet esprit d'insolence brutale avec laquelle il traita outrageusement tous ceux qui s'opposèrent à son hérésie, sans respecter ni roi, ni empereur, ni pape, ni tout ce qu'il y a de plus sacré et de plus inviolable sur la terre [9]. »

Quelques autres traits d'une même amabilité complètent le portrait. Les points communs avec celui qu'avait brossé Raemond sont patents, et en particulier l'insistance sur l'orgueil et l'entêtement du personnage. Cela ne doit pas surprendre : nos deux auteurs ont une source commune, l'*Histoire de Luther* publiée dès 1549 par Jean Cochlaeus, chanoine de Breslau, ouvrage qui nourrit pendant longtemps la légende noire du réformateur. Ajoutons à cela que Maimbourg avait lu Raemond. Les différences entre nos deux auteurs n'en prennent que plus d'intérêt. Celles-ci, on l'aura déjà remarqué, tiennent surtout au rôle attribué à Satan dans l'histoire de Luther. Maimbourg retire toute idée d'une influence diabolique directe dans la vie du réformateur. Bien plus, il prend soin de réfuter la thèse d'une « filiation » satanique de Luther :

« Il naquit à Eisleben... non pas d'un Incube, ainsi que quelques-uns, pour le rendre plus odieux, l'ont écrit sans aucune apparence de vérité, mais comme naissent les autres hommes; et l'on n'en a jamais douté que depuis qu'il devint hérésiarque, ce qu'il a bien pu être sans qu'il soit besoin pour cela de substituer un diable à la place de son père Jean Luder, et de déshonorer sa mère Marguerite Linderman par une si infâme naissance [10]. »

Luther n'était bien finalement qu'un homme comme les autres, semble insister Maimbourg. Alors, comment expliquer l'origine de sa révolte? Cherchez du côté des hommes plus que de celui du diable, affirme Maimbourg. Des « désordres scandaleux » eurent lieu lors de la prédication des indulgences par les Dominicains d'Allemagne; certains d'entre eux « en dirent beaucoup plus qu'il ne fallait » et les désordres furent surtout le fait « des Commis qui n'étaient pas de leur Ordre ». Cela provoqua une réaction du Vicaire Général des Augustins qui, à l'évidence, affectionnait peu les Frères Prêcheurs; ce Vicaire Général « lâcha contre les Dominicains » le prédicateur plein de fougue et de savoir qu'était Martin Luther, comme le plus apte à dénoncer ces abus. « Luther, qui aimait la gloire, ravi d'avoir une si belle occasion de paraître et de faire parler de lui, monte en chaire, déclame terriblement contre les quêteurs et prédicateurs d'indulgences. Et passant des abus des particuliers qu'il pouvait légitimement reprendre au décri des indulgences mêmes, il dit qu'elles apportent plus de dommage que d'utilité [11]...» Sur sa lancée, le moine de Wittenberg écrit à l'archevêque de Mayence, publie ses 95 propositions... L'origine de la Réforme est donc à chercher dans les rivalités et jalousies entre Ordres religieux, les affrontements de personnes, les passions. Cette révolution religieuse est pour Maimbourg une histoire très humaine, trop humaine serait-on presque tenté de dire. En tout cas, il n'y a plus de place pour l'intervention directe du surnaturel dans la vie des hommes. C'est en ce sens qu'il faut interpréter les remarques déjà citées de Maimbourg sur la mort de Luther : pas plus que le cours de sa vie, son trépas ne se signale par des traits qui feraient de lui un homme hors du commun. Il n'y a pas de raison pour voir en lui un « saint à rebours », un homme marqué des stigmates du merveilleux diabolique. L'histoire écrite par Maimbourg est celle de tragédies humaines; elle veut offrir un spectacle instructif et édifiant à partir des événements du passé.

Une semblable analyse se retrouve sous la plume d'autres écrivains catholiques contemporains du Père Maimbourg. Pour Brueys, ancien protestant qui explique en 1683 les raisons de sa conversion au catholicisme, Luther est surtout un passionné, qui n'avait pas le sens de la mesure et passa de critiques ponctuelles justifiées à une remise en cause générale non fondée [12]. Les notions d'intérêt, de passion, de volonté de « vengeance » des Augustins à l'égard des Dominicains se retrouvent aussi chez Soulier et Du Bois Goibaud. Ce dernier auteur insiste particulièrement sur cet aspect : le point de départ de la Réforme se trouve dans la « jalousie d'un moine emporté, qui ne pouvant souffrir que la publication de certaines indulgences eût été adressée à un autre Ordre qu'au sien se révolta contre l'Église ». On sent là tout le mépris d'une époque éprise de raison à l'égard d'un XVIe siècle allemand trop bouillonnant qui succombe finalement aux enfantillages que sont ces querelles de familles religieuses. Cet argument est aussi destiné à tenter de convertir les protestants français de la fin du XVIIe siècle qui – on le leur concède – ne sont pas plus déraisonnables que leurs compatriotes catholiques. Du Bois Goibaud enchaîne en effet :

« Qui pourrait croire que des personnes qui paraissent de bon sens en autre chose fussent capables de prendre un tel apostat pour un homme envoyé de Dieu pour réformer son Église, et pour la tirer des ténèbres de l'erreur [13]? »

L'examen de la vie de Luther devient un moyen de jeter le discrédit sur les origines de la Réforme, entreprise avec des motivations qui ne résistent pas à l'examen. Richelieu avait en quelque sorte résumé cette position en écrivant dans son *Traité :* « Luther... s'est séparé de l'Église romaine par le mouvement de sa passion, et non par celui de la raison [14] ». Pour les polémistes catholiques, les protestants ne sauraient se laver de cette tache originelle.

Faut-il préférer Calvin?

Aucun des portraits des réformateurs ne tranche par une quelconque originalité. Tous les pères du protestantisme sont de dignes émules de Luther, agissant pour les mêmes mobiles que lui. Publiant, deux ans après son *Histoire du luthéranisme,* un volume consacré à celle du calvinisme, le Père Maimbourg présente Zwingli en ces termes :

« Haudry Zwingli était un jeune homme impétueux et plein de feu qui, après avoir porté quelque temps les armes, étant devenu chanoine de Constance, se repentit bientôt de s'être attaché à une profession qui oblige au célibat, duquel il ne pouvait s'accommoder, comme il l'a lui-même avoué dans ses ouvrages. C'est pourquoi, dès qu'il entendit parler de la nouvelle doctrine de Martin Luther, laquelle flattait agréablement ses inclinations, il l'embrassa de tout son cœur sans néanmoins se déclarer encore ouvertement, jusqu'à ce qu'ayant trouvé moyen de vendre son bénéfice, il quittât son aumusse pour prendre femme, et se mît à faire le prédicant parmi les Suisses [15]. »

Qu'on ne cherche donc pas chez Zwingli davantage de conviction que chez Luther. Tout procède de son tempérament fougueux et de son incapacité à dominer ses inclinations.

Les portraits de Calvin nous le présentent aussi avec les mêmes défauts que Luther. Soulier insiste sur son « esprit d'ambition et d'indépendance » et explique qu'à l'origine il agit par « dépit... pour se venger de l'injure qu'il croyait avoir reçue de la Cour, sous prétexte qu'on lui avait refusé un bénéfice considérable et qu'on lui avait préféré un parent du connétable de Montmorency [16] ». C'est aussi comme un ambitieux qui « voulait être chef d'un nouveau parti » que Calvin est présenté par Maimbourg [17].

Certains des écrivains catholiques établissent un parallèle entre le père de la Réforme allemande et celui de la Réforme française, précisant ainsi ce qui, au-delà des points communs, différencie les deux hérésiarques. Florimond de Raemond s'attache particulièrement à cette question, non sans avoir auparavant établi l'horoscope de Calvin : doté « de belles qualités, mais qui devaient être accompagnées de plusieurs laides parties », le réformateur français était « homme d'un éminent savoir... pourtant mal assis... Ce grand esprit aurait la folie pour compagne suivie d'une trop grande curiosité à rechercher les choses qui étaient au-dessus de sa portée ». Si Calvin avait sur Luther l'avantage de « mœurs mieux réglées », il n'était pas aussi bon prédicateur que le moine de Wittenberg. Le plus intéressant est sans doute la comparaison entre leurs deux hérésies :

« Luther bâtit une religion matérielle et grossière, Calvin une subtile et quintessentielle. Aussi a-t-on remarqué les hérésies qui ont eu leurs pères et progéniteurs plus proches du midi avoir été toujours plus subtiles que celles qui sont sorties du côté du Nord, comme les venins des pays méridionaux sont plus pressants que ceux du Septentrion. Ceux, dis-je, qui sortent du côté du Nord se sont ordinairement attaqués aux jeûnes de dévotion, aux abstinences, pénitences, célibats, et autres choses qui répugnent à la chair... Les autres du Midi, plus sublimes, ont attaqué ores la divinité, puis l'humanité, la procession du Saint-Esprit, la toute-puissance de Dieu, sa présence à l'autel... Ceux qui demeurent en l'excès de froid... ont le corps pesant, l'esprit simple et moins malicieux; ceux-ci le corps sec et léger, mais l'esprit caut [= rusé], subtil et plus méchant. »

De cette synthèse, dans laquelle la typologie des hérésies est fondée sur les différences climatiques, il découle que le calvinisme est beaucoup plus pernicieux que le luthéranisme :

« Luther fut un instrument dangereux pour ruiner l'Église, mais beaucoup moins que celui-ci [Calvin]. Le dépit et le désespoir firent Luther chef d'une très méchante hérésie, fit Calvin chef d'une autre, pire que la première. Car ce fut le seul zèle de gloire qui l'engagea en cette entreprise, pour se mettre en crédit et réputation parmi la vanité du monde, où la plupart des hommes fait naufrage, comme dans un profond abîme [18]. »

Le ton de Raemond à l'égard de Calvin n'a pas l'accent de hargne qu'avaient certaines des biographies antérieures, en particulier celle de Bolsec, contemporain du réformateur, chassé de Genève en 1551. Mais la critique de Calvin gagne de cette manière en virulence. L'ambition seule l'anima; la subtilité de son intelligence et l'aspect moins déréglé de son comportement – par rapport à Luther – constituent de redoutables pièges. Il est plus facile de se laisser abuser par Calvin que par Luther.

A la fin du siècle, Maimbourg estime aussi le réformateur français plus dangereux que l'allemand, mais son argumentation est sensiblement différente. Tout d'abord, Maimbourg conteste la typologie des hérésies fondée sur la géographie qu'avait établie Raemond, lui empruntant même pour cela ses propres expressions :

« Je ne puis m'empêcher de dire que c'est à tort qu'on s'imagine, par une espèce d'erreur populaire – même parmi quelques savants – que la différence qu'il y a entre l'hérésie de Luther et celle de Calvin, c'est que la première est matérielle et grossière, et l'autre subtile et spirituelle. »

Pour Maimbourg, en effet, Luther, « docteur en théologie, et habile docteur », est nettement meilleur théologien que Calvin, dont les connaissances dans les sciences sacrées sont bien rudimentaires. En conséquence, Luther « erre avec plus de justesse – s'il faut ainsi parler – et se soutient beaucoup mieux que ne fait Calvin qui, n'étant pas théologien, prend quelquefois, en voulant expliquer nos Mystères les choses sans aucun discernement, d'une manière si peu fine et si peu digne d'un homme éclairé qu'il tombe dans un embarras d'où il lui est impossible de se tirer qu'en avouant certaines inconséquences tout à fait insoutenables ». Le seul avantage que Maimbourg concède à Calvin sur Luther est d'avoir « plus de politesse » et d'écrire un meilleur latin [19]. L'avis de l'érudit oratorien Richard Simon n'est guère différent : Calvin est un bon écrivain, chez qui Simon trouve « un je-ne-sais-quoi qui plaît d'abord », mais il explique l'Écriture « selon ses préjugés, et non pas selon la signification propre des mots, laquelle il détourne quelquefois pour l'accommoder à ses sentiments [20] ».

La remise en cause de la typologie de Raemond par Maimbourg révèle bien, nous semble-t-il, l'évolution des modes de pensée des élites au cours du XVIIe siècle. A des interprétations globales des phénomènes religieux, mettant en œuvre les positions des astres et les influences du climat pour expliquer les tempéraments des auteurs d'hérésies, la fin du siècle préfère l'analyse serrée des idées des réformateurs, la discussion de leurs raisonnements théologiques. Si Luther semble alors jouir de plus de faveur de ce point de vue, c'est d'abord, comme le révèlent les propos de Maimbourg, parce qu'il est un spécialiste de la théologie. On sent percer ici l'absolue certitude qu'elle est affaire de clercs et qu'il y a péril pour la foi dès que des profanes dans les sciences sacrées veulent s'ériger en commentateurs de l'Écriture. N'oublions pas que pour le catholicisme, une des principales erreurs du protestantisme – et particulièrement du calvinisme – est de prôner le contact direct des fidèles avec le Livre saint, comme susceptible de leur faire connaître sans médiation la volonté divine. L'insistance sur l'ignorance de Calvin en cette fin du XVIIe siècle est un reflet de la cléricalisation qui a accompagné la Contre-Réforme catholique : le temps de la libre discussion sur les matières de la foi, par tous les chrétiens, en tout lieu – comme cela s'était passé au XVIe siècle – est maintenant tout à fait révolu.

Il y a encore davantage dans ce discrédit jeté sur la réflexion théologique de Calvin. Maimbourg veut ainsi étayer l'idée d'une incohérence doctrinale du calvinisme. Piètre théologien, Calvin n'a construit sa confession de foi qu'à partir d'éléments hétéroclites empruntés aux uns et aux autres : il « n'est dans la vérité qu'un assez habile copiste qui a tout pris des Hérétiques qui l'ont précédé ». S'il se trouve toutefois dans sa doctrine quelques éléments qui lui sont propres, ceux-ci ne sont que le fruit de ses « préjugés » selon l'expression de Richard Simon. Plus encore que les autres hérésies, le calvinisme procède de la seule fantaisie de son fondateur. Il lui manque la référence à une autorité garante de sa doctrine.

En d'autres termes, la comparaison entre Luther et Calvin, qui met en évidence la fragilité de la construction théologique du réformateur français, apparaît aux polémistes catholiques de la fin du XVIIᵉ siècle comme le moyen de souligner l'incompatibilité entre le bon sens et l'adhésion au calvinisme. Luther était déjà disqualifié, comme nous l'avons vu ; Calvin l'est à son tour pour son incompétence et son manque de rigueur intellectuelle. Au cours du siècle, les réformés avaient pris l'habitude d'affirmer que la seule doctrine des réformateurs leur était chère et qu'ils n'entendaient pas discuter autour des récits de leur vie. On pourrait dire que les polémistes catholiques les ont suivis sur ce terrain, en mettant en sourdine les critiques *ad hominem* : mais leur objectif reste inchangé : il s'agit toujours de faire apparaître le danger du calvinisme.

La Réforme dans l'histoire

Comme le fait Maimbourg à propos de Calvin, les historiens catholiques comparent fréquemment le protestantisme aux hérésies médiévales. C'est pour eux un moyen de dévoiler sa véritable nature et aussi de saper ses prétentions à représenter la véritable doctrine chrétienne.

Pour Florimond de Raemond, les hérésies font partie des malheurs dont aucun siècle n'a eu la chance d'être épargné : elles « s'entre-suivent file à file l'une à l'autre » et empruntent leurs caractères à celles qui les ont précédées. Luther ne manque pas à cette règle, lui qui « prend qui çà, qui là, sans jugement » et construit à partir de morceaux épars » :

« Luther, ayant à bâtir son Église, prit par emprunt plusieurs pièces des hérétiques évanouis et annihilés, [et] fit voir à la chrétienté un monstre tout nouveau, rapiécé de mille monstres [21] ».

Le thème de l'emprunt du protestantisme aux hérésies médiévales se retrouve fréquemment chez les auteurs catholiques. Maimbourg, à la fin du siècle, montre qu'il existe une filiation des Vaudois au calvinisme, en passant par Jean Hus, Jérôme de Prague et Luther qui forma son hérésie « en partie de ce qu'il choisit des uns et des autres, en rejetant ce qui lui déplut dans leurs dogmes, et en partie de ce qu'il inventa lui-même sur les points plus délicats et plus théologiques ». Calvin, pour sa part, « a presque tout pris de Luther » mais, voulant « être chef d'un nouveau parti », il ajouta quelques éléments de son propre cru [22].

L'analyse la plus systématique de cette filiation des hérésies demeure toutefois sans aucun doute celle du jésuite Jacques Gaultier qui publia en 1609 une *Table chronographique de l'état du christianisme... Ensemble le rapport des vieilles hérésies aux modernes de la prétendue réformation.* Cet ouvrage, qui se propose de faire voir que les « opinions » des protestants « ont de tout temps été condamnées par les saints Pères et anciens docteurs, de siècle en siècle », est construit de manière assez originale. Chaque siècle de l'histoire de l'Église est présenté séparément, d'une manière assez sommaire, sous forme de colonnes consacrées chacune à une partie de la chrétienté. Puis, avant de passer au siècle suivant, Gaultier s'attache dans un chapitre au « rapport des vieilles hérésies [de ce siècle] aux modernes de la prétendue réformation » et dans un autre aux « vérités catholiques attestées contre le calvinisme par l'Écriture sainte et par les saints Pères et anciens docteurs » de ce même siècle [23]. L'histoire du christianisme apparaît ainsi comme une histoire étonnamment immobile, scandée seulement par les changements de siècle : la doctrine romaine a toujours été semblable à elle-même; les hérésies – toujours condamnées – se répètent inlassablement.

L'originalité du protestantisme est seulement, aux yeux de Gaultier, dans sa récapitulation générale de toutes les hérésies antérieures. Auteur d'un autre ouvrage de controverse – *L'anatomie du calvinisme* – notre jésuite y reprend le même thème : le diable s'est « surmonté (lui-même) en méchanceté par l'intrusion de Calvin, au cœur, langue et plume duquel il a récapitulé, sinon en propres termes, au moins en substance, ou en termes équivalents, presque tous les erreurs et blasphèmes qu'on trouve épars çà et là parmi les autres sectes qui l'ont devancé, et de toutes ces ordures a composé le corps monstrueux du calvinisme [24] ».

Le terme est celui de Florimond de Raemond et de bien d'autres polémistes catholiques : le protestantisme est un monstre. Synthèse plus ou moins réussie de toutes les erreurs des siècles passés, auxquelles les réformateurs ont encore ajouté leur grain de sel, il est pire que chacune de ces hérésies prises isolément.

Toutefois, au risque d'apparaître parfois peu logiques avec eux-mêmes, les auteurs catholiques insistent aussi sur les contradictions qui existent entre la doctrine réformée et celle des hérétiques médiévaux. Jacques Gaultier met par exemple en valeur les divergences entre protestantisme et hussitisme et avertit d'ailleurs son lecteur, dans sa préface, que les parentés entre hérétiques ne doivent pas le dispenser de tenir « l'œil ouvert aux contrariétés qui sont entre eux ». Pierre Nicole reprend la même argumentation dans ses *Préjugés légitimes contre les calvinistes :*

« Je ne m'arrête pas à remarquer en détail toutes les fautes historiques que les ministres commettent sur le sujet des Vaudois et des Albigeois, de Wiclef et de Jean Hus, ni la témérité avec laquelle, pour trouver des calvinistes en leurs personnes, ils les justifient de quantité d'erreurs qu'ils tenaient effectivement et que les calvinistes ne tiennent point, et les chargent de quantité d'opinions auxquelles Wiclef et Jean Hus n'ont jamais songé [25]. »

L'accent mis sur ces contradictions entre les hérétiques des différents siècles correspond à plusieurs préoccupations de nos auteurs. C'est tout d'abord le moyen de renvoyer dos à dos toutes ces erreurs doctrinales. Toutes rangées dans le même camp, celui des adversaires des croyances orthodoxes, elles semblent se déchirer entre elles et s'invalident ainsi les unes les autres, apportant la preuve de la vanité de leurs prétentions à se réclamer de la vérité. Les divergences entre les hérétiques montrent aux yeux de tous que l'Hérésie, ainsi érigée en un ensemble quasi intemporel de tous les déviants, porte bien le stigmate de l'erreur. Dans « l'épître au lecteur » de sa *Table chronographique,* le Père Gaultier annonce que son ouvrage, tirant parti de ce principe, montrera la fausseté du calvinisme. « L'alliance » avec les anciens hérétiques ne rend pas sa cause meilleure; au contraire cette alliance « est la vraie sentence de sa condamnation, non seulement à raison que ceux qu'il a contre-imités en certains dogmes ont été, pour iceux, réprouvés de l'Église; mais aussi parce que y ayant entre eux non moins de contrariété ès autres articles qu'ils ont d'accointance en ceux-là, c'est un argument péremptoire que la doctrine des uns et des autres est mensongère; étant chose autant ordinaire au mensonge d'être désaccordant avec soi-même que le naturel de la vérité est d'être en tout et partout uniforme et semblable à soi [26] ».

D'autre part, dévoiler les contradictions entre les hérésies médiévales et la Réforme est aussi pour les auteurs catholiques un moyen supplémentaire de priver cette dernière de toute prétention à un enracinement dans le temps long. Les polémistes et historiens protestants s'étaient employés depuis le XVIᵉ siècle à retrouver au fil des siècles des « précurseurs » de la Réforme et à asseoir ainsi la légitimité du protestantisme sur des bases vénérables parce que antiques. Dans leur conception, alors que l'Église romaine avait trahi le message évangélique et dévoyé le christianisme par l'introduction d'inventions purement humaines, de véritables chrétiens s'étaient toujours opposés à cette entreprise. Ils citaient alors tous les « martyrs » de la bonne cause qui avaient payé de diverses manières leur fidélité à la véritable foi et montraient que la *successio doctrinae* – cette transmission inaltérée du message originel – avait été assurée au cours des siècles par les écrits de certains théologiens. A vrai dire, sur ce dernier point, les preuves étaient souvent difficiles à apporter et le monumental « Catalogue des témoins de la vérité », publié en Allemagne au milieu du XVIᵉ siècle, contient surtout des textes d'opposants à la centralisation romaine. Toujours est-il que les polémistes catholiques ne pouvaient laisser leurs adversaires maîtres de ce terrain. Aussi engagèrent-ils à leur tour des recherches pour jeter à bas cette construction qui conférait à la Réforme la valeur de la durée. Ils s'ingénièrent à montrer sous leur jour le plus sinistre ces fameux précurseurs, procédant quand cela leur servait à des amalgames hâtifs, rattachant par exemple les Vaudois, réclamés par les protestants, aux Cathares dont la doctrine était facile à condamner. Ils s'employèrent aussi, comme le fait le Père Gaultier, à souligner l'antiquité des condamnations portées à l'encontre de ces doctrines. Ils insistèrent enfin sur l'absence de continuité véritable et de filiation entre tous ces mouvements et personnages qui n'avaient finalement en commun que de s'être opposés au magistère de l'Église.

La connaissance historique profita du débat engendré par cette question des « précurseurs » : ainsi, à la fin du XVIIᵉ siècle, comme le montre l'exemple de Bossuet, Vaudois et Albigeois étaient bien reconnus comme deux groupes distincts, et jugés différemment. Mais il nous faut surtout retenir que la polémique catholique avait d'abord recherché par là à faire apparaître le protestantisme comme une nouveauté. Dernier avatar de l'Hérésie éternelle, toujours plus dangereuse à chacune de ses nouvelles manifestations, la Réforme ne pouvait pour autant prétendre à une quelconque antiquité, privilège de la véritable Église. Citons encore Florimond de Raemond, pour qui l'antiquité de l'hérésie « est si moderne qu'elle est encore à sa naissance », et qui ajoute : « L'ancien est toujours le meilleur, et le meilleur le plus ancien [27]. »

De l'histoire de la Réforme à l'histoire de l'Église

En contrepoint, l'Église romaine est présentée par nos auteurs comme la fidèle dépositaire de la foi des premiers temps du christianisme. Toute l'historiographie catholique du XVIIᵉ siècle, qu'elle traite du dogme ou des institutions ecclésiales, a pour premier souci de montrer cette conformité. Le premier, le cardinal Baronius avait fourni un ample traité, étayé de nombreux documents, à l'appui de cette thèse. Monument d'érudition, les douze volumes de ses *Annales ecclésiastiques,* parus de 1558 à 1607, constituaient une réplique aux *Centuries de Magdebourg,* histoire de l'Église publiée par les protestants allemands. Le succès des *Annales* fut considérable dans toute l'Église catholique et les auteurs français du XVIIᵉ siècle reprennent l'argumentation de l'ouvrage, qui leur fournit de surcroît une abondante documentation. L'historiographie catholique du XVIIᵉ siècle est donc fille de Baronius.

Face aux protestants qui insistent sur les trahisons doctrinales de Rome, sur l'introduction par la papauté d'inventions humaines dans le christianisme ou sur l'indignité des pontifes médiévaux, les historiens catholiques apprennent à utiliser les armes de la critique historique. Ils récusent ainsi certains des auteurs allégués comme partiaux, insuffisamment informés ou trop éloignés des événements dont ils traitent. Surtout ils s'emploient à démontrer qu'en l'Église catholique réside une double « succession », celle des personnes et celle de la doctrine. Par la succession des pontifes sur le trône romain, le catholicisme est l'héritier des apôtres et le pape tient la place de Pierre. Le mythe de la papesse Jeanne étant définitivement ruiné au cours du siècle, cet enracinement dans l'Église des origines est présenté comme une preuve de la vérité. S'y ajoute l'argument de la succession dans la doctrine : le dogme catholique est celui de l'Église primitive.

A lire les développements de nos historiens, on a parfois le sentiment qu'ils ont un sens aigu de la méthode régressive : ils sont volontiers portés à « retrouver » les dogmes de l'Église tridentine dans la doctrine des premiers siècles avant même de l'étudier en elle-même. L'objectif est évidemment de montrer que par cette conformité l'Église demeure hors d'atteinte, quelles que soient les critiques que l'on peut formuler contre certains de ses dirigeants de l'époque médiévale. La fidélité aux origines est en quelque sorte le gage que l'Esprit-Saint n'a cessé d'assister l'Église.

Les polémistes catholiques de sensibilité janséniste sont particulièrement portés à mettre en valeur cette conformité, comme par refus d'accorder une quelconque influence positive au temps. De leur point de vue, si l'on devait déceler une modification intervenue au cours des siècles, on ne pourrait qu'en conclure à une relative dégénérescence de l'Église. D'autres auteurs font en revanche preuve d'une plus grande souplesse dans leur argumentation, ne nient pas les mutations, mais les voient sous un jour positif. Pour eux, sans rien renier de la foi primitive, l'Église, au fil des siècles, a introduit des modifications dans sa discipline et dans ses rites; elle a même pu infléchir la formulation de certains dogmes. Les meilleurs représentants de cette conception d'un enrichissement par l'Histoire sont sans doute le cardinal du Perron et Bossuet. Cette position a pour mérite de mettre en valeur le rôle du magistère ecclésial, qui a pour responsabilité d'expliciter le sens de l'Écriture et d'interpréter la loi donnée par Dieu.

Si le courant qui refuse d'accorder une influence positive au temps a pour lui, dans la controverse, de lutter contre les protestants avec des arguments qui sont les siens, le second est sans doute plus fidèle à la théologie tridentine. Il met en effet en valeur le rôle de la Tradition. Alors que les protestants ne voulaient avoir que l'Écriture comme autorité en matière de foi, le catholicisme insiste sur la nécessité de conserver une double autorité : l'Écriture et la Tradition. S'en remettre à la seule Écriture semble aux catholiques conduire à une impasse : comment trancher entre des interprétations divergentes? et tout simplement comment déterminer la liste des livres bibliques qui seront tenus pour canoniques? Seule donc la prise en compte de cet héritage qu'est la Tradition peut garantir la fidélité au message chrétien. L'histoire de l'Église est dans cette conception celle de la transmission et de l'explicitation de la Parole divine, dans un lent mouvement majestueux, que rien ne saurait troubler, pas même les hérésies. Sans atteindre véritablement l'Église, elles lui ont toutefois permis – souligne du Perron – de préciser sa doctrine sur les points controversés.

La voie du salut ne peut donc se trouver que dans le respect de la Tradition et l'obéissance au magistère. Il est insensé de vouloir se réclamer de l'Écriture contre la Tradition. Lorsque les catholiques taxent le protestantisme de nouveauté, ils associent bien sûr valeur et antiquité; mais, au delà, ils indiquent que les protestants ne peuvent revendiquer une filiation au message du Christ puisqu'il leur manque le lien qui les mettrait en contact avec lui et leur donnerait la clé de sa lecture. L'histoire de l'Église est en définitive celle de la transmission du dépôt de la foi. En osant évoquer une possible trahison de Rome à l'égard de l'enseignement de Jésus-Christ, les réformés profèrent des blasphèmes, car l'histoire de l'Église est une histoire sacrée. Même si les méthodes de la critique historique ont une place croissante dans la polémique religieuse, l'écriture de l'histoire continue d'obéir à des présupposés qui lui sont extérieurs : elle demeure d'abord l'illustration de vérités d'ordre théologique.

Chapitre 3

LA VRAIE NATURE DU PROTESTANTISME

Aux ouvrages qui renvoient de la Réforme au concept d'hérésie par le détour de l'histoire, répondent en écho ceux qui analysent la nature et les caractères de l'hérésie. La répulsion que provoque le protestantisme chez les hommes d'Église ne peut se comprendre si l'on ne garde présentes à l'esprit les connotations de l'hérésie dans la pensée du XVIIᵉ siècle. Les réformateurs ne sont pas seulement ceux qui ont rompu l'unité de l'Église par orgueil ou désir de gloire. Leur schisme s'est accompagné de l'établissement d'une doctrine tout à la fois subversion de la foi et renversement de l'ordre. Souligné par les historiens catholiques, le danger du protestantisme, ultime avatar de l'hérésie toujours vaincue dans ses assauts contre la véritable Église – mais toujours renaissante aussi – est plus précisément défini par d'autres auteurs.

Hérésie et idolâtrie selon le Père Richeome

Sans abandonner Florimond de Raemond, nous prendrons ici pour guide le Père Louis Richeome, de la Compagnie de Jésus. Ce jésuite, qui fut un temps assistant de France de la Compagnie et provincial à trois reprises, fait partie de la même génération que Raemond, celle qui se trouva dans la force de l'âge pendant les guerres de religion. Quelques années seulement après l'*Histoire de l'hérésie* du magistrat bordelais, le Père Richeome publia coup sur coup deux ouvrages de controverse qui visaient à présenter le protestantisme sous son « vrai » jour. Paru en 1608, le premier est intitulé *L'idolâtrie huguenote figurée au patron de la vieille païenne*. Puis, après la réplique que le pasteur Bansilion lui adressa sous le titre *L'idolâtrie papistique*, Richeome reprit la plume et publia deux ans plus tard *Le Panthéon huguenot découvert et ruiné*. Les titres, à eux seuls, présentent clairement le programme de l'auteur : montrer que le protestantisme est une nouvelle forme de paganisme.

Un examen plus attentif de *L'idolâtrie huguenote* permet de saisir les lignes directrices de l'argumentation du Père Richeome. Comme son contemporain Raemond, le jésuite donne le premier rôle au diable. Depuis qu'il a été chassé du ciel, « il n'a eu autre occupation qu'à employer ses pensées et désirs à mal faire, prenant son déduit et plaisir des péchés qu'il commet et fait commettre aux humains, lesquels il hait et poursuit en ennemi capital et irréconciliable. Surtout, il s'est toujours efforcé d'obscurcir la gloire de Dieu par toutes sortes d'erreurs et, à son préjudice, se faire estimer de Dieu, et adorer comme Dieu [1] ». Le trait dominant de l'action de Satan a donc toujours été de susciter de fausses religions, attentatoires à l'honneur divin et causant la damnation des hommes. Auteur des idolâtries de l'antiquité, le diable leur a substitué depuis la venue du Christ, qui les a renversées, des idolâtries spirituelles, beaucoup plus dangereuses :

« N'ayant pu mettre sur pied en leur antique figure les statues matérielles d'or, d'argent, de bois, et semblables pièces grossières, renversées par l'avènement du Sauveur et par la prédication de son saint Évangile, il en a finement et malicieusement mis en fonte et substitué de spirituelles, figurées trait à trait au parangon [= modèle] des vieilles matérielles, de tant plus pernicieuses qu'elles sont plus intérieures et donnent plus traîtreusement contre la religion [2]. »

Pour Richeome, qui s'appuie sur les Pères de l'Église, et particulièrement saint Cyprien et saint Augustin, les hérésies, sectes et schismes ne sont rien d'autre que ces idolâtries spirituelles suscitées par Satan; et les protestants sont les adorateurs d'« idoles nouvelles moulées à l'imitation des vieilles [3] ».

Comme le constat ne va pas forcément de soi, *L'idolâtrie*

huguenote se présente comme un réquisitoire en forme. L'auteur procède d'une part à une démonstration; il accumule d'autre part preuves et illustrations de son propos. La démonstration commence avec une définition de l'idolâtrie spirituelle : elle « se commet seulement en l'âme, ayant pour idole quelque objet spirituel, et caché au-dedans. De cette idolâtrie sont atteints premièrement tous ceux qui font alliance avec le diable, directement ou indirectement, ouvertement ou en suite... En second lieu sont criminels d'idolâtrie spirituelle tous ceux qui tiennent quelque erreur... contre la loi de Dieu ».

De cette définition, Richeome aboutit logiquement à la conclusion que l'hérésie « mérite le nom d'idolâtrie sur toutes les idolâtries spirituelles » :

« Elle s'usurpe malignement et suspectement sur toutes erreurs le droit et le voile de dignité, et suppose ce qu'elle a forgé comme chose divine et sainte, et le fait honorer en titre de religion, [ce] qui est l'essence et la vive couleur qui forme l'idolâtrie [4]. »

L'hérésie surpasse les autres idolâtries spirituelles car elle est plus injurieuse à Dieu, plus dommageable à l'Église et au salut des âmes, plus malicieuse aussi et plus trompeuse. Après avoir ainsi procédé aux définitions préliminaires, Richeome consacre la fin de la première partie de son ouvrage, et l'intégralité de la deuxième partie, à montrer que le protestantisme est bien une hérésie et, par conséquent, une idolâtrie. La deuxième partie de *L'idolâtrie huguenote* est ainsi une recension des « marques et qualités principales de l'hérésie »; Richeome n'en dénombre pas moins de neuf, qu'il définit puis applique au cas des calvinistes. Arrivé au terme de son raisonnement, le jésuite entreprend alors une comparaison directe du protestantisme avec les cultes des dieux de l'antiquité. Sur plus de 500 pages, il fait défiler chacun des dieux du panthéon gréco-romain, étudie leurs attributs et les formes de leur culte, puis va puiser dans les écrits des réformateurs, la confession de foi et l'histoire du protestantisme, les éléments qui lui permettent de voir dans la Réforme une forme régénérée d'un culte païen. La méthode, qui apporte un témoignage supplémentaire du prestige de la culture humaniste à l'intérieur de la Compagnie de Jésus, finit par lasser le lecteur du XXe siècle, d'autant que – on s'en doute – l'établissement du parallèle représente souvent un tour de force. A travers son assimilation du protestantisme aux cultes de Saturne, Vénus, Apollon ou Bacchus, l'auteur dresse une liste de tous les griefs du catholicisme contre la Réforme. Ainsi apparaît l'image de l'hérétique chez les tenants de l'orthodoxie, dans un ouvrage qui s'apparente plus à un procès de l'Inquisition qu'à une dispute théologique, tant les arguments que pourrait apporter l'adversaire sont réfutés d'avance et retournés contre lui. Les protestants seraient-ils tentés de produire des textes attestant la croyance de Calvin en la Trinité, que Richeome vient de nier ? Le jésuite les avertit que de tels textes ne feront qu'aggraver le cas du réformateur :

« Je vous réponds que Calvin écrivant ce que vous dites, et ayant écrit ce que je viens d'exposer, il veut tromper finement et ne se soucie point s'il se contredit, moyennant qu'il trompe à la manière de ceux qui ont entrepris de défendre l'erreur à quelque prix que ce soit, et ne peuvent faillir de s'entrecouper et s'entretailler ; parce que le mensonge est inconstant et variable, et ne peut être exposé et défendu que par style pareil... S'il dit ailleurs avec les anciens docteurs quelque vérité qui contrarie à la doctrine nouvelle qu'il aura enseignée, ce n'est pas sa doctrine ; c'est un voile de fraude pour couvrir sa fausse doctrine et poison. »

Le procès est instruit d'avance ; on ne saurait imaginer que l'accusé explique, nuance ou tempère son propos car « quand un docteur parle, il ne faut pas seulement considérer ce qu'il dit, mais ce qu'il doit dire qui s'accorde avec ses maximes et antécédents [5] ».

Les outrances de Richeome et son ton exagérément polémique pourraient conduire à penser que le choix d'un tel guide n'est pas particulièrement judicieux. En fait, tous les controversistes du début du siècle emploient des arguments semblables à ceux de notre jésuite. Surtout, l'intérêt de *L'idolâtrie huguenote* est de fournir, par ses développements, un répertoire commode des accusations lancées contre les protestants. Il sera toujours possible, ensuite, de nuancer l'un ou l'autre trait en tenant compte des écrits ultérieurs.

La définition de l'hérésie

Pour Richeome, comme pour les autres auteurs que nous avons déjà rencontrés, le protestantisme est d'abord une hérésie, c'est-à-dire que tous les efforts de ses défenseurs ne pourront effacer certains traits qui sont inséparables de lui, par nature, depuis ses origines.

Florimond de Raemond définit l'hérésie en se référant à l'étymologie du mot :

« Hérésie, en grec, vaut autant à dire qu'élection ou choix en français. Ainsi Hérétique est celui qui s'élit quelque nouveau genre de doctrine particulière, contraire au commun sens et consentement de toute l'Église, laquelle après il défend avec telle pertinacité [= obstination] qu'il ne fait doute de condamner plutôt toute la chrétienté d'aveuglement qu'avouer son erreur [6]. »

Richeome donne une définition voisine, insistant lui aussi sur les caractères constitutifs de l'hérésie : la sélection de certains points de la doctrine orthodoxe et l'obstination dans l'erreur adoptée :

« Celui qui fait choix, élection et secte à sa fantaisie, de ce qui lui plaît en la religion et maison de Dieu, et aux saintes Écritures, laissant le reste et méprisant le jugement de l'Église et commun consentement de ses docteurs, et tient ferme avec opiniâtreté au donjon de sa tête ; telle élection, secte, et hérésie est péché de rébellion, et opération damnable [7]. »

Or, la Réforme a bien représenté un choix à l'intérieur du dogme de l'Église, comme le souligne Richeome, sitôt sa définition de l'hérésie donnée. Les protestants n'ont-ils pas conservé que deux des sept sacrements ? Luther n'a-t-il pas rejeté certains des livres bibliques tenus pour canoniques ?...

« Aux autres points de doctrine, vous avez fait les mêmes choix et triage, toujours selon le rond de votre cerveau. Car vous tenez qu'il y a un Paradis, un Enfer, un Jugement ; vous approuvez qu'on chante en l'Église, qu'on crée des pasteurs, qu'on jeûne, et choses semblables ; mais vous ôtez le Purgatoire, rejetez le mérite des bonnes œuvres, la communion des saints trépassés avec ceux qui vivent encore en terre, les cérémonies de l'Église, tout ce qui n'a plu à votre courte dévotion [8]. »

Notre jésuite y revient à plusieurs reprises – deux fois par exemple dans ce seul texte – l'hérétique ne se fie qu'à son seul jugement et instaure comme règle de la foi son opinion particulière. Ensuite, rien ne pourra lui faire modifier sa position. L'opiniâtreté est en effet une marque « essentielle » de l'hérésie :

« Sans opiniâtreté l'erreur n'est qu'erreur, et l'errant n'est qu'errant; mais l'erreur défendue par opiniâtreté, et formée de l'opiniâtreté, prend l'essence, la nature et le nom d'hérésie. »

La raison d'une telle attitude tient dans l'orgueil de l'hérétique :

« Amoureux du propre jugement et de ses inventions, et les prisant sur toutes les autres, il ne s'en veut départir par aucune raison tant soit-elle prégnante, de peur de ne sembler inférieur en cédant [9]. »

L'argumentation théologique, en insistant sur le rôle de l'orgueil dans l'hérésie, rejoint ici celle de l'historiographie religieuse qui en faisait un trait dominant du caractère des réformateurs. Richeome ne peut concevoir l'hérésie sans orgueil :

« L'hérésie est fille de la Superbe [= orgueil], et la Superbe est la mère de toutes les hérésies, dit saint Augustin. La raison est d'autant que l'homme orgueilleux et superbe est curieux à inventer nouvelles opinions pour se mettre en vogue et s'y opiniâtrer pour être estimé constant, et mérite d'être puni par ses ténèbres, et tomber en hérésie. Ainsi l'hérésie porte en son front la marque de ses progéniteurs, et partant ne vit-on jamais hérétique dogmatisant qui ne fut hautain... ni jamais aucun homme qui ne devint orgueilleux par la doctrine de l'hérésie [10]. »

Raisonnements théologiques et historiques mettent ainsi en valeur, les uns comme les autres, que les prétendus réformateurs ne peuvent se prévaloir d'aucune mission, ordinaire ou extraordinaire, ou d'aucune vocation. Toute leur doctrine, en contradiction avec celle qui est tenue dans l'Église, a germé dans leur seule tête. Dans leur prétention à fixer les principes de la foi, ils s'attribuent finalement une place qui est celle de Dieu :

« Quiconque entreprend de réformer l'Église et la religion par la parole de Dieu, et en effet la veut réformer par sa tête, se met au lieu de Dieu, usurpant la Déité... Tels sont les ministres de la prétendue religion [11]. »

Pour couvrir leur entreprise, les Réformés prétendent agir par fidélité à la Parole de Dieu, comme le remarque ici le Père Gontery. Richeome n'est pas d'un avis différent et donne pour une des marques de l'hérésie la « vanterie des Écritures », qu'il définit ainsi :

« Vanter la sainte Écriture, et ravaler l'autorité des anciens Pères, qui l'ont exposée, et faire semblant de ne vouloir rien croire, rien dire, ni faire, qui ne soit couché et commandé en icelle, et seuls la révérer seule. Ils font cela pour mieux tromper, flattant pour mieux trahir, et criant au larron pour ne sembler larrons, et abusant de l'Écriture pour plus facilement abuser et sacrifier à l'idole de leur profane doctrine... Ils la prennent non pour en exposer la vérité, mais pour couvrir et parer leurs mensonges et fantaisies, lui donnant le sens des gloses qu'ils font en ténèbres [12]. »

Florimond de Raemond juge aussi qu'en mettant en avant la parole de Dieu, l'hérétique, en réalité, « fait idolâtrer ses fantaisies »; il est comme un faux-monnayeur car il débite sa propre doctrine, osant néanmoins « y imprimer la face et le nom de Dieu [13] ».

Ce même orgueil explique la discorde entre les hérétiques :

« Chacun veut être réputé le premier en esprit, en savoir, et montrer qu'il sait plus que son compagnon, et poussé du vent de cette ambition, il fait voile à la recherche de nouvelles inventions, controuve des sectes nouvelles, et combat les vieilles, et met la discorde en jeu [14]. »

A partir du moment où l'opinion individuelle prévaut sur le magistère traditionnel, il n'y a plus d'Église possible. L'existence de plusieurs confessions de foi à l'intérieur du protestantisme est, pour l'Église catholique, la preuve que la Réforme n'échappe pas à cette règle générale de l'hérésie. Sa prise en compte de la seule Écriture comme autorité en matière de foi ne pouvait que la conduire à la division. Par là, son erreur est manifeste. Le franciscain Feuardent développe abondamment ces thèmes dans son ouvrage de 1601, *Les entremangeries ministrales, c'est-à-dire contradictions, injures, condamnations et exécrations mutuelles des ministres et prédicants de ce siècle.* Jamais, explique ce religieux, les ministres ne pourront s'accorder :

« Pour juger et résoudre de leurs différends ils refusent les conciles généraux tenus et à tenir, rejettent au loin toutes traditions quelque anciennes, universelles et apostoliques qu'elles soient; ils ne veulent recevoir les interprétations et consentements des anciens Pères et docteurs qui ont fleuri en l'Église chrétienne depuis le temps des apôtres jusqu'à nous; ils défèrent encore moins au jugement de l'Église et siège apostolique. Comment donc pourraient-ils jamais convenir.

« Ils crient tous, *la seule Écriture...* Et depuis soixante ans ils n'ont pu s'accorder ni du vrai sens de l'Écriture, ni même du nombre des livres qu'ils disent être sainte et canonique Écriture [15]. »

Comme le franciscain, le jésuite Gaultier tire argument de cette diversité pour affirmer que le protestantisme est une doctrine fausse : dans sa *Table chronologique,* il n'estime pas à moins de 110 le nombre des variétés d'hérétiques nées au XVIᵉ siècle [16]. Le Père Maimbourg reprend, à la fin de notre période, la même analyse :

« Comme dans un cercle il n'y a qu'un seul point qui en soit le centre, où toutes les lignes s'unissent, et... à mesure qu'elles s'en éloignent elles s'écartent toujours plus les unes des autres, aussi la vérité, qui ne se trouve que dans l'Église catholique, est inséparable de l'unité qui en est le centre, où tous les fidèles sont unis, n'ayant qu'un esprit et qu'un même sentiment en matière de foi; et ceux qui s'en séparent par le schisme et l'hérésie ne manquent jamais de se diviser en différentes sectes, qui les éloignent pour le moins autant les uns des autres, qu'ils se sont éloignés de la vraie Église [17]. »

L'hérétique, cet anticonformiste

A vrai dire, l'argument n'était pas nouveau au XVIIᵉ siècle; dans son *De Praescriptione,* Tertullien avait déjà tenu un raisonnement identique au début du IIIᵉ siècle! Plus originale est sans doute l'insistance que vont mettre les polémistes catholiques du

XVIIᵉ siècle – particulièrement après 1660 – sur la vertu d'obéissance, ou plus exactement de conformisme. Soulignant que l'hérétique est celui qui accorde une confiance trop absolue à son jugement personnel, ils font de l'aveugle soumission à l'Église la règle première du chrétien. La raison se trouve ainsi dévaluée et l'esprit d'examen devient plus que jamais suspect. Sans doute cette attitude procède-t-elle de la prise de conscience d'un possible développement du scepticisme à la suite d'un siècle de polémiques religieuses. Tous les arguments des confessions opposées ont été analysés – disséqués même – par l'adversaire; l'habitude s'est prise d'exercer l'esprit critique sur les matières de foi; le christianisme lui-même peut en être ébranlé. Aussi verrait-on alors volontiers cesser des disputes pour la solution desquelles la raison est demeurée impuissante.

La référence unique à l'Écriture, que préconisent les Réformés, apparaît pour les catholiques comme un élément essentiel de confusion : manquant en elle-même de clarté, elle est le terrain d'exercice de cet instrument imparfait qu'est le jugement personnel. Comment, dans ces conditions, trouver avec certitude la voie du salut?

Une telle thématique est particulièrement développée par Arnauld et Nicole. Ce dernier, dans les *Préjugés légitimes contre les calvinistes,* insiste fortement, dès sa préface, sur l'impuissance de l'homme à découvrir la vérité : « dérèglement » de l'esprit, préjugés et passions entravent l'exercice de la raison et conduisent à des erreurs; nul n'est donc jamais certain, par ses propres moyens, d'avoir choisi la véritable religion.

De plus, la voie de l'examen de tous les dogmes est hors de portée des plus humbles, à qui pourtant le salut est aussi promis par Dieu. C'est donc dire que cette méthode ne peut être la bonne. Ayant exclu la voie de la raison et de l'examen particulier, l'homme se tournera donc vers celle de l'autorité, « puisque tout homme qui est obligé de savoir la vérité de quelque chose, et qui ne la peut apprendre de lui-même, la doit nécessairement apprendre d'autrui. Et dans cette nécessité, il est encore clair que le meilleur usage que l'on puisse faire de sa raison est de la soumettre à la plus grande autorité qui soit dans le monde, et qui a le plus de marques d'être assistée de la lumière de Dieu.

Il n'y a rien que de sage, de prudent, de raisonnable dans cette conduite [18] ».

L'attitude raisonnable consiste donc, pour Nicole, à abdiquer l'exercice de la raison. L'hérésie est d'abord présomption :

« Quant à ces prétendues lumières qu'ils s'attribuent, au lieu de les rendre fermes et constants dans les mêmes sentiments, elles n'ont servi au contraire qu'à les rendre flottants, incertains, sans savoir à quoi s'en tenir. On les a vus incontinent divisés entre eux en mille sectes différentes, qui se sont fait une guerre cruelle; et souvent leurs opinions et leur foi étaient marquées par les années et par les jours, tant ils s'accordaient peu et avec les autres et avec eux-mêmes [19]. »

De ce fait l'hérésie est d'abord affaire de lettrés, de prétendus savants qui se refusent à courber le front devant l'autorité de l'Église et s'estiment capables de discerner seuls la vérité religieuse. Au contraire, en se rangeant derrière l'autorité de l'Église, les fidèles « quelque petits qu'ils soient en eux-mêmes... [sont placés] beaucoup au-dessus de tous ceux qui voudraient se conduire dans ce choix par la seule lumière de leur esprit... La lumière de l'Église, sur laquelle ils s'appuient, les égale tous, et leur donne la même confiance, la même certitude et la même paix [20] ». Le protestantisme n'est donc pas vraiment à la portée de tous; du moins tous ses fidèles ne sont-ils pas également hérétiques.

L'argumentation développée par Nicole et d'autres auteurs contemporains n'est pas entièrement nouvelle. Mais l'homme du XXᵉ siècle ne manque pas de retirer une certaine impression de malaise à la lecture des *Préjugés légitimes*. Peut-être tient-elle à cet éloge absolu d'une soumission sans limites à l'autorité de l'institution. Nous ne sommes plus habitués à autant ravaler la raison. Mais il y a aussi, au-delà de cette impression première, un autre motif de réticence : cherchant à convaincre son adversaire, Nicole n'emploie qu'une argumentation que celui-ci puisse admettre; il en arrive ainsi à ne plus évoquer le dogme catholique; l'hérésie est donc discutée et réfutée sans véritable référence à une orthodoxie. Elle est devenue une sorte d'entité opposée à une Église dont le dogme semble importer assez peu, tant l'essentiel est de lui accorder une adhésion entière. Le « choix » de l'hérétique se réduit à peu près à celui de la désobéissance à l'institution. La France du règne personnel de Louis XIV supporte de plus en plus mal les déviances par rapport à la norme, en quelque domaine que ce soit.

Au commencement est le diable

Si nous revenons au début du siècle, l'hérétique nous apparaît sous un jour bien différent : il est l'agent direct de Satan. Richeome l'affirme en faisant de l'idolâtrie spirituelle qu'est l'hérésie le produit de substitution inventé par le diable pour succéder à l'idolâtrie matérielle maintenant caduque. S'appuyant sur Tertullien, qui insiste sur la falsification de l'Écriture et la perversion de la vérité par l'hérésie, il déclare avec lui :

« Il ne faut pas douter que ces malices spirituelles n'aient été envoyées par le diable [21]. »

Mais c'est avec Florimond de Raemond que nous pouvons le plus aisément percevoir combien, pour les catholiques du début du XVIIᵉ siècle, l'hérétique a partie liée avec Satan. Dès les premières pages de l'*Histoire de l'hérésie,* Raemond présente les hérétiques comme « soudoyés » de Satan et comme des « troupes infinies... d'ennemis armés, que le Serpent jaloux [de la grandeur de Dieu] a fait naître, semant les dents de son envie dans le champ » de l'Église. Le vocabulaire militaire est pour notre magistrat le seul convenable pour parler de l'hérésie car il s'agit bien d'une guerre que Satan livre par elle à l'Église :

« Le Diable enfante et éclôt de ses flancs, comme d'un cheval troyen, ces troupes et escadrons de nouveaux guerriers, fiers géants enfants de la terre, qui s'arment contre le ciel et qui, grimpant sur les forts et bastions de l'Église... gagnent les murs, se glissent dans les maisons, envoient à la mort ceux que le sommeil leur présente, tuent, saccagent, mettent à feu et à sang ces gens pris au dépourvu dans l'obscurité d'une nuit sombre [22]. »

Comme le montre ce passage, Satan n'attaque pas de front mais, selon son habitude, par la ruse :

« C'est sa coutume, comme remarque saint Jérôme en quelque part, quand il veut guerroyer les pauvres mortels, ne pouvant combattre de plein front, de dresser des embuscades dans les lieux imprévus, suborner et corrompre les sentinelles qui sont posées en garde [23]. »

Ainsi s'explique, nous l'avons vu, qu'il ait choisi un moine – Luther – pour lancer son offensive au XVIe siècle. Ainsi s'explique aussi que l'hérésie puisse apparaître souvent sous un jour flatteur, comme lorsque ses tenants ont un comportement apparemment irréprochable ou acceptent le martyre.

Satan, à l'image de la panthère, dissimule sa cruauté sous un pelage et une odeur agréables. Aussi les hérétiques sont-ils « ordinairement mêmement à leur entrée d'une vie douce, simple et innocente par apparence... gens pourtant dangereux qui, sous cette fausse montre [= apparence], cachent leur vieille et noire malice, portant sous un visage d'albâtre une âme d'ébène. Ils trompent et déçoivent ceux qui sous ce faux masque ne peuvent découvrir leurs ordures [24] ».

Par ailleurs, comme l'indique le titre du chapitre dont est extrait ce passage, Satan choisit que certains hérétiques aient une vie réglée pour que ses sectateurs lui adressent des semblants d'« œuvres saintes ». Le diable, dans sa lutte contre la gloire de Dieu et contre le salut des âmes, met en place une contre-religion, réplique de la véritable. Il est – Florimond de Raemond le répète à plusieurs reprises – le « singe » de Dieu. Rien d'étonnant donc à ce qu'il existe une contrefaçon de l'Eucharistie chez les protestants; il ne s'agit que d'une forme de « singerie de ce divin mystère, peu différente dans sa nature de celles qu'a observées chez les Amérindiens idolâtres le jésuite Joseph de Acosta [25] ». L'hostilité des hérétiques à la messe – dans laquelle le diable « sait bien que sont contenus tous les mystères de notre salut » – comme leur clémence à l'égard des images de Satan lors des violences iconoclastes, tout concourt à prouver que l'hérésie est culte du diable.

Le Père Gaultier n'est pas d'un avis différent et voit aussi dans le diable le singe de Dieu, qui utilise pour ce faire les hérésies :

« L'Esprit malin, pour frauduleusement cacher l'hideuse face de tels conventicules [les assemblées des hérétiques] est coutumier de la masquer d'une apparence de foi, qui n'est au vrai qu'une vraie imagination; d'un faux visage d'espérance, [ce] qui n'est qu'une pure présomption; d'une charité feinte, [ce] qui n'est qu'une double malice; et enfin de quelques sacrements et cérémonies, lesquels il a ou pris de nous, bien qu'avec grand mélange d'erreurs, ou controuvé à son plaisir [26]. »

Même atténuée dans sa formulation, la thèse du caractère diabolique de l'hérésie reste présente chez les polémistes catholiques jusqu'à la fin du XVIIᵉ siècle. En 1651, le *Traité* de Richelieu soulignait encore que Satan « a fait succéder les hérésies et les sectes au Paganisme et à l'Idolâtrie [27] ». Nicole écrit, pour sa part, que les propos de Calvin montrent qu'il est un « instrument visible du démon » et que tout n'étant que calomnie dans « la prétendue Réformation... on ne peut nier que ce ne soit un ouvrage du démon [28] ».

Un leitmotiv :
Luther a conféré avec Satan

Parmi toutes les preuves avancées pour montrer le caractère diabolique de la Réforme, le thème de la conférence de Luther avec Satan eut une faveur particulière chez les auteurs catholiques. Le franciscain Feuardent avait publié en 1601 ses *Entremangeries ministrales,* dont la conclusion consistait à attribuer à l'origine diabolique de la Réforme les divisions des protestants entre eux :

« Vos guerres plus que civiles, et sanglantes entremangeries, viennent sans doute de cet esprit malin qui, dès le commencement, excita noises et débats au ciel, souleva l'homme contre Dieu, arma les frères contre les frères, et fait continuer haines, divisions, querelles, et toutes iniquités en ce monde [29]. »

En 1617, le propos du religieux se précisa. Il publia une brochure de quatorze pages intitulée *La prodigieuse et épouvantable confession d'un des principaux ministres de la Religion Prétendue Réformée.* Surpris de constater « qu'entre les chrétiens il se soit trouvé des gens si aveugles en leur esprit, et si stupides d'entendement. que de se laisser emporter aux vaines persuasions des ministres de Satan, que ce prince des ténèbres envoie parmi le monde pour augmenter son empire, par leurs dangereuses et pernicieuses doctrines », cet auteur se proposait de dévoiler les « pactions horribles et damnables » des réformateurs avec Satan. En l'occurrence, il consacrait tout son libelle aux relations de Luther avec le diable, relevant dans les écrits du père de la Réforme tout ce qui montrait que « le Diable, prince et père du mensonge » était « le Dieu en qui il croyait [30] ». Parmi les pièces versées au dossier, figuraient certains des *Propos de table* de Luther : celui-ci n'affirmait-il pas que « le diable couche avec lui plus souvent et plus près que sa Catherine »? ou que deux diables veillent sur lui? La lettre à l'électeur de Saxe, dans laquelle Luther écrivait que « le diable passe et repasse dans son cerveau » et l'empêche de lire et d'écrire était une autre des pièces à conviction présentées par Feuardent, tout comme certains passages des *Colloques*. Mais, dans l'argumentation du franciscain, la première place avait été réservée à cet écrit où Luther raconte la dispute qu'il engagea une nuit avec Satan au sujet de la messe privée et au cours de laquelle il fut gagné aux arguments de son adversaire. Feuardent concluait sa présentation de ce texte par des accents de triomphe :

« Voilà Satan, prince des ténèbres infernales, maître et docteur de votre premier docteur et ministre, ô hommes luthériens et calvinistes! et le premier auteur de votre prétendue religion réformée auditeur et disciple du diable, père de mensonge. En n'aurez-vous point horreur [31]? »

La « conférence de Luther avec le diable » avait déjà été utilisée à des fins polémiques par plusieurs auteurs catholiques. Florimond de Raemond, par exemple, n'avait pas manqué d'y faire allusion. A la fin de notre période, un ouvrage fut consacré entièrement à cette surprenante rencontre. Ce *Récit de la conférence du diable avec Luther, fait par Luther lui-même dans son livre de la messe privée et de l'onction des prêtres* parut pour la première fois en 1681. Deux autres éditions furent données dans les années suivantes et l'ouvrage prit place dans un recueil de *Dissertations tant anciennes que nouvelles sur les apparitions et les visions* publié en 1701. Cordemoy, l'ecclésiastique parisien qui en est l'auteur, fournissait en fait dans ce *Récit* une traduction française de l'opuscule de Luther sur la messe privée, complétée par ses propres « remarques ». Dans l'écrit incriminé, Luther raconte qu'il s'éveilla subitement une nuit et que le diable commença alors à disputer avec lui. Satan montra d'une part au réformateur que les messes privées sont « contre la pensée et le dessein de Jésus-Christ » puisqu'il n'y a alors ni prédication ni communion des fidèles; d'autre part il le mit au défi de fonder sur des arguments scripturaires l'ordination sacerdotale.

Cordemoy rappelle d'abord que l'opuscule est indiscutablement de Luther : édité pour la première fois en allemand en 1533, il fut traduit en latin l'année suivante à la demande du réformateur lui-même et publié ensuite dans l'édition de Wittenberg des œuvres de Luther. Il ajoute que les pasteurs français, tels Drelincourt ou Claude, ne contestent d'ailleurs pas cette attribution de paternité. Ce point une fois acquis, l'argumentation de Cordemoy s'oriente dans trois directions principales. La première est la reprise de la thèse des polémistes catholiques déjà évoquée : la Réforme procède directement du diable. Cordemoy insiste particulièrement sur le fait que la « conférence » doit être située avant la rupture de Luther avec l'Église et que c'est donc le diable qui lui a enseigné à cette occasion les idées qu'il développa ensuite. D'autre part, Cordemoy interpelle les protestants, ses contemporains, et tente de les convaincre de leur « égarement » : on peut peut-être se laisser tromper par des faux prophètes qui se disent envoyés de Dieu, mais comment suivre un homme qui dit ouvertement obéir au diable? L'Écriture, à qui les réformés prétendent se référer, enseigne elle-même qu'il faut se défier du démon. Le troisième axe de l'argumentation de Cordemoy est plus théologique. Partant du principe que Satan ne peut chercher à détruire ce dont il est l'auteur, Cordemoy en conclut que les messes privées, combattues par l'interlocuteur de Luther, sont bonnes. Objectera-t-on que Satan a dévoilé la vérité à Luther, pour le porter au désespoir, lui qui, dans son couvent, célébrait tous les jours des messes privées? Cet argument ne paraît pas convaincant à notre polémiste qui soutient que le diable n'avait rien à gagner à une telle révélation. Ne laisse-t-il pas les païens « idolâtrer », sans les pousser au désespoir, leur perte étant « infaillible » :

« Celle de Luther ne l'aurait pas été moins, si la messe privée avait été une idolâtrie, et le plus sûr moyen que nous ayons de connaître que ce n'en est point une, c'est que le diable ait été le premier à le dire [32]. »

Bien après l'ouvrage de Cordemoy, les historiens catholiques, tout en considérant la conférence de Luther avec le diable comme une « légende », continuèrent à profiter de l'écrit du réformateur pour combattre la faiblesse des fondements de la doctrine protestante. Tel est le cas de Audin, historien du XIX⁰ siècle, qui écrit :

« Pour prouver que la messe n'est qu'une œuvre païenne, les réformés, à l'imitation de Drelincourt, ont depuis renvoyé nos prêtres au témoignage de Satan. »

D'ailleurs, « le diable devrait habiter le paradis luthérien, s'il est soucieux du salut des hommes [33] ».

Aujourd'hui, une meilleure connaissance de la personnalité de Luther et de son époque permet de mieux comprendre que le réformateur allemand ait ainsi mis Satan en scène dans un de ses écrits ou qu'il en ait si souvent parlé, comme d'un personnage familier, dans ses lettres ou ses *Propos de table*. L'Occident connut à partir du XIV⁰ siècle une « invasion démoniaque » [34] qui culmina au XVI⁰ siècle. Luther fut homme de son siècle dans sa certitude d'une omniprésence du diable.

D'autre part, profondément angoissé par la question du salut, et convaincu de la déchéance de l'homme, il considéra – peut-être plus volontiers encore que d'autres – que chaque obstacle qu'il rencontrait était suscité par Satan. Ses modes de pensée et son langage faisaient donc une place importante au diabolique. Les adversaires catholiques de la Réforme, qui voyaient en elle une œuvre satanique, partagent d'ailleurs largement la même mentalité : l'Église est selon eux attaquée sur plusieurs fronts par des ennemis dont le dénominateur commun est la soumission au diable.

« L'Église persécutée »

Quand aujourd'hui nous tournons nos regards vers l'Église du XVII⁰ siècle, elle nous apparaît dans une splendeur rarement égalée. Mondialement, elle organise et amplifie son expansion entreprise au siècle précédent tandis que les progrès de la Réforme protestante sont à peu près enrayés. La doctrine a été affermie au Concile de Trente, l'art religieux – le baroque – donne l'image d'un catholicisme en majesté. En France, développement des ordres religieux, renouveau de la formation du clergé, développement des œuvres de charité et d'enseignement donnent l'impression d'une saine vitalité dans un État qui protège et favorise les entreprises du clergé.

Pourtant, tel n'est pas le sentiment des ecclésiastiques du temps pour qui l'Église est « persécutée ». Un célèbre missionnaire capucin du XVIIe siècle, le Père François de Toulouse consacre tout un sermon à ce thème. Publié pour la première fois dans les années 1670, ce sermon compare l'Église à la barque battue par les flots dans laquelle les disciples de Jésus se sentaient en danger. Les vagues qu'affronte l'Église « sont les persécutions et les tentations qui lui viennent de trois endroits, et par trois sortes d'ennemis, comme dit saint Augustin, qui sont les infidèles, les hérétiques et les mauvais chrétiens ». Certains ennemis sont donc situés à l'extérieur (les infidèles), les autres à l'intérieur (les mauvais chrétiens). Quant aux hérétiques, leur agression est plus subtile, puisqu'ils se prétendent fidèles à l'enseignement de Jésus. La persécution de l'Église par les hérétiques « est pleine de tromperies, parce que sous le nom de frère, et la peau de brebis, ils corrompent la doctrine de l'Église et les mœurs des fidèles [35] ». Aussi ne fait-il aucun doute que les hérétiques sont au service de Satan :

« Les gens de bien qui aiment la piété, les savants qui connaissent la vérité les ont en horreur, et les appellent des maîtres de mensonge, et des suppôts du diable [36]. »

En présentant ainsi trois menaces pour l'Église, François de Toulouse ne faisait pas œuvre originale. On peut par exemple rapprocher son propos de celui de Jean Boucher, ancien curé ligueur, qui faisait voisiner, dans sa *Couronne mystique* de 1624, l'hérésie, l'impiété et le « mahométisme ». Dans le même ouvrage, cet auteur expliquait très sérieusement que, lors des États Généraux de 1614, une agression conjointe des réformés, des démons et des sorciers avait failli entraîner la ruine de la France. Selon

Jacques Solé, historien des polémiques religieuses, « ce fantasme eschatologique a le mérite de rappeler le climat de peur religieuse et de terreur sacrée qui entourait le débat confessionnel [37] ». Jean Delumeau, pour sa part, donne pour sous-titre à son ouvrage déjà cité sur *La peur en Occident :* « Une cité assiégée ». Pendant une partie du XVIIᵉ siècle, la chrétienté a en effet le sentiment de subir, tout comme au siècle précédent, une offensive multiforme. Depuis la prise de Constantinople surtout (en 1453), le monde chrétien craint d'être submergé par un déferlement de l'Islam. La victoire de Lépante, en 1571, n'a pas sensiblement atténué cette angoisse qui est surtout le fait des hommes d'Église (la République de Venise ou le roi de France n'hésitent pas, pour leur part, à traiter avec les Turcs). Aussi, à temps et à contretemps, les défenseurs du catholicisme insistèrent-ils sur les risques d'un renversement du christianisme par les musulmans.

Ils soulignèrent que les protestants et les musulmans avaient partie liée de plusieurs manières. Les protestants étaient susceptibles de favoriser la progression des Turcs, comme l'affirme Florimond de Raemond pour qui Luther « préfère le Turc aux princes chrétiens » et se refuse à lui faire la guerre [38]. Les auteurs catholiques n'hésitent pas non plus à rapprocher le dogme et le culte protestants de l'Islam. En 1672 encore, Arnauld voit des points communs entre la doctrine de la prédestination et le fatalisme musulman. Surtout, parce qu'ayant introduit la division au sein de la chrétienté, la Réforme est considérée comme un allié objectif des Turcs.

La gravité de la situation tient donc à ce que Satan dispose de forces à l'intérieur même de la forteresse qu'est la chrétienté. En plus des protestants, figurent les sorciers et les sorcières. Le XVIᵉ siècle et le début du XVIIᵉ siècle sont une époque d'intense répression de la sorcellerie. Plus que d'une « épidémie » de sorcellerie, il s'agit en fait d'une plus grande hantise de la part des classes dirigeantes. Juges laïcs et ecclésiastiques se donnent alors la main pour traquer ces êtres sataniques que sont les sorciers et voient la sorcellerie comme une religion à l'envers, un antichristianisme. A travers les interrogatoires, on cherche à faire avouer aux accusés des pactes avec le diable, ou des reconnaissances d'allégeance. On s'intéresse surtout beaucoup au sabbat, cette assemblée nocturne des sorciers et sorcières où Satan se serait parfois rendu pour recevoir l'hommage de ses dévots. Le sabbat est par excellence l'antithèse du culte chrétien, le lieu du renversement religieux et moral, dans la mesure où des pratiques contraires à la morale accompagnent la vénération du diable [39]. Il sera sans doute encore longtemps possible de discuter, comme se plaisent à le faire certains historiens, de la réalité du sabbat. Ce qui est certain, en tout cas, c'est que les autorités civiles et ecclésiastiques du XVIe siècle et d'une partie du XVIIe siècle ont été habitées par la solide conviction d'un complot diabolique des sorciers.

Hérésie et sorcellerie sont souvent analysées en des termes voisins, la première étant accusée de favoriser le développement de la seconde, et la sorcellerie étant fréquemment présentée comme une forme d'hérésie. Il faut toutefois remarquer ici que la diabolisation de l'hérétique était, à l'époque qui nous intéresse, une tradition déjà bien ancrée. Au cours du Moyen Age, des accusations d'orgies, d'infanticide et de cannibalisme avaient de plus en plus fréquemment été associées à celle d'hérésie; l'hérétique participait à des « conventicules » nocturnes où se déroulaient des pratiques contraires à la religion et à l'humanité que seul Satan pouvait inspirer. Norman Cohn, qui s'est penché sur la genèse de ces accusations, en trouve les premières traces en 1022. En 1233, une bulle du pape reprenait tous les fantasmes des clercs à propos des hérétiques et affirmait que le diable présidait aux assemblées nocturnes des Vaudois, encore poursuivis au XVe siècle comme « lucifériens » [40].

Au XVIe siècle, on retrouve dans les édits royaux pris dans les années 1540 et 1550 pour réprimer le protestantisme l'idée de cette soumission à Satan. De plus, ces textes évoquent les « conventicules secrets » ou « nocturnes » au cours desquels ont lieu des « profanations » de l'Eucharistie; ces expressions, déjà utilisées pour dénoncer les pratiques diaboliques des hérétiques médiévaux, accroissaient donc la force des accusations lancées contre les premiers adeptes de la Réforme. Elle était bien, aux yeux des hommes d'Église, et comme nos historiens catholiques du XVIIe siècle s'ingéniaient à le montrer, une nouvelle version de l'offensive satanique.

Dans l'attente du dernier jour

Pour l'Église des XVIe et XVIIe siècles, l'élément vraiment nouveau résidait dans l'ampleur de l'attaque qu'elle connaissait. Satan redoublait ses assauts parce qu'il savait que la fin des temps était proche. Il faut en effet, pour bien comprendre la peur qui habitait alors les élites catholiques, tenir compte de leur certitude de la proximité des temps évoqués par l'Apocalypse. Ancien protestant converti, Jérémie Ferrier écrivait dans un ouvrage paru en 1615 :

« Je trouve, regardant l'état général du monde, que nous avons très grand sujet de craindre l'approche de l'avènement de l'ennemi du monde chrétien. Mahomet a étouffé totalement dans les esprits de ses Turcs, Perses, Tartares, etc., qui dominent les meilleures provinces de l'univers, toute la doctrine de l'Évangile de Jésus-Christ. Les révoltés, schismatiques, hérétiques, etc., d'entre les chrétiens, qui sont séparés de la Communion catholique, et divisés en mille bandes diverses, marquées des enseignes et livrées très expresses du schisme et partialité, outre la foi, la pureté et la simplicité de la doctrine chrétienne, reçue de tout temps dans l'Église, ont aussi violé si ouvertement la charité qu'ils ont la plupart le cœur plus doux envers les Turcs qu'envers les catholiques. Que reste-t-il donc plus, n'y ayant plus de foi ni de charité en la plupart du monde, si ce n'est que les avant-coureurs du Juge viennent, et que cette maudite tyrannie d'impiété, qui doit remplir tout l'univers de ruines, s'est élevée et achève de mettre la Chrétienté en désolation [41] ? »

Le capucin Sylvestre de Laval voyait aussi dans les protestants les précurseurs de l'Antéchrist. Par les accusations qu'ils lancent à tort contre l'Église romaine – expliquait-il – et par leur volonté de voir dans le pape l'Antéchrist, ils servent en fait Satan qui « fait donner par ceux-ci ces fausses alertes, afin qu'on ne se garde plus de ses véritables emprises [42] ». Florimond de Raemond, en ouvrant son *Histoire de l'hérésie* par un tableau des bouleversements religieux du monde au XVIe siècle, montrait qu'il partageait aussi cette certitude d'une imminence de la fin des temps. Dans la Préface de cet ouvrage, son fils déclarait aussi que les protestants étaient les « avant-coureurs de l'Antéchrist ». Quant au jésuite Jacques Gaultier, il estimait que l'impossibilité de dénombrer les variétés d'hérésies nées au XVIᵉ siècle tient au fait que Satan, par sa « malignité envenimée », les a multipliées à plaisir : toutes « ont, en ce siècle, servi d'instruments à l'Esprit de mensonge, pour préparer le chemin à l'Antéchrist [43] ».

De telles angoisses n'étaient pas le privilège des catholiques. Autant (sinon plus) qu'eux, les Réformés avaient la certitude que le combat qu'ils livraient préludait au terme de l'Histoire. La papauté représentait à leurs yeux la Bête de l'Apocalypse et le synode national de Gap inscrivit comme article de la Confession de foi, en 1603, que le pape était l'Antéchrist. Cette thématique eschatologique, présente dans la mentalité protestante depuis Luther, s'estompa au cours du XVIIᵉ siècle pour renaître avec vigueur au temps des grandes persécutions et de la révocation de l'édit de Nantes. Jurieu en fut alors le principal représentant.

Revenant au Père Richeome, nous comprenons mieux maintenant son assimilation de l'hérésie à l'idolâtrie. Il s'agit d'abord d'une riposte à l'accusation analogue que lançaient les protestants contre l'Église romaine. Dans le *Théâtre de l'Antéchrist,* Vignier avait ainsi soutenu que la dévotion mariale était un prolongement des idolâtries des religions amérindiennes. Richeome réplique donc sur le même registre, dans le plus pur style de toute polémique, invitant à conclure que le plus idolâtre n'est pas celui qu'on croit. Mais l'argumentation de Richeome s'explique aussi par le fait qu'il partage fondamentalement la même mentalité que ses adversaires : la fin des temps est proche et Satan omniprésent.

Au fil du siècle, les passions apocalyptiques s'apaiseront. Elles laisseront toutefois des traces dans la mesure où l'hérétique demeurera toujours, plus ou moins explicitement, l'agent de Satan. Surtout, l'hérésie conservera une connotation diabolique parce que perçue, dans ses entreprises, comme un renversement de l'ordre religieux et social.

L'hérésie, mère d'impiété

Pour les auteurs catholiques, les fondateurs du protestantisme sont des « faux prophètes » [44] dont la rupture avec Rome suffirait à prouver l'erreur. Cette fausse religion constitue une offense à Dieu car elle le prive du culte qui lui est dû. Pour Richeome, l'hérésie est, de toutes les idolâtries spirituelles, « la plus injurieuse à Dieu » car elle « lui ravit son honneur par une trahison d'autant plus damnable qu'il est certain que c'est moindre mal de n'avoir point connu la voie de vérité que de l'avoir quittée [45] ». L'offense à Dieu de l'hérétique est comparable à celle du traître à l'égard de son souverain :

« Si quelque vassal-lige quitte et trahit son roi naturel et va servir l'ennemi d'icelui, il est parjure et injurieux à son roi, et digne de supplice; mais s'il se met à courir et ravager ses terres, faire prisonniers ses sujets, mettre tout à feu et à sang, s'il s'empare du royaume, il est encore plus déloyal et méchant. Que si, outre ceci, il attente contre le roi en son honneur, voire encore en sa personne, il est en plusieurs chefs criminel de lèse-majesté, et infiniment plus digne de grièves peines. L'hérésie fait tout ceci, faisant ce que dessus contre Dieu, roi des rois, et contre son royaume, l'Église [46]. »

Pour notre jésuite, les preuves de cette trahison ne manquent pas. Les plus importantes sont la négation de la Trinité et l'adoration de plusieurs dieux par les réformés, mais aussi la ruine de la foi, du vrai culte et toute vie chrétienne. L'hérésie « arrache le fondement de la religion; elle étouffe le premier esprit de la vie chrétienne en son fin premier commencement »; elle ravit l'âme, et fait donc des apostats, alors que les païens qui tuent des chrétiens ne leur ravissent que le corps et en font donc des martyrs [47].

Les cérémonies protestantes apparaissent, aux hommes de la Contre-Réforme, comme totalement dépourvues de piété et incapables de développer la foi dans le cœur des fidèles. Pour ces clercs de l'âge baroque, on ne saurait concevoir de culte divin sans une solennité conforme aux mystères de la religion, sans une atmosphère de piété qui enveloppe l'individu et le dispose ainsi à la communication avec le sacré. Or, comme le souligne Maimbourg, le culte réformé, héritier de celui des Vaudois, n'a « ni suc, ni onction, ni ornement, ni rien qui sente et qui inspire la dévotion [48] ». Avant lui, Florimond de Raemond et du Perron avaient déjà développé des thèmes analogues, mettant en valeur l'opposition qui existait pour eux entre la sécheresse d'une religion dépouillée, dans ses cérémonies comme dans le décor de ses temples, et le culte divin. La doctrine protestante du salut par la foi seule leur semblait priver ses adeptes de la possibilité d'exprimer leur piété par des œuvres de dévotion, telles que les pèlerinages par exemple. Aux griefs déjà présentés contre le protestantisme, s'ajoutait donc celui d'une incapacité totale de donner aux fidèles des moyens concrets de vivre leur christianisme.

Dans l'optique catholique, l'atmosphère propice à la relation à Dieu et la mobilisation de tous les sens au service de cette relation étaient particulièrement importantes pour que les humbles puissent vivre leur foi. D'où la fréquence du reproche adressé au protestantisme d'être le fait d'une élite. Nicole soulignait – nous l'avons vu – que le recours à l'examen particulier des articles de foi excluait le peuple de la possibilité de choisir la voie du salut. Avant lui, du Perron avait déjà utilisé le même argument :

« Qui est celui qui se pourra vanter de connaître l'intégrité de la doctrine de l'Église en toutes ses instances, et d'en avoir fait l'examen contre chacune des autres sociétés, par preuves infaillibles et insolubles à toutes leurs réponses, et réponses invincibles et irréfutables à toutes leurs objections?... Quand quelques-uns le pourraient faire, qui ne sait que le simple peuple, et les personnes ignorantes et rustiques, du salut desquelles néanmoins Dieu a pareil soin que des doctes, et auxquelles les marques de l'Église doivent être également communes, puisqu'elles sont également obligées de s'y ranger, ne sont pas capables de cet examen [49] ? »

Incapable de s'adresser à tous et de mettre les fidèles sur le chemin de la dévotion, le protestantisme apparaissait dès lors comme un ferment de développement du scepticisme et de l'irréligion. La doctrine de la prédestination engendrait un total relativisme religieux, puisque les hommes devenaient incapables de discerner la véritable religion :

« L'élection divine étant un secret de Dieu, inconnu aux hommes, si la vraie Église était fondée sur icelle, il ne serait possible aux hommes de l'entreconnaître des fausses Églises, ni par conséquent de savoir quels sont les vrais pasteurs... ni quelle est la vraie Écriture... ni quels sont les vrais sacrements [50]. »

Le principe établi par la réforme d'un examen individuel de l'Écriture, conduit sous l'illumination de l'Esprit-Saint, semblait mener au scepticisme le plus total. Chacun n'allait plus croire que ce qui ne heurtait pas sa raison. Comme il devenait impossible de rendre compte des mystères chrétiens par cette voie, ces mystères seraient rejetés. Prendre l'Écriture comme seule autorité en matière de foi signifiait ainsi pour les catholiques un renversement plus ou moins rapide du dogme chrétien et le développement de l'impiété. Avec d'autres auteurs, Nicole faisait porter cette lourde responsabilité aux protestants :

« Y a-t-il lieu d'admirer qu'en attaquant les mystères incompréhensibles, et qui ont une contrariété apparente avec les sens et avec la raison, on ait entraîné dans l'impiété les esprits curieux, superbes, présomptueux, qui ne sont qu'en trop grand nombre [51] ? »

Il ne faisait d'ailleurs pas de doute, pour la majorité des auteurs catholiques, que le protestantisme avait joué le rôle de fourrier de l'anabaptisme et de l'antitrinitarisme. En effet, expliquaient-ils, le baptême des enfants ou le dogme de la Trinité ne figurent pas explicitement dans l'Écriture et il n'y a qu'un pas de la négation de la transsubstantiation à la négation de la divinité du Christ. Les principes posés par les protestants avaient donc été exploités jusqu'à leurs ultimes conséquences par les sectaires extrémistes. Bossuet ne se priva pas d'opposer ce constat aux protestants, profitant d'ailleurs de leur propre condamnation de ces déviants pour les inviter à l'unité face au péril commun. Le risque de destruction du christianisme contenu en germe dans la Réforme imposait donc de la combattre, quand bien même son origine n'aurait pas été diabolique.

L'hérésie, source de dépravation

Selon nos auteurs, le protestantisme n'est pas moins contraire aux mœurs qu'à la foi. Pour Richeome, « comme tous les hérétiques sont orgueilleux, aussi sont-ils amateurs de la chair, et sensuels. Et on n'a jamais vu une hérésie sans cette marque, non pas même... celles qui faisaient grande démonstration d'aimer la chasteté ». Plus avant dans son ouvrage, le jésuite assimile la réforme au culte de Vénus et affirme qu'elle laisse la chair se vautrer « en la fange de sa lubricité [52] ».

L'histoire du protestantisme est convoquée par les auteurs catholiques pour corroborer cette thèse. Florimond de Raemond tire à sa façon la leçon du mariage de Luther : ceux qui sortent de l'Église « et qui laissent Jésus-Christ, prennent un nouveau maître... Âmes lascives, qui font banqueroute à l'honneur et aux saints et bienheureux accords qui résonnent sur la lyre spirituelle de la pureté vierge et de la chasteté non maculée, se touillent, se souillent et s'égaient dans le bourbier de leurs immondices, et pour plaire aux honteuses démangeaisons de la chair, et de leurs infâmes voluptés, se dépitent et détravent d'une vie toute nette, toute belle, toute glorieuse et angélique [53] ». Richeome n'est pas en reste, qui écrit à propos du réformateur allemand : « Qui s'est défroqué pour être paillard, sous la courtine du mariage ? Qui a prêché et pratiqué les incestes ? Qui a, par sacrilège, tiré de l'enclos sacré une religieuse pour la faire une effrontée putain ? Qui a porté le flambeau à tous les paillards effrontés, moines et prêtres reniés ? Qui a prêché les adultères ? Qui a écrit que quand la maîtresse ne voudrait, qu'on fît venir la chambrière ? Qui a soutenu qu'on ne peut non plus se passer de femme que de manger et boire, et ce disant a dit ce qu'un étalon, ce qu'un bouc, ce qu'un vieux cerf plein de rut n'oserait dire s'il savait parler [54] ? »

Les autres réformateurs ont droit à des appréciations analogues. Si les mœurs de Calvin sont moins l'objet d'attaques que celles de Luther, on n'oublie pas de rappeler – comme le fait Richeome – que le réformateur genevois a estimé que le célibat est une « tyrannie » [55]. Le lien entre sexualité débridée et protestantisme est reçu pour indiscutable. Avec Richeome, les clercs pensent en effet que la doctrine protestante donne des justifications à la paillardise, puisqu'elle présente la continence comme impossible et l'état de mariage comme aussi estimable que celle-ci. Les ministres, mariés eux-mêmes, ne reçoivent-ils pas les moines apostats qui enfreignent leur vœu de chasteté et n'acceptent-ils pas de les marier? La doctrine réformée est, selon notre jésuite, triplement impudique :

« Votre entendement roidit et tient ferme en l'erreur qu'il a conçue contre la chasteté; votre volonté pousse à l'exécution de ce que lui dicte l'entendement, et votre chair met en œuvre le conseil de l'un, et le commandement et tyrannie de l'autre. Celui qui est paillard parmi vous, il veut faire ce qu'il fait, et de plus le juge honnête, et a la volonté perverse et le jugement aveuglé [56]. »

Tout en insistant le plus fréquemment, et avec le plus de force, sur la licence sexuelle qu'autoriserait le protestantisme, les auteurs catholiques ne manquent pas de souligner que ce sont en fait tous les vices et péchés que favorise la doctrine réformée :

« Comme l'idolâtrie, écrit Richeome, était la fondrière de tous vices, et une pépinière produisant tous vices, de même l'hérésie parmi les chrétiens est un cloaque, faite de l'égout de toutes abominations, et un cloaque de laquelle découlent toutes abominations [57]. »

Dans son sermon sur « l'Église persécutée », François de Toulouse voyait dans le protestantisme le refuge des sensuels, mais aussi des intempérants, des avares ou des ambitieux. D'autres écrits soulignent que la Réforme tolère, voire favorise, l'usure, et que les protestants cherchent d'abord le profit matériel. Pour Jean-Pierre Camus, les protestants n'ont pas la pauvreté moins en horreur que la chasteté – d'où leur hostilité aux moines – et les fortunes de Londres ou d'Amsterdam ne lui semblent pas fondées sur la seule Écriture [58]. Lorsqu'ils dressent un tableau des régions protestantes où ils exercent leur ministère, les missionnaires ont aussi coutume d'évoquer la corruption générale que provoque l'adhésion à la Réforme. Écrit par un jésuite, le *Sommaire de l'État de la religion dans la vallée de Pragelas* dresse ainsi un sombre tableau moral de cette région des Alpes :

« Ce n'est pas assez que l'hérésie se soit emparée de ce pays, elle est accompagnée de plusieurs autres crimes énormes; les meurtres, les empoisonnements et les sortilèges n'y sont que trop ordinaires [59]. »

Relatant les missions de ses confrères en Savoie, le capucin Charles de Genève voit dans l'hérésie la « mère de toute corruption » [60]. D'autres auteurs pensent que le protestantisme a surtout offert une justification aux vices, qu'il est en quelque sorte le masque dont se parent tous les pécheurs invétérés. Quoi qu'il en soit, la doctrine réformée est donnée pour responsable du développement du péché. Pour Richeome, c'est parce que le protestantisme fait de Dieu l'auteur du péché que ses adeptes ne brident pas leur concupiscence :

« Ce dragon tortu [= Satan] prétend fournir excuse aux hommes amateurs d'eux-mêmes et prompts à chercher prétexte de leurs péchés, et leur persuader qu'ils ne pèchent point, quoi qu'ils fassent, comme étant poussés d'un maître auxquels ils ne peuvent résister; qu'ils n'en recevront aucune punition, qu'ils n'ont que faire de s'en tourmenter [61]. »

Plus explicitement, François de Toulouse attribue à la doctrine de l'élection divine la responsabilité de la licence huguenote : les hérétiques « disent que le sang du Fils de Dieu nous a acquis le paradis, que ses mérites effacent nos péchés et font notre mérite, sans que nous y apportions qu'une foi sans bonnes œuvres; ils disent qu'ils ont les assurances infaillibles de leur salut, et ils promettent à tous ceux qui voudront suivre leur doctrine qu'il ne faut pas tourmenter son corps par des jeûnes, par des disciplines et par d'autres austérités... Cette fausse doctrine, qui nous ôte toute sorte de crainte, qui nous épargne la peine du travail, qui chasse les jeûnes, les vœux et toutes les mortifications du corps, lui est extrêmement favorable [62] ».

Arnauld développe le même thème et insiste sur le fait que le protestantisme ôte le « frein » qu'est « la crainte de se perdre et de se damner ». Dès lors, tout est possible :

« Toute doctrine qui rend la voie du ciel fort large et le salut fort facile ne peut être la doctrine de Jésus-Christ... C'est ce que fait la doctrine des Calvinistes, qui veulent qu'on soit assuré du salut, aussitôt qu'on s'est une fois assuré qu'on a la vraie foi, dans quelques crimes que l'on se laisse emporter ensuite par la violence des tentations [63]. »

Nicole lui fait écho en remarquant que, dans ces conditions, le succès du protestantisme se comprend aisément :

« Qu'une hérésie semblable à celle des Calvinistes, qui a eu pour but de favoriser les inclinations de la nature, se soit répandue en peu de temps par l'intelligence qu'elle a trouvée dans ces inclinations corrompues des hommes, c'est ce qui n'a rien d'incroyable ni de surprenant [64]. »

Très moralisant, le catholicisme de la fin du XVIIᵉ siècle n'entendait rien retrancher des accusations portées en ce domaine contre les réformés par les polémistes les plus acerbes du début du siècle.

L'hérésie, maîtresse de violence et ferment d'anarchie

Rébellion contre l'Église, le protestantisme est suspecté par les auteurs catholiques de viser aussi au renversement de l'ordre social et politique. L'esprit de la Réforme leur apparaît comme étant fondamentalement un esprit de révolte, donc contraire au christianisme. Pour Nicole, il suffit de comparer l'attitude des premiers chrétiens et celle des protestants pour s'en convaincre :

« Pendant l'espace de trois cents ans, l'esprit de l'Évangile a disposé les chrétiens à souffrir par tout l'Empire romain les plus grandes cruautés que des hommes aient jamais exercées contre d'autres hommes, sans se soulever contre leurs persécuteurs, et sans leur opposer d'autres armes que celles d'une invincible patience; l'esprit de la réformation a porté au contraire ceux qui l'ont embrassée, non seulement à se défendre par les armes contre leurs princes légitimes, mais à les chasser de leurs États, quand ils ont été assez forts pour le faire [65]. »

En cherchant à faire de Jésus un révolté, les protestants se méprennent totalement sur son message. C'est ce que le Père Richeome leur objecte, en les accusant de commettre un contresens sur un verset de l'Évangile selon saint Matthieu qu'ils ont fait figurer avec une épée en frontispice de divers ouvrages :

« Le Sauveur parle de la guerre contre les vices, laquelle se fait en bien vivant, et bien résistant aux péchés, et non de la rébellion et révolte contre l'Église de Dieu, contre son roi et ses magistrats légitimes [66]. »

Toute hérésie est assimilée à la rébellion par les défenseurs de l'Église catholique, qui se déclarent certains que la doctrine protestante enseigne la révolte. Le Père Gontery voit ainsi dans le principe d'examen particulier de la Bible le germe de la subversion :

« Par ce moyen, le fils se révoltera contre le père, la femme contre le mari, le sujet contre le prince, le valet contre le maître, la brebis contre le pasteur, disant tous qu'ils trouvent leurs erreurs dans la Bible, par « conséquence nécessaire [67]. »

L'histoire ne montre-t-elle pas, d'ailleurs, que le développement de la Réforme s'est accompagné des pires violences et cruautés? Pour Richeome, Mars figure en bonne place parmi les dieux qu'adorent les protestants :

« N'êtes-vous pas mémoratifs que Mars a planté le tronc de votre Prétendue [Religion] Réformée? N'est-ce pas lui qui a semé en ce royaume la parole du Seigneur avec les balles des pistoles et des canons, prêché l'Évangile au son des tambours, et la doctrine huguenote parmi les fureurs et frayeurs des armes [68]? »

Le Père jésuite détaille, dans une autre partie de son ouvrage, les forfaits des disciples de Calvin au cours des guerres de religion : violences contre toutes sortes de personnes, destruction de plus de 10 000 églises, profanation de reliques, démolition de tombeaux. Pour lui, les guerres civiles de l'antiquité n'ont jamais été marquées d'une telle cruauté, ce qui prouve bien que l'hérésie est le plus grand des fléaux; les plus cruels des païens ne lui semblent pas user de tels traitements à l'égard des chrétiens [69]. Entièrement responsable des conflits du XVIe siècle, le protestantisme a jeté la France « en misérable désarroi et combustion universelle [70] ».

Tout au long du XVIIe siècle, les polémistes catholiques sont prompts à aller chercher dans les guerres de religion l'illustration de leur thèse d'une violence inhérente au protestantisme. Feuardent rapporte que les huguenots « ont bourrelé en deux ou trois ans plus de six mille bons prêtres et religieux »; François de Toulouse les juge pires que Néron ou Dioclétien et évoque les tortures, les viols, les destructions d'églises et les bris d'images; Maimbourg étourdit son lecteur sous un déluge de faits que laisse bien pressentir le début de son *Histoire du calvinisme* :

« Quatre grandes batailles rangées, deux à trois cents combats très sanglants, la plupart des plus belles villes prises, surprises, pillées, saccagées, désolées, les temples renversés, les statues des saints décapitées, les tombeaux des rois violés, l'étranger introduit dans le royaume, une espèce de République introduite dans la Monarchie, et plus d'un million de Français qu'on a fait périr sans aucune forme de justice, par divers genres d'horribles tourments, sont les superbes monuments que cette Hérésie s'est érigés dans l'Histoire, pour nous apprendre par quelles voies, conformément à son nouvel Évangile, elle s'est efforcée d'introduire dans l'Église cette prétendue réforme, qui a été le prétexte de sa révolte [71]. »

Qu'on ne croie pas, s'empressent d'ajouter ces auteurs, que cette violence multiforme n'est qu'un accident de l'histoire; il s'agit bien d'un caractère inséparable de l'hérésie : l'édit de Nantes n'a pas mis un terme aux violences en France, comme le montrent les soulèvements protestants des années 1620 au cours desquels on a vu à nouveau oppression des catholiques et fureurs contre les tombeaux. Par ailleurs, la situation faite au catholicisme dans les pays protestants montre que le triomphe de l'hérésie s'accompagne partout des mêmes violences. Jean-Pierre Camus le souligne pour faire apprécier aux protestants français, par contraste, le sort qui leur est réservé par l'édit de Nantes :

« L'Église catholique n'est-elle pas persécutée en beaucoup d'endroits? en Angleterre, en Hollande, en Allemagne, Danemark, Suède, presque en tout le Septentrion?... Que de martyrs nous avez-vous faits en Angleterre, Écosse, Irlande, Hollande, et en tant d'autres lieux, d'où par violence vous avez banni notre religion. Combien de monastères brûlés, d'églises détruites, d'autels abattus?... Partout où vous dominez, nous permettez-vous ce qui vous est permis en France [72]? »

Intolérante quand elle a acquis une position dominante, l'hérésie complote sans cesse là où elle est minoritaire. Le pouvoir civil doit toujours s'estimer menacé par le protestantisme. François de Toulouse prêche ainsi que « les princes l'ont arrêtée par leurs édits et abattue par les armes, parce qu'ils ont connu que l'hérésie est également ennemie de l'État comme de la religion, qu'elle ne peut souffrir la monarchie, non plus que la hiérarchie; et que comme elle ne veut pas reconnaître un chef dans l'Église, elle ne veut pas non plus se soumettre à celui de l'État [73] ».

Pendant tout le XVIIᵉ siècle, les auteurs catholiques s'emploient ainsi à jeter le doute sur le loyalisme des protestants à l'égard du souverain. On évoque ainsi leurs relations avec l'étranger et le possible appui de puissances extérieures dans leurs entreprises contre la monarchie; on souligne que plusieurs États protestants sont des Républiques; on insiste sur le fait que l'organisation des Églises réformées, caractérisée par une égalité des pasteurs et une participation des laïcs au « gouvernement », est elle aussi une marque indubitable de républicanisme. Si l'on prend plaisir à raviver le souvenir des guerres de religion, c'est encore pour montrer que la fidélité au roi n'a pas grande valeur chez les huguenots [74]. Les réformés sont donc présentés comme étant toujours, comme au siècle précédent, une « faction... ne pouvant s'accoutumer à l'obéissance [75] ».

Dans ce contexte polémique, la première révolution anglaise, qui fut marquée par l'exécution du roi Charles Iᵉʳ en 1649, apparut aux défenseurs du catholicisme comme la vérification parfaite de leurs thèses. L'exploitation de cet épisode prit une place de choix dans leur argumentation dans les décennies précédant la révocation de l'édit de Nantes. Ces puritains révolutionnaires n'étaient-ils pas, confessionnellement, les frères jumeaux des réformés français, puisque Calvin était leur père commun? Pour Antoine Arnauld, il n'est désormais plus besoin de chercher d'autres preuves des visées subversives du protestantisme :

« La Tragédie dont les protestants ont été les acteurs... s'est jouée à face découverte, sur un théâtre exposé aux yeux de toute l'Europe... Ils ont établi la Majesté de l'Empire, et l'autorité souveraine dans les peuples, et dans les corps qui le représentent, et non dans le roi; et c'est sur ces principes, qu'après une révolte continuée sur plusieurs années, et accompagnée de succès trop favorables, ils ont cité leur Roi devant le Tribunal sanguinaire, et ont scellé de son sang la maxime capitale des Calvinistes dont je viens de parler : qu'un Roi n'est que le premier des officiers du peuple, à qui il doit rendre compte de son administration, quand il lui plaît de le demander, par les corps qui le représentent ; et que ces corps ont droit de le punir, comme le moindre des particuliers, s'ils trouvent qu'il a mal gouverné [76]. »

Pour qui ne serait pas convaincu que ces principes d'insoumission au monarque sont aussi ceux des huguenots, Soulier rappelle que la confession de foi des Églises réformées de France limite, par son article 40, le devoir d'obéissance aux autorités établies, « c'est-à-dire que si ces Puissances ne leur donnent pas toute la liberté qu'ils peuvent souhaiter pour exercer librement et publiquement leur Religion, on peut se révolter et obtenir par la force des armes ce qu'on ne peut obtenir autrement, ou bien se soustraire tout à fait de leur obéissance [77] ».

Pour les catholiques qui prônent l'obéissance aveugle au pouvoir civil comme aux autorités ecclésiastiques, le protestantisme, avec son fâcheux penchant pour le gouvernement populaire, représente un ferment d'anarchie. Il leur semble en effet qu'avec de tels principes, aucune valeur n'est à l'abri d'un risque de subversion. La prédication de Luther a fait le lit de la révolte des paysans allemands « qui criaient partout : Liberté de l'Évangile ! » [78]. En abolissant la confession, « qui était un puissant frein aux adultères et aux larcins », la doctrine calviniste « fait de grandes brèches à la fidélité des mariages, et à la bonne foi du commerce [79] ». Bref il n'y a plus d'ordre social possible, plus de valeur assurée de quelque durée. Genève est pour le Père Garasse, polémiste jésuite parmi les plus virulents, l'image même de ce que réserverait à la France un triomphe des idées protestantes :

« En cette grande Babylone, il y a autant de merveilles qu'il y a de ministres au monde. Là-dedans, les médecins prêchent, les prédicants pratiquent, les évêques se marient, les moines se sécularisent, les bêtes parlent grec, les chevaux sont docteurs, les ministres commandent, la noblesse obéit, les théologiens sont pères de famille, et souventes fois pères de famine, les pères de famille sont prélats, les savetiers exposent la Bible, les soldats portent la robe, les docteurs portent l'épée et la rotonde, les apostats sont en honneur, les gens de bien sont infâmes, c'est une Babel que cette ville [80]. »

Mère de perdition pour les âmes, l'hérésie menace et la religion, et la société, et l'État. Qu'ils lui donnent ou non une origine directement diabolique, hommes d'Église et polémistes catholiques s'employèrent à dénoncer ses méfaits. Sur un ton plus ou moins nuancé, avec une argumentation diversement accentuée selon les dates, ils restèrent tout au long du siècle convaincus qu'il était dans la nature même de l'hérésie de subvertir toute forme d'ordre sous couvert d'une volonté de fidélité à l'Écriture.

Chapitre 4

LES VOIES DE L'HÉRÉSIE

Comment expliquer que le protestantisme, entreprise si contraire à la religion et à la morale, voire directement suscitée par Satan, ait connu un tel succès au XVIe siècle? Par quel processus la révolte de quelques hommes s'est-elle muée en un mouvement important, mettant en péril l'Église de Dieu? Pourquoi, alors que la nature de la Réforme est quotidiennement dévoilée par les hommes d'Église au XVIIe siècle, les idées de Calvin continuent-elles d'avoir autant d'adeptes en France? Finalement, comment a-t-on pu et comment peut-on être protestant? A toutes ces questions, les auteurs catholiques ne peuvent échapper. Les réponses qu'ils y apportent s'inscrivent dans la logique de leur discours général sur l'hérésie et en fournissent une nouvelle illustration.

Mais la lecture du développement et du maintien de l'hérésie qu'opèrent ces auteurs est surtout intéressante par ce qu'elle nous révèle de leurs conceptions sur l'Église. Elle montre en particulier l'importance du rôle du clergé pour le catholicisme tridentin; elle laisse aussi entrevoir comment l'Église conçoit la reconquête du peuple protestant. A travers la présentation des facteurs qui ont permis la diffusion ou permettent la survie de la Réforme, les auteurs catholiques nous expliquent en fait sur quel terrain et avec quelles méthodes est entreprise la lutte contre le protestantisme.

Retour à l'histoire :
l'Église à l'aube du XVIᵉ siècle

De Raemond à Maimbourg, les historiens catholiques de la Réforme accordent un rôle prépondérant à la personnalité des hérésiarques. Comme toute l'historiographie du temps, leurs ouvrages s'intéressent d'abord aux « grands hommes » considérés comme les véritables moteurs de l'Histoire : monarques, papes ou réformateurs sont autant de héros positifs ou négatifs qui occupent toujours le devant de la scène dans les livres d'histoire du XVIIᵉ siècle. Les historiens de la Réforme ne négligent cependant pas totalement le contexte dans lequel se situe la naissance du protestantisme.

Florimond de Raemond ouvre ainsi son *Histoire de l'hérésie* par un « État de la chrétienté » au début du XVIᵉ siècle. Pour notre magistrat, l'Église jouissait d'une profonde paix, que ne troublait aucune hérésie; mais une telle tranquillité n'augurait rien de bon. D'ailleurs, « le ciel, par divers présages, avait montré les grands remuements qui devaient advenir au monde, par la diversité des religions ». Le deuxième chapitre de l'ouvrage souligne que des prodiges célestes avaient annoncé le schisme. Les astrologues « demeurèrent éperdus, voyant cette grande conjonction de Saturne, Jupiter et Mars, au signe des Poissons, la même qui était arrivée au temps de nos premiers pères, lorsque... une générale ravine d'eaux couvrit et dévisagea la face de la terre. Tous restèrent en effroi, et en attente d'un second déluge d'eau, mais ce fut un déluge de sang qui s'épandit sur toutes les parties du monde ». De la Perse aux Indes, en passant par l'Afrique – explique Raemond – des bouleversements religieux affectèrent toute la planète au XVIᵉ siècle.

Pour ce qui est du christianisme, les malheurs qui devaient survenir avaient été prédits par plusieurs personnes, tel Savonarole; l'Église aurait donc dû se tenir sur ses gardes. Mais Raemond ajoute qu'elle était au contraire saisie de léthargie. Ceux qui devaient veiller sur elle « ronflaient dans leurs poêles [= pièces chauffées], enivrés de leurs longues prospérités et gorgés de richesses innombrables qu'ils avaient ». La paix avait ainsi émoussé la vigilance des pasteurs et occasionné un relâchement de la discipline. L'hérésie allait dès lors pouvoir s'introduire sans véritable résistance, les théologiens ayant perdu l'habitude du débat intellectuel :

« La plupart d'entre eux, surtout en Allemagne, se trouvaient bien empêchés de... répondre [aux hérétiques]. Ils avaient perdu l'usage de leurs armes et, contents de savoir le gros de la créance chrétienne, n'alambiquaient [pas] leur esprit après les épineuses et subtiles questions de la théologie. »

Bref, l'Église avait perdu toute capacité de riposte à une agression :

« Comme les corps exercés au travail, battus du froid et du chaud, se rendent plus fermes et plus robustes, et leur peau endurcie repousse plus vivement les injures de l'air; aussi les autres qui séjournent dans le repos, et qui ont le cuir plus délicat, sont sujets à recevoir les mauvaises infections, et souffrent des accès plus âpres et plus violents. Ainsi les mauvaises humeurs qui s'étaient accueillies et ramassées dans le corps de l'Église, à raison de cette longue santé et vie oisive, furent cause qu'elle tomba par diverses rechutes en ces grands symptômes et extrêmes convulsions dont elle n'est pas encore relevée [1]. »

En un langage imagé, Raemond propose donc une interprétation d'ensemble des conditions de développement du protestantisme. Évidemment, au-delà des métaphores, l'attention est retenue par l'analyse très critique de la situation de l'Église. Les thèmes de l'ignorance, du relâchement – voire de la corruption – du clergé seront souvent repris au cours du XVIIe siècle.

Tous les auteurs considèrent en effet que l'indignité et l'incapacité des clercs ont constitué un terrain favorable à la naissance de l'hérésie. Maimbourg évoque « les ecclésiastiques qui étaient pour la plupart très corrompus et les moines qui s'ennuyaient de leur profession »; ils furent les premiers à s'enrôler sous la bannière du protestantisme « qui flattait agréablement leurs passions ». Nicole n'est pas d'un avis contraire : c'est « en ouvrant la porte de tous les cloîtres et en donnant permission à tous les prêtres, à tous les moines et à toutes les religieuses de contracter des mariages » que le luthéranisme fit des adeptes; encore fallait-il que des clercs et des religieuses aient désiré profiter de cette « permission », ce dont Nicole ne semble pas douter. Brueys évoque aussi, pour sa part, la « corruption générale » du XVIᵉ siècle [2]. Pour tous les auteurs du XVIIᵉ siècle, la léthargie que connaissait l'Église à la veille de la Réforme s'accompagnait indiscutablement, sinon du dérèglement des mœurs des clercs, du moins d'un relâchement suffisant pour que celui-ci s'installe à la moindre sollicitation. Contraire à toutes les règles morales, le protestantisme sut profiter de cette situation.

Dans son offensive, il ne rencontra pas d'opposition intellectuelle sérieuse, tant le clergé allemand était ignorant. L'Oratorien Bernard Lamy considère que l'Église « se trouva attaquée pendant la nuit, lorsque personne n'avait les armes à la main, et qu'on ne savait même pas où en trouver ». En effet, explique-t-il, la connaissance de la doctrine de l'Église des temps apostoliques, des Pères et de l'histoire auraient constitué autant d'« armes ». Mais, au contraire, « l'Église était alors comme une bonne veuve dont les enfants libertins et négligents n'auraient point eu le soin de s'instruire des propres intérêts de leur famille [3] ». Les personnages les plus cultivés étaient, pour leur part, aveuglés par leur penchant humaniste qui les portait à mépriser la théologie médiévale et à idolâtrer l'antiquité. Aussi, explique Maimbourg, « les gens de belles-lettres et les grammairiens qui, sous prétexte qu'ils savaient les langues savantes, s'attribuaient en ce temps-là le droit d'interpréter l'Écriture Sainte et traitaient les Scolastiques d'ignorants et de barbares, voyant que Luther, qui passait d'ailleurs pour un très habile théologien, faisait la même chose et rejetait les plus grands hommes de l'École et les maîtres de la théologie comme des corrupteurs de la Parole de Dieu, s'accordaient tous, par une espèce de cabale, à faire l'éloge de ce prétendu réformateur [4] ».

Les causes d'un dérapage

On le voit, le catholicisme du XVIIᵉ siècle porte un jugement très sévère sur la situation religieuse à l'aube des Temps Modernes. Aux yeux d'une Église qui attend du prêtre une vie exemplaire

– digne du médiateur qu'il est entre Dieu et les hommes – et qui s'efforce par les séminaires de faire entrer cet idéal en pratique, la chrétienté des années 1500 souffre de nombreux défauts : le clergé, ignorant, insouciant et parfois indigne, a véritablement trahi, abandonnant aux tentations de l'hérésie le peuple dont il avait la responsabilité.

En insistant sur ces thèmes, les polémistes et historiens catholiques poursuivent un objectif simple : montrer la distance qui sépare l'Église de leur temps de celle du début du XVIᵉ siècle. La vigueur de leurs critiques est une manière de faire apparaître, par contraste, combien le catholicisme du Grand Siècle est irréprochable et soucieux du salut des âmes. C'est une manière de dire à l'adversaire que, dans la situation présente, rien ne saurait justifier la rupture religieuse. Si elle eut lieu par réaction contre l'incapacité ou la dépravation du clergé, il est temps de rentrer dans le sein d'une Église désormais purifiée de ces défauts.

Toutefois, cette argumentation catholique ne concède aucune bribe de légitimité au schisme dont les réformateurs ont pris l'initiative. Les fautes de certains membres de l'Église ne peuvent en effet fournir un prétexte à la séparation. Cet argument est en particulier développé dans le très irénique « Avertissement pastoral » que les évêques de France adressent aux protestants en 1682 : ils savent que pour tenter de justifier le schisme, les réformés ont recours « au prétexte spécieux du dérèglement des mœurs de diverses personnes »; mais, quand bien même ces péchés seraient réels – et plus grands encore – « des Chrétiens auraient dû épargner cette ivraie, en considération du bon grain; parce que nous sommes obligés de supporter les défauts des méchants, pour conserver la communion des gens de bien ». Et, pour donner poids à leur raisonnement, les évêques allèguent les comportements adoptés en pareille situation par Moïse, Samuel, Jésus et les apôtres. Aveuglés par les fautes de quelques-uns, les réformateurs en ont fait celles de l'Église tout entière, oubliant que, par nature, elle ne saurait être ternie de ces péchés :

« Vous lui avez attribué des taches qui ne se rencontraient que dans quelques particuliers, sans faire réflexion que Jésus-Christ l'a purifiée dans les eaux de son Baptême par la parole de vie, afin de la faire paraître devant lui pleine de gloire, n'ayant ni taches ni rides, ni rien de semblable [5]. »

L'ancien protestant Brueys, converti au catholicisme, concède lui aussi très volontiers qu'il y avait beaucoup à réformer dans l'Église du début du XVIᵉ siècle; mais, aussitôt, il distingue la doctrine, qui était intacte, de la discipline :

« J'avoue que peut-être quelques-uns de ceux qui au commencement du siècle passé furent les premiers à crier et à écrire contre les abus intéressés que quelques particuliers commettaient contre l'intention du pape et de l'Église, au sujet des indulgences sur lesquelles ils exerçaient une espèce de commerce; j'avoue, dis-je, que quelques-uns de ces gens-là mirent la plume à la main, pour soutenir une bonne cause; j'avoue que peut-être aussi quelques-uns de ceux qui, à cause de l'ignorance crasse et de la corruption générale des mœurs de ce temps-là, demandaient une réformation, étaient des personnes zélées pour la gloire de Dieu...

La Réformation était donc juste... mais la séparation était injuste, parce qu'il n'y avait dans la religion... ni superstition, ni idolâtrie, ni aucune erreur qui pût obliger des frères à se séparer [6]. »

Nicole avait aussi soutenu la même idée dans les *Préjugés légitimes*. Les réformateurs, expliquait-il, avaient reçu de l'Église les sacrements et l'Écriture. Aussi, « elle ne leur devait pas être moins chère, parce qu'elle leur paraissait défigurée... Si les plaies qu'ils s'imaginaient de voir en elle blessaient leur cœur, ce devait être une blessure de charité et de compassion, et non d'aversion et de haine [7] ».

Cette idée d'une sorte de dérapage de la Réforme, qui ne sut limiter ses critiques aux questions où elles étaient légitimes et s'engagea dans une remise en cause globale de l'institution ecclésiale, avait déjà été développée au début du siècle par le Père Jacques Gaultier qui interrogeait :

« Pourquoi est-ce que Calvin, Bèze et les autres ministres ne se sont contentés de réformer les abus accidentels, à savoir les mœurs corrompues et autres choses semblables, sans s'attacher, comme ils ont fait aux points essentiels, comme sont la nature de la foi et les articles du Symbole des apôtres... [8]? »

Le jésuite en déduisait que catholicisme et protestantisme étaient plus éloignés l'un de l'autre que certains ne voulaient le laisser croire. Cette conclusion suffirait à montrer qu'au cours du siècle les controversistes surent parfaitement, en partant des mêmes constatations, aboutir à des affirmations diamétralement opposées. Mais ce qui nous importe surtout ici, c'est l'idée commune à tous ces auteurs catholiques d'une disproportion des critiques protestantes par rapport à la réalité. Finalement, le schisme procède de l'imagination débridée des réformateurs qui se sont figurés une Église différente de ce qu'elle était. Nicole soutient explicitement cette thèse :

« Cette division n'est point arrivée parce que l'Église romaine ait abandonné au XVIᵉ siècle quelque article de foi qu'elle eût cru auparavant, ni de ce qu'elle y ait embrassé quelque nouvelle doctrine; mais parce qu'il s'y est trouvé des gens qui se sont imaginé que la doctrine dont elle faisait profession alors était infectée de diverses erreurs. Le changement s'est fait en eux, et non dans l'Église romaine [9]. »

En fonction de ce que nous connaissons déjà des argumentations de Nicole, ces remarques ne surprennent pas. Les protestants ont pour lui le fâcheux penchant de s'en remettre toujours à leurs impressions; leur attitude à l'égard de l'Église au temps de la Réforme ne fait que se conformer à cette règle générale. L'obéissance à l'autorité que prône Nicole le conduit d'ailleurs à rejeter absolument toute idée de séparation de l'Église, quand bien même serait-on certain de son erreur [10].

Le protestantisme a donc profité de défaillances réelles au sein de l'Église pour lancer son offensive. Si certains auteurs admettent que quelques réformateurs ont été mus, à l'origine, par un authentique besoin de purification des institutions, la plupart leur prêtent des desseins pernicieux dès les origines de leur « révolte ».

Tel est le cas de Nicole qui souligne que les réformateurs ont imputé à l'Église des opinions qu'en réalité elle condamne :

« Ils ne l'en ont cru coupable que parce qu'ils désiraient qu'elle le fût. Et au lieu que la raison et la charité portent à ne croire jamais du mal de personne, et moins encore de ceux que l'on aime et que l'on respecte, et à ne les accuser jamais qu'après une conviction évidente, la haine et la malignité des ministres envers l'Église romaine les ont portés à la condamner d'abord, sans se mettre en peine de s'assurer si elle avait tous les sentiments qui n'étaient proposés que par quelques-uns de ceux qui étaient dans sa communion [11]. »

Attaquant l'Église dans son ensemble et la taxant d'infidélité à la Parole de Dieu, les réformateurs ont couvert leur séparation d'un prétexte. Ils ont trompé le peuple dans leur présentation de l'Église romaine comme dans celle de leurs propres intentions et motifs. Cette œuvre a été continuée par les ministres. Présidant donc à la naissance du protestantisme, la calomnie et le mensonge sont aussi des principes essentiels de sa survie.

L'hérésie séductrice

Pour gagner les fidèles dépourvus de la protection qu'était bien incapable d'assurer le clergé, l'hérésie utilisa trois méthodes. C'est du moins ce qu'explique François de Toulouse dans le sermon déjà cité sur « l'Église persécutée » : Les hérétiques – selon notre prédicateur – ont « attaqué » l'Église « première-ment... par un zèle spécieux qui ne parlait que de réforme et de rétablissement de la première discipline, par une fausse doctrine favorable aux sens, et enfin par la force des tourments [12] ».

Il est inutile d'insister sur la violence des protestants : nos auteurs nous ont montré qu'elle était inhérente à leur entreprise, étayant notamment leur argumentation par une lecture partisane des guerres de religion. La tolérance – voire la faveur – que le protestantisme accorde à la licence morale constitue aussi un des éléments de la définition catholique de la Réforme, comme nous l'avons vu. Il faut toutefois souligner qu'il s'agit là pour nos auteurs d'une des voies privilégiées de la propagation de l'hérésie. Comme les ecclésiastiques indignes, nombreux furent les fidèles qui prirent le parti de la nouvelle religion parce qu'ils y trouvaient une doctrine « fort commode » selon Soulier. Nicole ajoute qu'il est même étonnant qu'autant de fidèles aient résisté à cet attrait et soient demeurés soumis à l'Église [13]. Tous ceux qui supportaient mal les exigences morales du christianisme s'engouffrèrent donc sur les traces des réformateurs. Pour Florimond de Raemond, la jeunesse, réticente face à la confession et au jeûne, sensible aussi à l'idée de liberté, constitua un terrain de choix pour le développement des idées nouvelles [14].

Mais il est une troisième raison du succès de l'hérésie, citée en tête par François de Toulouse : le « zèle spécieux ». L'hérésie se présente sous des apparences flatteuses et use de tromperie, ruse, fourberie, piperie... Tous ces termes sont fréquemment utilisés par nos auteurs catholiques et constituent autant de variations sur le thème d'un succès de l'hérésie par la voie de la séduction. Raemond pense ainsi que Satan s'efforça d'abord de gagner les femmes pour mieux avoir prise ensuite sur les hommes :

« La conquête de ces simples âmes et de ce fragile sexe fut bien aisée; car la rigueur des lois et règles de l'Église, et surtout cette gêne de la confession, était insupportable à plusieurs d'entre elles. Le cauteleux serpent, se ressouvenant de ce duel mémorable qu'il livra dans le Paradis terrestre, comme en champ clos, n'oublia de mettre en pratique les ruses et premières tromperies qui lui avaient si bien succédé [= donné le succès] contre le premier père des hommes qu'il porta par terre... Il sait bien que souvent l'homme est une place inaccessible et imprenable par tout autre moyen que celui de la femme [15]. »

La tromperie des protestants, c'est d'abord leur extérieur exemplaire. Ainsi, aux origines de la Réforme, de nombreux chrétiens soucieux de fidélité à l'Évangile furent-ils conquis par le masque de perfection morale que se donnaient les protestants; ces derniers n'allaient-ils pas jusqu'à affronter la mort, comme le rappelle Raemond, par fidélité à leur choix religieux? Il faut donc se méfier des apparences et voir, comme François de Toulouse invite ses auditeurs à le faire, que les protestants cachent « de mauvais desseins et de sales mœurs sous un extérieur bien composé ». Alléguant l'Écriture, saint Ambroise et saint Augustin, notre prédicateur poursuit :

« Faites-leur tomber ce masque dont ils se cachent, ôtez-leur cette peau de brebis dont ils se couvrent, vous trouverez qu'ils sont des loups ravissants, des serpents remplis de venin, des renards qui gâtent les vignes ».

Pour mieux inciter son auditoire à se méfier des « belles paroles » des réformés, il recourt à une métaphore :

« Chrétiens, lorsque vous entendez ces belles paroles, ne vous semble-t-il pas voir de ces oiseleurs qui, avec des sifflets, imitent le chant des oiseaux qu'ils veulent engager dans leurs filets? Ainsi ces hérétiques parlent comme des saints pour surprendre les innocents [16]. »

Leur ruse suprême est en effet – nous le savons déjà – d'annoncer haut et fort qu'ils sont fidèles à l'Écriture. Ils brouillent ainsi les cartes et égarent les Chrétiens. Pour Richeome, l'Hérésie « corrompt les deux facultés de l'âme, qui seules peuvent faire embrasser une nouvelle opinion, savoir l'entendement et la volonté, les deux premiers ressorts de toutes les actions humaines. Elle éblouit l'entendement par une fausse lumière des Écritures qu'elle lui met devant les yeux, et donne branle à la volonté par trois choses les plus efficaces de toutes pour la fléchir : par la protestation de la volonté divine, par la promesse de la félicité et par la menace de la misère éternelle [17] ». Raemond fait aussi de la prétendue fidélité à l'Écriture la clé du succès du protestantisme :

« C'est elle [= l'Écriture] qui leur a donné crédit et passeport parmi les peuples; autrement on les eût chassés comme envoyés du diable. Et tout ainsi qu'il n'y a ni venin si dangereux que celui qui est couvert de sucre, d'autant qu'il est avalé plus avidement et avec plus de difficulté rejeté dehors, de même il n'y a erreur si dangereuse que celle qui est voilée de la parole de Dieu. Plusieurs y sont compris [= saisis] avec leur simplicité, comme les oiseaux qui cherchant leur vie trouvent leur mort dans ces petits arbrisseaux et buissons artificiels, pleins de lacets et de glu que les oiseleurs leur dressent [18]. »

On le voit, la métaphore de l'oiseleur est particulièrement prisée par nos auteurs. On la retrouve encore, par exemple, dans les représentations allégoriques qui figurent au frontispice du livre publié à Lyon en 1618 par le capucin Marcellin du Pont-de-Beauvoisin et intitulé *La piperie des Ministres et fausseté de la Religion prétendue réformée*. Cet auteur semble d'ailleurs avoir passé une bonne part de son activité de controversiste à dénoncer les tromperies protestantes puisqu'il consacre encore près de 600 pages, en 1636, à *L'artifice merveilleux dont se sont servis les ministres de la religion prétendue réformée pour piper les catholiques et les retirer du giron de l'Église.* Mais, pour en revenir à l'image de l'oiseleur, ajoutons que Raemond l'utilise une seconde fois dans son *Histoire de l'hérésie,* pour expliquer cette fois-ci le succès du chant des psaumes en langue vulgaire :

« Le nouveau chant doux et chatouilleux de ces Psaumes rimés... a été la chaîne et le cordage duquel... Luther et Calvin se sont servis pour attirer après soi les pierres dont ils ont bâti et fondé les murs de leur nouvelle Babylone. Ils ont attiré les âmes par cette harmonie, ainsi que les oiseleurs arrêtent dans leurs filets les vols entiers des oiseaux, par autres de leur espèce qu'ils leur proposent pour les y appeler [19]. »

Comme le révèle le succès des psaumes, l'habileté des réformateurs a consisté à combler l'attente d'un public avide de littérature religieuse en s'adressant à lui en langue vulgaire. Ignorant le latin, et donc incapable d'avoir accès aux écrits théologiques orthodoxes, ce public a dévoré avec frénésie la production imprimée des novateurs, sans toujours prendre conscience des erreurs qu'elle contenait. Telle est du moins l'analyse de Raemond lorsqu'il évoque le succès des écrits de Calvin :

« Comme ce fut le seul et le premier qui mit la main à la plume pour écrire en français les nouveautés de la religion; aussi fut-ce le seul qui fut suivi d'un grand nombre de gens, la plupart ignorants, qui d'une aveuglée curiosité, se jetaient dans ses livres, comme plus faciles et plus intelligibles, et avec cela agréables à voir pour la beauté et douceur d'un langage qui charme volontiers l'oreille [20]. »

Les qualités stylistiques des œuvres de Calvin ont donc à elles seules forcé l'adhésion de beaucoup de Français, tout comme – s'il faut en croire Richard Simon – la rhétorique de Luther lui avait valu des adeptes en Allemagne :

« Le progrès que fit d'abord l'hérésie de Luther en Allemagne doit plutôt être attribué à son éloquence en la langue allemande qu'à la force de ses raisons. »

Le propos pourrait paraître anodin, voire gratuit, si Simon n'ajoutait aussitôt quelques lignes qui nous éclairent plus généralement sur les connotations du thème de l'hérésie séductrice. Le recours à la séduction – explique Simon – était la meilleure méthode pour assurer la diffusion des idées de la Réforme « parce que le peuple, incapable de juger de la vérité d'une doctrine, se laisse ordinairement surprendre par des discours flatteurs, qui font plus d'impression sur son esprit que la force des raisons [21] ». C'est donc en définitive dans l'image du peuple qu'ont les élites catholiques qu'il faut chercher leur explication du succès de l'hérésie.

Un peuple ignorant, obéissant à ses passions

Le texte de Richard Simon que nous venons de citer offre un résumé commode de cette vision de l'homme, et plus précisément de l'homme du peuple, qui a cours au XVIIe siècle. On estime en effet ordinairement que la plupart des humains se laissent gouverner par leurs passions (les termes « surprendre » et « impression » qu'utilise Simon en font foi) et que cette situation est étroitement liée à l'ignorance (« incapable de juger de la vérité » nous dit notre auteur).

Sur le rôle des passions dans les décisions humaines on peut rapprocher du texte de Simon un passage de François Feuardent, qui notait en 1601 dans son ouvrage intitulé *Les Entremangeries ministrales* :

« Les hommes, plus enclins au vice qu'à la vertu, au mensonge qu'à la vérité, à l'hérésie et libertinerie qu'à la foi et discipline, se laissent souvent tromper et emporter à ce qui flatte la chair et les sens humains [22]. »

En arrière-plan de cette affirmation se profile assez nettement la doctrine catholique de la concupiscence : libéré du péché originel par le baptême qui l'a effacé, l'homme ne conserve pas moins tout au long de son existence une propension au mal. Mais il est intéressant de noter que, tout comme Simon, Feuardent s'appuie sur cette certitude d'ordre théologique pour construire une anthropologie, en montrant par quels mécanismes l'homme choisit le mal; il se laisse, nous dit-il, « tromper et emporter ».

Une telle vision de l'homme est présentée de manière explicite dans les ouvrages du capucin Yves de Paris, auteur en particulier d'une *Théologie naturelle* publiée en 1641. Pour ce religieux, il est dans « la nature de l'homme d'être informé des choses supérieures par les deux facultés des sens et de l'esprit qui la composent ». Mais l'homme ne soumet guère sa volonté à son esprit car celui-ci, vif et prompt, papillonne d'objet en objet; il n'est donc pas d'un grand secours lorsqu'il s'agit de choisir entre plusieurs comportements possibles. En conséquence, ce sont la plupart du temps les sens qui mettent en mouvement la volonté. Et cela est particulièrement vrai pour le peuple, « moins raisonnable que sensible », et qui « n'est pas susceptible de hautes spéculations [23] ».

Obéissant à ses passions plus qu'à la raison, le peuple a, selon nos auteurs, plus d'un trait commun avec l'enfant. Pour Condren, par exemple, l'enfance est « un état où l'esprit est enseveli dans la faiblesse et où les sens de la nature corrompue règnent sur la raison [24] ». On le voit avec ce texte, si l'homme demeure soumis aux sens, c'est la « nature corrompue », c'est-à-dire la concupiscence, qui conduit ses choix; sauf, bien sûr, si un clergé habile sait mobiliser les sens en faveur du bien, ce que nous aurons l'occasion d'évoquer. En tout cas, pour que l'homme soit capable d'échapper à la fatalité de ses passions, il faut lui permettre l'usage de la raison, l'apprentissage du choix motivé entre le bien et le mal. Celui-ci suppose d'être convenablement éclairé sur les branches de l'alternative, leurs avantages et leurs inconvénients réciproques. En clair, il n'y a pas de comportement raisonnable possible sans un minimum de connaissances, d'instruction. L'ignorance est donc la fidèle servante de l'omnipotence des passions. Et la doctrine catholique du péché originel enseigne d'ailleurs que les conséquences de celui-ci sont doubles : concupiscence *et* ignorance.

Si donc, après ce détour par le discours sur la nature humaine, nous revenons à celui que tiennent nos auteurs sur les fidèles protestants, nous comprenons mieux les raisons attribuées au succès de l'hérésie. Le peuple s'est sans doute laissé prendre aux propos séducteurs des ministres qui proclamaient leur fidélité à l'Écriture, mais plus encore il s'est fié aux belles apparences de leur vie et à la magie de leur verbe. Il a aussi, et surtout, emboîté le pas à des réformateurs dont la doctrine flattait les sens et favorisait les passions, sans mesurer les dangers d'un tel choix.

Tout s'est passé hors du monde de la raison et de la décision mûrement réfléchie.

Mais comment le peuple aurait-il pu prendre conscience du danger que représentait l'hérésie? Son ignorance est telle qu'il est incapable de discerner la vérité religieuse et d'opter pour le bien. François Feuardent constate ainsi que la force de la passion et le défaut de lumières ont ensemble conduit des hommes à choisir ce qui, de toute évidence, aurait dû leur apparaître comme le parti du diable :

« C'est une chose bien étrange que les hommes se laissent ainsi si lourdement tromper en la seule et extérieure apparence des choses que nous voyons, et qui pis est, c'est qu'entre les Chrétiens il se soit trouvé des gens si *aveuglés en leur esprit* et si *stupides d'entendement* que de se laisser emporter aux vaines persuasions des Ministres de Satan [25]. »

Seul un solide encadrement des fidèles par le clergé aurait permis de les protéger du piège de l'hérésie, par le dévoilement du danger de ces « persuasions » et, plus globalement, par l'instruction. Mais souvent on ne put compter sur les clercs.

Ayant largement recruté dans les milieux populaires, la Réforme assura une promotion rapide aux moins instruits de ses adeptes, comme le souligne lourdement Raemond :

« Les premiers qui entendirent la vérité... furent orfèvres, maçons, charpentiers, et autres misérables gagne-deniers; voire même ceux qui n'avaient jamais manié que la charrue et bêché la terre, devinrent en un moment excellents théologiens... Les paysans les plus rudes et plus abêtis furent faits écoliers, bacheliers et docteurs tout ensemble [26]. »

Pour les hommes d'Église, on le voit, les motifs qui ont présidé à l'adhésion de membres des catégories populaires à la Réforme sont donc étrangers à la véritable conviction religieuse. Les fidèles protestants sont davantage des victimes de l'Ennemi, qui a profité de leur faiblesse, que des adversaires. Une telle conception se trouve par exemple dans l'*Épître* du *Réveil-matin à double montre,* ouvrage de controverse publié à Grenoble en 1670 par le récollet Illuminé Faverot. Constatant lui aussi que les hérétiques sont « aveuglés de passion », ce religieux souhaite que son argumentation arrive « au plus intime du cœur de ces pauvres endormis en un profond et léthargique sommeil des dogmes mortels qu'ils professent, dans la pensée que j'ai – ajoute-t-il – qu'ils sont plutôt hérétiques par le malheur de l'ignorance que par la rébellion de la volonté [27] ».

Près de trente ans plus tôt le capucin Charles de Genève estimait aussi les fidèles protestants « plutôt errants qu'hérétiques pour la plupart [28] ». Pour tous ces ecclésiastiques, l'ignorance est cause de damnation [29] et l'hérésie n'est fondamentalement qu'une variante de cette ignorance populaire coupable. Il est d'ailleurs intéressant de souligner que les récits dans lesquels les missionnaires de l'intérieur présentent leur champ d'apostolat associent étroitement ignorance, hérésie et vices. Un lien d'influences réciproques unit ces trois facteurs de damnation, chacun des trois confortant l'influence des deux autres. C'est dire que pour les missionnaires la lutte contre l'hérésie ne saurait être menée seule, surtout dans les campagnes. Il s'agit, comme le souligne Charles de Genève, de faire reculer une hydre à plusieurs têtes dans ces régions où l'on a vu « le vice et l'hérésie ornés de force et de malice, ligués ensemble fort étroitement, s'acharner à la proie et à la ruine des âmes, faire du pire, chacun pour sa part et tous deux pour le tout [30] ».

Le biographe d'un missionnaire du XVIIe siècle écrit quant à lui que le protestantisme avait réduit les populations « en un état si pitoyable pour leur salut qu'elles étaient dignes de compassion, et il y en avait très peu qui n'eussent besoin qu'on les éclairât pour les aider à sortir du danger où elles se trouvaient de leur perte [31] ».

Veut-il d'abord parler des fidèles protestants ou des catholiques ignorants ? On ne le sait. L'ambiguïté même de son propos montre à quel point les apôtres de la Contre-Réforme considéraient que les campagnes formaient un seul et unique champ d'apostolat, quelle que soit la confession de leurs habitants. Toujours il s'agit de conduire sur le chemin du salut. Toujours aussi il s'agit pour cela de développer l'encadrement clérical des fidèles, dont les défaillances ont permis l'enracinement de l'ignorance, du vice et de l'hérésie.

Le pasteur, voilà l'ennemi

Plus encore qu'un champ d'apostolat, les régions protestantes sont donc un champ de bataille où s'affrontent deux armées. Le peuple fidèle a été attaqué par les armées du protestantisme, comme le note le jésuite auteur d'une relation latine sur les origines de la Réforme dans la région du Diois :

« On envoya des gens pour répandre les croyances calvinistes; ils les répandirent et on vit bientôt cette inique semence jetée dans les âmes produire une ample moisson [32]. »

Un de ses confrères concevait le rôle des religieux, au milieu du XVIIᵉ siècle, comme une défense de « l'ignorante populace des artifices des calvinistes, qui répandaient alors leur venin [33] ». Nous reviendrons sur cette assimilation du peuple à un terrain que se disputent des armées adverses. Pour l'heure, il suffit d'indiquer que, dans une telle conception, le catholicisme considère que l'ennemi qu'il affronte est numériquement réduit et bien défini. Ce ne sont pas tous les protestants, mais seulement les propagateurs et défenseurs de la Réforme, c'est-à-dire essentiellement les pasteurs. Très nettement, il existe donc deux catégories de protestants : les fidèles trompés qu'il faut reconquérir et les pasteurs qu'il faut combattre.

Les Académies protestantes, où sont formés les pasteurs, sont considérées comme le pivot de cette entreprise de détournement religieux des peuples. L'archevêque d'Avignon écrit en 1660 à propos de celle de Die :

« Les hérétiques, qui savent combien il importe à leur secte qu'il ne vienne à manquer de personnes pour semer leur fausse doctrine dans cette ville, y ont établi comme une " base " de l'hérésie, ne se contentant pas d'un temple et du prêche, mais les multipliant, travaillant à conquérir les âmes et à retenir celles qu'ils ont conquises [34]. » Vingt ans plus tôt, des missionnaires envoyés dans cette région notaient, à propos de la même Académie qu'elle était « l'infâme pépinière de ministres, d'où sont tirés les rejetons par lesquels se développe la secte calviniste » et que les futurs ministres y apprenaient à « persuader adroitement » pour devenir « des loups qui exercent leur fureur en France en usurpant le titre de pasteurs [35] ».

Tout au long du XVIIᵉ siècle, la responsabilité du maintien de la division religieuse est imputée aux pasteurs qui trompent les « errants » qu'ils ont subornés. Dans *l'Anatomie du calvinisme*, le jésuite Jacques Gaultier proposait aux protestants de les « nourrir... d'autre pasture que de celle dont jusqu'à présent [les] ont empestés ceux qui se disent [leurs] Pasteurs [36] ». Le mensonge des ministres consiste d'abord en une présentation erronée de la Réforme. D'une certaine manière, nos auteurs leur reprochent de ne pas donner du protestantisme l'image qu'ils ont eux-mêmes et, en particulier, comme le souligne Du Bois Goibaud, de cacher les origines réelles de la révolution religieuse du XVIᵉ siècle :

« Leurs ministres se gardent bien de leur apprendre d'où ils viennent ou de les en faire souvenir; ils les jettent d'abord dans la mer des controverses; et comme on y trouve des raisons contre des raisons, ce procès d'entre eux et l'Église fait l'effet de tous les autres procès, où chacune des parties s'entête de ce qui fait pour elle, et le croit le plus convaincant du monde. Mais avant d'entrer dans celui-là, il faudrait regarder qui l'a fait; si celui qui a eu la témérité de l'entreprendre y était recevable, et s'il méritait d'être écouté [37]. »

Mais le mensonge dont les pasteurs sont le plus souvent accusés est de présenter l'Église catholique de manière déformée pour la rendre odieuse à leurs fidèles et écarter ainsi toute éventualité de conversion. Plusieurs polémistes du milieu du siècle, influencés par les tendances iréniques de Richelieu, consacrèrent des ouvrages à la présentation de la doctrine catholique pour s'opposer à la caricature qu'en donnaient les pasteurs. Dans *L'avoisinement des protestants vers l'Église Romaine*, Jean-Pierre Camus racontait qu'un catholique, converti au protestantisme pour se marier avec une réformée, découvrit ainsi la méthode ordinaire des ministres à l'égard de l'Église romaine :

« Il apercevait manifestement qu'ils se jouaient de la crédulité de leurs peuples, se donnaient beau jeu pour faire de grands coups, et forgeaient des erreurs dans l'Église romaine pour avoir sujet de la décrier et de la mettre en horreur à ceux de leur Communion [38]. »

Quelques années plus tard, François Véron ouvrait sa *Règle générale de la Foi catholique* en proclamant sa volonté de « représenter la doctrine catholique en sa naïve beauté de foi... contre la surprise des ministres qui, par fausses couleurs qu'ils sur-induisent, la rendent toute défigurée, hideuse, et telle qu'elle mériterait d'être fuie ; et, par là, plus que par tout autre moyen, [ils] maintiennent en division ceux qui les suivent, leur représentant notre foi et religion tout autre qu'elle n'est [39] ».

L'argument de la falsification du dogme catholique fut à nouveau abondamment employé à la veille de la révocation. On le trouve ainsi dans la supplique adressée au roi par l'assemblée du clergé de 1685 :

« Ils [les protestants] voient tous les jours que quand ils rapportent avec fidélité les sentiments de l'Église catholique ils ne peuvent plus ni justifier leur séparation ni excuser les excès des premiers auteurs de leur secte ; et dans l'impuissance où ils se trouvent de se maintenir par cette voie, ils ont recours à un injuste et pernicieux artifice : ils imputent à l'Église catholique un nombre infini d'erreurs grossières et insoutenables [40]. » De la même manière, l'« Avertissement » de l'*Exposition de la doctrine de l'Église* de Bossuet évoquait les « peintures affreuses » qu'en font les ministres et qui rendent les protestants « accoutumés à la forme hideuse et terrible qu'on lui donne dans leurs Prêches [41] ». A la même époque encore, le converti Brueys s'adressait à ses anciens coreligionnaires et les incitait au retour au catholicisme ; connaissant leur crainte d'abandonner par une telle conversion Jésus-Christ et l'Évangile, il les mettait en garde contre ces idées reçues dans le petit troupeau : « Je sais bien que ce sont là les remparts dont on a environné la séparation ; je sais que ce sont les précipices et les objets affreux qu'on présente à ceux qui veulent repasser de l'autre côté [42]. »

Par sa campagne de dénonciation du mensonge des ministres à son égard, l'Église finit par obtenir du roi l'édit d'août 1685 qui interdisait aux protestants de « parler directement, ni indirectement, en quelque manière que ce puisse être, de la Religion catholique ». C'est aussi parce qu'il avait été souvent répété que les pasteurs empêchaient les conversions que furent prises des décisions les contraignant à la mobilité. Tel est cet édit d'août 1684 qui leur interdit de demeurer plus de trois ans dans un même lieu. Dans le préambule le roi déclarait :

« Nous avons la satisfaction de voir tous les jours un grand nombre de conversions dans toutes les Provinces de notre Royaume; mais comme nous avons été particulièrement informés que beaucoup de personnes, touchées de ces bons exemples, ont été retenues de les suivre par la déférence aveugle qu'ils ont pour les sentiments des Ministres établis depuis longtemps dans un même lieu; lesquels... prennent un pouvoir si absolu sur les esprits que l'expérience a fait connaître qu'abusant de la confiance de ceux qui se rendent trop facilement à leurs persuasions, ils leur inspirent souvent des résolutions contraires à leurs propres intérêts et à l'obéissance qu'ils nous doivent [43]. »

Finalement, ironisait Nicole, le protestantisme n'est même pas en accord avec ses principes : alors qu'il refuse en théorie toute soumission à une autorité en matière religieuse au profit de l'examen individuel, il assujettit dans la pratique ses fidèles à l'autorité des ministres :

« Ainsi les Calvinistes, en renonçant à l'autorité de l'Église pour attribuer à l'esprit de l'homme la force de juger de tout par discernement, sont le plus grand exemple que l'on puisse concevoir de la faiblesse de l'esprit humain, et de la force de l'autorité. On leur persuade par autorité qu'ils voient ce qu'ils ne voient pas, qu'ils sentent ce qu'ils ne sentent point; et ce qui paraît presque contradictoire et inconcevable, c'est par autorité qu'ils croient qu'on ne doit rien croire par autorité [44]. »

Pipeurs et calomniateurs, les pasteurs sont pour les champions de la Contre-Réforme les dignes successeurs des hérésiarques du siècle précédent. C'est pourquoi l'affrontement avec les pasteurs revêtait une telle importance – d'ordre stratégique – pour les hommes d'Église pour qui, en définitive, une religion était d'abord un clergé, une hiérarchie encadrant étroitement des laïcs.

Le rôle de la pression sociale et la force de l'habitude

Les ministres ne sont toutefois pas les seuls responsables de la survie du protestantisme. Selon les auteurs catholiques, la

Réforme conserve son assise grâce à l'autorité dont disposent certains de ses membres et à la pression du groupe sur ceux qui seraient tentés de se convertir. Là où elle est en position dominante, c'est une véritable tyrannie qui s'exerce sur les consciences. Dans la région du Diois, « la force et la terreur » sont, selon un missionnaire, les véritables explications de l'absence quasi totale de catholiques :

« Ceux qui chercheraient à demeurer dans la religion ancestrale supportent la persécution des novateurs; beaucoup sont entraînés dans les rassemblements hérétiques par des menaces ou sous les coups de bâton [45]. »

Un tel discours souligne que dans la pensée des hommes d'Église le protestantisme reste, sur ce point aussi, fidèle à ses origines : établi dans bien des cas par la violence, ayant montré au cours du XVIe siècle qu'il n'hésite pas à y recourir, il continue à l'utiliser pour conserver les positions acquises. Les termes de « terreur » et de « menaces » montrent toutefois que cette violence n'est pas toujours ouverte; et l'on peut penser que sa forme larvée est constituée, pour nos ecclésiastiques, par le contrôle rigoureux des faits et gestes des protestants par les consistoires.

Dans les décennies qui précédèrent la révocation de l'édit de Nantes, les assemblées du clergé ne manquèrent jamais de souligner dans les suppliques qu'elles adressèrent au roi que diverses formes de pression expliquaient grandement le maintien du protestantisme. Prenons la supplique de 1670. Le clergé y demande au roi d'interdire les poursuites des créanciers protestants contre leurs débiteurs qui se convertissent au catholicisme pendant les trois années qui suivent leur conversion. La motivation de cette requête est simple :

« Ceux qui abjurent l'hérésie s'attirent le chagrin et la haine de ceux de la Religion prétendue réformée, lesquels affectent en toutes rencontres de les poursuivre et de les opprimer, pour ôter aux autres l'envie de faire la même chose; et il est certain que par cette conduite ils intimident si fort ceux qui pourraient avoir quelque envie de se convertir qu'ils ne l'oseraient faire de peur de tomber dans les mêmes persécutions [46]. »

La même année, le clergé demande encore au roi que les prêtres puissent se présenter d'eux-mêmes au chevet des grands malades protestants de peur que, s'ils souhaitent se convertir, leur entourage refuse d'appeler un ecclésiastique. L'assemblée suivante, en 1675, évoque « les violences des consistoires », réitère ses demandes relatives aux nouveaux convertis endettés et à la présence des curés auprès des malades protestants. Le clergé ajoute cette même année des requêtes relatives aux médecins et chirurgiens des hôpitaux, qu'il souhaite exclusivement catholiques, ainsi qu'aux fermiers généraux des aides et gabelles; il est en effet « certain que les personnes faisant profession de ladite religion [réformée], qui ont des fermes générales, pervertissent plusieurs catholiques par le moyen des emplois qui dépendent d'eux et qu'ils leur donnent [47] ». D'autres demandes du même ordre figurent encore dans cette supplique, et leur liste pourrait être allongée par l'analyse des requêtes au roi des assemblées suivantes.

Dans la société très hiérarchisée qu'est celle du XVIIe siècle, où les liens de dépendance et de clientélisme local sont très puissants, tout protestant qui détient une parcelle de pouvoir est ainsi soupçonné par le clergé de peser sur les consciences de ceux qui lui sont soumis; plus ou moins explicitement, il est accusé d'entraver la conversion de personnes qui, libres et éclairées par les ecclésiastiques, viendraient presque spontanément à la religion catholique. Le seigneur est suspecté de retenir dans l'hérésie les paysans de ses terres, le juge de menacer injustement les candidats à la conversion, le maître de promettre le chômage à ses domestiques qui choisiraient le catholicisme.

Enfin, les champions de la Contre-Réforme attribuent encore le faible nombre des conversions au poids de l'habitude. Nés et élevés dans l'hérésie, c'est-à-dire prévenus dès leur enfance contre l'Église romaine, les protestants ne prennent pas la peine d'examiner sérieusement les motifs de leur éloignement du catholicisme. Nicole est plein de compassion à leur égard; réservant ses foudres pour les hérésiarques, il a « d'autres sentiments pour ceux qui se sont trouvés engagés dans le schisme par leur naissance même, et qui y ont été entraînés par l'autorité de leurs pères »; pour ceux-ci, « l'éloignement de l'Église romaine est devenu comme naturel, parce qu'ils ont reçu les impressions dans un âge où ils n'étaient pas capables de distinguer la vérité de l'erreur [48] ». Du Bois Goibaud attribue aussi la persistance dans l'hérésie à « l'accoutumance » et à la « prévention » de ceux qui sont nés dans l'erreur :

« Ils ont beau dire, ils n'y sont que parce qu'ils y sont nés; et cela seul leur fait prendre pour bonnes toutes les fausses raisons par où leurs ministres tâchent de colorer le crime de leur séparation [49]. »

De plus, font aussi remarquer quelques auteurs, certaines faveurs attribuées aux protestants en 1598 contribuent à un maintien artificiel de l'hérésie en divers lieux. Tel est cet article 42 des articles particuliers qui prévoit la possibilité de legs pour l'entretien des pasteurs. Pour Soulier, « si les ministres sont capables de recevoir des legs pour leur entretien, qui ne voit que c'est un moyen assuré pour éterniser l'exercice public de cette religion en quantité de lieux où il serait tombé de lui-même, faute pour le ministre d'avoir de quoi y subsister [50]? ». Soulier invite donc le roi à rapporter ces dispositions.

Pour qui mettrait en doute que c'est à l'habitude que le protestantisme doit sa survie, Du Bois Goibaud tient en réserve un ultime argument; écrivant en 1685, alors que les dragonnades ont déjà commencé, cet auteur observe que la menace du châtiment a déjà remporté des « succès » :

« On a reconnu par là ce qu'on savait déjà, sans en avoir fait l'épreuve, que ce n'est point par une véritable conviction intérieure, et par une attache de conscience, que la plupart des Prétendus réformés tiennent à leur religion; mais par des engagements d'une autre nature, dont la crainte vient à bout le plus aisément du monde, et contre quoi on ne doit faire nulle difficulté de l'employer [51]. »

Démonstration à l'appui, Du Bois Goibaud répète ce leitmotiv des auteurs catholiques : la plupart des fidèles protestants ne le sont pas par une intime conviction, mais en raison de l'endoctrinement des ministres, de la pression sociale et de l'habitude. Développés de plus en plus nettement au cours du siècle, ces thèmes fournissent en 1685 les grands axes de l'édit de Fontainebleau : interdiction du culte protestant, éloignement des pasteurs, certitude que l'instruction des fidèles protestants dans la doctrine catholique sera rapidement couronnée de succès.

Chapitre 5

LES LIMITES DE LA TOLÉRANCE

Parmi les raisons de la persistance de l'hérésie, les catholiques rangeaient aussi la situation favorable que lui avait concédée la monarchie par l'édit de Nantes. La France était un pays où les disciples de Calvin pouvaient en toute impunité s'affirmer tels et pratiquer, selon certaines modalités, leur culte. Certes, le protestantisme n'avait pas un statut légal comparable à celui du catholicisme, religion du roi et de la majorité des Français. Il était dénommé dans les actes officiels *Religion Prétendue Réformée* (la R.P.R.), et les catholiques zélés se plaisaient à abréger ce titre en *Religion Prétendue*. Au cours du siècle, à la demande du clergé le plus souvent, divers arrêts du Conseil vinrent rappeler qu'il n'était pas question de transiger sur cette appellation officielle : en 1633, des ministres furent poursuivis pour avoir « pris la qualité de Pasteurs de l'Église réformée, et autres à eux défendues »; en 1663, le titre de ministres de « la Parole de Dieu » leur fut interdit. Dans le même sens, un arrêt de l'année suivante prohiba l'usage par les pasteurs de vêtements qui auraient pu les faire confondre avec des clercs de l'Église romaine. Plus largement, on pourrait rappeler, pour souligner combien les deux confessions n'étaient pas sur un pied d'égalité, que les protestants devaient payer les dîmes et manifester de la déférence pour les cérémonies du culte catholique.

Il demeure toutefois que ces restrictions ne pouvaient exister que parce que le roi Henri IV avait accordé un statut légal aux Églises réformées de son royaume, et que ses successeurs maintinrent dans ses grandes lignes, jusqu'en 1685, ce droit à la différence religieuse. Les responsables du catholicisme français durent accepter cette situation, malgré leur hostilité à la liberté de professer l'hérésie. Ils s'employèrent au long du siècle à limiter la portée de l'acte de tolérance de 1598, et leurs arguments ne laissèrent pas les rois indifférents, comme nous le verrons ultérieurement. Pour l'heure, c'est à leur analyse de la situation, à leur conception de la coexistence et des droits des protestants que nous voudrions nous arrêter, en particulier par l'examen des suppliques qu'ils adressèrent au roi.

L'édit de Nantes :
points de vue des années 1680

Dans les années qui encadrent la révocation de l'édit de Nantes, plusieurs auteurs catholiques présentèrent à l'opinion une analyse de l'édit qui tendait à relativiser l'importance de ce texte en en faisant seulement le fruit d'une conjoncture. Pour bien comprendre la conception de l'édit de Nantes chez les porte-parole du catholicisme du XVIIᵉ siècle, il n'est pas inutile de commencer par un examen rapide de ces ouvrages, tant ils rassemblent et schématisent les griefs présentés plus ou moins explicitement au cours des décennies antérieures contre l'acte de pacification de 1598.

Lors de la publication de son *Histoire du calvinisme* en 1682, Louis Maimbourg est depuis longtemps un auteur à succès. Appuyé par le roi et le clergé, il a depuis dix ans abandonné la rédaction d'ouvrages de controverse proprement dite pour donner, en une série de livres, une vaste fresque des vicissitudes de l'histoire du christianisme. Il a ainsi successivement publié des ouvrages sur l'arianisme, les iconoclastes, les croisades, le schisme oriental, le Grand Schisme et le luthéranisme. Avec l'*Histoire du calvinisme* il aborde un passé aux incidences encore présentes et n'hésite pas à s'engager dans l'histoire immédiate. Le pensionné de Louis XIV justifie sans détours la politique royale à l'égard du protestantisme. Il y voit un « sage mélange de justice et de clémence, de fermeté et de douceur », alors que les prédécesseurs de Louis XIV ont agi soit avec trop d'« indulgence » et de

« douceur », soit avec trop de « sévérité ». Le monarque régnant a au contraire choisi de « ramener doucement à l'Église catholique » les protestants dont les « Ancêtres se sont malheureusement séparés »; envoi de missionnaires, secours financiers aux pauvres convertis et ordonnances royales sont les différents volets de cette politique.

Maimbourg, qui conclut son ouvrage en souhaitant que les Français soient enfin unis non seulement par la loi, mais aussi « par le lien d'une même foi et de la seule véritable religion », pense que le roi pourrait facilement révoquer l'édit de Nantes. Sa seule gloire l'exigerait même puisque de bien médiocres princes protestants n'accordent aucune tolérance au catholicisme. Surtout, la nature même des textes favorables aux protestants l'autorise parfaitement. Pour Maimbourg, en effet, le statut du protestantisme a davantage été imposé au roi que consenti par lui :

« On sait assez que ces édits n'ont été obtenus, les uns durant la minorité du roi Charles IX, les autres que par des rebelles qui les demandaient les armes à la main, soutenus des forces de l'étranger qu'ils avaient introduit en France; quelques-uns que par provision... et tous enfin par l'urgente nécessité des temps, et pour certaines raisons qui ne subsistent plus maintenant. »

Très clairement, notre auteur invite donc à relativiser la loi, à voir d'abord dans les textes royaux le reflet de l'époque qui les a produits, et à refuser de les sacraliser. Maimbourg considère que Louis XIV peut bien défaire ce qu'a fait Henri IV. Plus même, il voit dans l'évolution du contexte général une incitation à la révocation, d'autant que l'action du roi a réduit le protestantisme dans un « état de faiblesse et de langueur... tendant manifestement à sa fin [1] ».

Les mêmes thèmes se retrouvent dans les ouvrages d'un abbé de Cour, Soulier, qui se flatte d'avoir œuvré pendant dix-huit ans au Conseil en faveur de la démolition des temples. Ce prêtre, familier du chancelier Le Tellier, publia en 1683 une nouvelle édition de l'*Explication de l'édit de Nantes* de Bernard, parue pour la première fois en 1666. Dans cette mise à jour du *vademecum* du parfait champion de la lutte juridique contre le protestantisme, Soulier corrigeait les commentaires de Bernard en montrant tout le parti qui pouvait être tiré des derniers édits et arrêts relatifs au protestantisme. En 1686, il fit paraître une *Histoire du calvinisme, contenant sa naissance, son progrès, sa décadence et sa fin en France,* développement et défense d'un autre ouvrage qu'il avait publié en 1682 et que les protestants avaient vigoureusement attaqué, l'*Histoire des édits de pacification.* Ce que Maimbourg insinuait finement et élégamment à propos de l'édit de Nantes est martelé par Soulier au long de ses ouvrages, en particulier dans l'*Histoire du calvinisme.* L'épître au roi donne le ton : selon Sully, Henri IV aurait souhaité « anéantir la faction huguenote », mais il ne le put parce que son époque fut un « temps de trouble et de confusion »; dès lors, « il fallait que le ciel donnât un Prince qui, dans un règne de sagesse, de gloire et de paix, pût accomplir cette merveille », et Louis XIV est ce « don du Ciel »[2].

Après cette entrée en matière, Soulier présente en quelques pages l'idée directrice de son livre :

« J'ai tâché d'exposer aux yeux du public les moyens presque incroyables que les religionnaires ont employés pour obtenir ces édits, et la malheureuse nécessité où nos rois se trouvèrent de les accorder, pour ne point risquer la perte de leur État. On y verra que ces édits ont été extorqués, et qu'Henri le Grand n'accorda celui de Nantes que dans l'extrême nécessité, et parce qu'il ne put autrement contenir les Calvinistes dans leur devoir[3] ».

Cette démonstration présente, aux yeux de notre auteur, un double intérêt. Tout d'abord, elle montre qu'« il n'y a jamais eu de sujets moins soumis ni plus ennemis de tout ordre et de toute domination » que les protestants; partant, elle souligne le bien-fondé de la révocation. Il y allait en effet de l'intérêt de l'État, et aucun argument valable ne pouvait s'y opposer.

Tout l'ouvrage de Soulier insiste sur le caractère précaire de l'édit de Nantes, aussi révocable que les autres édits de pacification qui l'avaient précédé. Les protestants n'avaient-ils pas accepté eux-mêmes que cet édit révoque les précédents, dont celui de Poitiers de 1577 qui leur avait paru en son temps très favorable? Soulier invite ses adversaires à plus de conséquence :

« Vit-on jamais une prétention plus injuste? Ces édits peuvent être révoqués, quand il est question de les favoriser; et quand il s'agit de restreindre ou de casser des privilèges qu'ils ont extorqués de nos rois, ils sont irrévocables. »

D'ailleurs, notre ecclésiastique ne voit dans toute loi qu'un acte fait « pour l'utilité publique »; aussi le roi a-t-il tout pouvoir d'en modifier les dispositions lorsque « le bien public » l'exige. Les protestants contestent-ils une telle conception? qu'ils relisent donc les écrits de leur coreligionnaire Grotius, ce maître de la science politique, répond Soulier [4].

Pour le reste, l'histoire du protestantisme français depuis l'édit de Nantes est pour Soulier d'une extraordinaire simplicité. Les rois s'employèrent tous à la réduction de l'hérésie; mais les guerres étrangères ne leur laissèrent pas le loisir nécessaire à l'achèvement de cette œuvre, rendue pourtant indispensable par l'insoumission permanente des huguenots. Voici par exemple comment peut être résumé, pour notre auteur, le règne de Louis XIII :

« Les diverses rébellions des Calvinistes obligèrent Louis XIII de les entreprendre, et de dépouiller ce parti de toutes ses places de sûreté qui l'avaient rendu jusqu'alors si redoutable dans ce royaume. Mais la guerre qu'il déclara aux Espagnols et la mort qui termina sa vie en la quarante-deuxième année de son âge ne lui permirent point d'achever ce qu'il avait si heureusement commencé [5]. »

Louis XIV, en révoquant l'édit de Nantes, ne fit donc que poursuivre l'œuvre de ses devanciers. Surtout, il applique aux huguenots des mesures en rapport avec le comportement qui a été le leur. En effet, même s'il fallait être en désaccord avec Grotius sur la valeur des lois, même s'il fallait admettre – comme le veulent les protestants – que l'édit de Nantes leur avait été accordé « pour reconnaître les services que leurs pères ont rendus à l'État », la révocation serait tout de même justifiée : la mauvaise conduite des protestants sous Louis XIII et sous Louis XIV les a « rendus indignes de jouir des grâces qui leur avaient été accordées par cet édit [6] ».

Pour Soulier, la nature profonde de la Réforme – déjà évoquée il y a quelques pages – la conduisait à un conflit avec l'État : la cohabitation était impossible. Tous les rois avaient vu que la survie de l'État exigeait la lutte contre le protestantisme, qui ne pouvait se satisfaire des conditions qui lui étaient faites par l'édit de Nantes, « extorqué » plus que véritablement concédé.

Le clergé de France
et l'unité religieuse au début du XVIIᵉ siècle

Ce que certains auteurs clament ouvertement à l'époque de la révocation de l'édit de Nantes, les assemblées du clergé le laissèrent entendre à demi-mots tout au long du siècle [7].

Le clergé était au XVIIᵉ siècle le seul des trois ordres à tenir régulièrement des réunions de représentants des diverses provinces. Ces assemblées du clergé étaient composées pour moitié d'évêques et pour moitié d'autres membres du clergé séculier; se réunissant ordinairement à Paris, elles furent convoquées tous les cinq ans pendant la plus grande partie du siècle. Leur rôle était essentiellement financier; il s'agissait de voter les sommes allouées par le premier ordre du royaume à la monarchie, de superviser leur répartition entre les diocèses, de décider éventuellement des emprunts nécessaires au versement de cette contribution et de contrôler la gestion des receveurs nommés pour s'occuper de ce budget. Au siècle du développement de l'absolutisme, cette fonction financière des assemblées fut la raison de leur survie. La royauté, en effet, ne voyait pas d'un œil particulièrement favorable la tenue de réunions régulières par quelque groupe que ce soit. Ne pouvant se passer de ces assemblées, qui décidaient de la contribution « volontaire » du clergé – théoriquement dispensé de l'impôt – le roi s'efforça de les contrôler, en nommant par exemple lui-même le président ou en fixant les dates de réunion. Il n'empêche que le pouvoir qu'avaient les assemblées, même s'il s'agit de plus en plus de consentir aux demandes royales, permettait aux représentants du clergé de faire entendre au monarque les remontrances de l'ordre. Ordinairement, des délégués étaient envoyés auprès du roi dans le cours de l'assemblée pour lui adresser une harangue; en fin de session, un cahier énumérant les mesures souhaitées était transmis au souverain. En dehors des questions financières, les assemblées abordaient donc régulièrement celles ayant trait aux droits et libertés de l'Église – entendons : du clergé – ou à la situation religieuse du pays.

En fait, lorsque les assemblées constituent en leur sein une commission « sur les affaires de la religion » pour préparer un cahier destiné au roi, c'est la question protestante qui est au centre des débats de ce groupe. Les plaintes des prélats des divers diocèses sont recueillies, les infractions des protestants énumérées et analysées, des propositions d'arrêts élaborées. L'ensemble de ces débats sur la question protestante, les textes auxquels ils aboutirent et les harangues de portée générale constituent une source de choix sur la conception que l'Église de France avait de l'édit de Nantes et de la situation qu'il avait créée.

La harangue prononcée par l'évêque de Mâcon au cours de l'assemblée de 1617 donne une bonne idée du ton adopté par le clergé dans les premières décennies du siècle. Abordant la question des infractions protestantes à l'édit de Nantes, ce prélat déclarait :

« Nous ne nous plaignons de ce qu'en ce champ de la France, trop fertile en monstres et épines, l'ivraie de l'hérésie se voie pêle-mêle avec le froment de la sainte doctrine, puisque nous sommes avertis d'attendre la moisson ; mais qu'en quelques endroits de votre Royaume on permette que les ronces arrachent et étouffent la bonne et salutaire semence du père de famille [8]. »

Le clergé ne demande donc pas au souverain d'entreprendre une lutte sans merci contre l'hérésie. Dès 1596, l'évêque du Mans avait d'ailleurs déjà assuré Henri IV que les prélats n'entendaient pas « exciter ou entretenir... les guerres et les dissensions civiles [9] ». Les souhaits du clergé se limitent donc, dans les premières décennies du siècle, à ce que le roi intervienne chaque fois que les protestants enfreignent les bornes posées par l'édit de Nantes et empiètent sur les droits et prérogatives de l'Église.

Pour le reste – la conversion des errants – le clergé pense que la violence ne serait d'aucun secours. Richelieu, alors évêque de Luçon, demandait dans son discours de clôture des États Généraux de 1614 la punition des hérétiques rebelles ; mais, ajoutait-il, « pour les autres, qui, aveuglés de l'erreur vivent paisiblement sous votre autorité, nous ne pensons à eux que pour désirer leur conversion et l'avancer par nos exemples, nos instructions et nos prières, qui sont les seules armes avec lesquelles nous les voulons combattre [10] ». L'évêque de Rennes reprit ces thèmes dans sa harangue de 1621 :

« Moins encore prétendons-nous déraciner leurs erreurs par la force et la violence, reconnaissant la liberté gravée naturellement dans l'esprit de l'homme; que ce qui s'y introduit par force n'est guère de durée, moins encore de mérite pour la foi, qui doit être libre et s'insinuer doucement, par inspiration divine, par patience, par remontrances, et toutes sortes de bons exemples [11]. » Seuls l'exemple, la piété et l'instruction doivent donc permettre d'ébranler les hérétiques que Dieu éclairera de sa grâce quand il en décidera ainsi.

Pendant une partie du siècle, le clergé maintient ainsi une importante distance entre son discours théorique sur la religion et ses demandes concrètes au roi. D'un côté, il demeure persuadé qu'il n'y a qu'une seule véritable religion – catholique, apostolique et romaine – et que tous ceux qui s'en écartent sont promis à la damnation; la tolérance accordée par l'édit de Nantes ne saurait donc être approuvée. De l'autre, il formule des requêtes au roi qui sont des reconnaissances implicites de cet édit, puisqu'elles visent à son application.

Le clergé et l'édit

Il arrive ainsi qu'au cours d'une même assemblée, des textes apparemment contradictoires soient présentés au roi par le clergé. En 1621, par exemple, alors que la harangue rappelait l'hostilité des prélats au recours à la force pour résoudre la question religieuse, le cahier de remontrances est empreint de moins de tolérance. On y déclare en effet au roi que la situation créée par l'édit n'est acceptée que dans la mesure où « le cours des affaires de Votre Majesté ne peut quant à présent permettre que dans son État il n'y ait que la religion catholique, apostolique et romaine, et qu'il faille tolérer la prétendue [12] ».

On le voit, l'édit de Nantes ne représente pour le clergé qu'un pis-aller, destiné à mettre un terme aux guerres civiles et à l'ébranlement de l'autorité de l'État. Mais les prélats comptent fermement sur le roi pour assurer le retour à l'unité religieuse sitôt que cela pourra se faire sans engendrer la violence.

Au début du règne de Louis XIV, alors que depuis 1629 le protestantisme ne représente plus une force politique, le discours des représentants de l'Église n'est pas sensiblement différent. L'édit de Nantes apparaît toujours comme le fruit de circonstances malheureuses pour l'État : « La nécessité est une maîtresse impérieuse, qui violente les plus grands rois et qui les oblige à des condescendances involontaires », déclare-t-on à son propos lors de l'assemblée de 1645 [13]. Sans en demander plus qu'auparavant une abrogation immédiate, le clergé met alors en garde contre les tentatives des huguenots pour retrouver leur puissance passée, en mettant à profit la minorité du roi. En 1654 encore, l'édit de Nantes est analysé en termes voisins :

« Il est encore vrai, Sire, que les rois vos prédécesseurs ont été forcés, par une malheureuse nécessité qui excuse leurs lois et leurs édits, à donner quelque intervalle à la justice, et à ne pas exécuter contre les errants les peines que méritent leurs erreurs [14]. »

Mais le discours s'infléchit toutefois dès ce milieu du siècle. En 1651 déjà, l'évêque de Comminges voyait surtout comme motif du maintien de l'hérésie la force de la tradition; il évoquait alors « l'hérésie que la malignité du siècle passé a obligé nos rois de tolérer, et que Votre Majesté est maintenant contrainte de souffrir pour obéir à la tyrannie de la coutume [15] ». Et quelques années avant la révocation, en 1680, l'évêque d'Auxerre exprime sa certitude de voir bientôt supprimer cet anachronisme qu'est l'édit de Nantes :

« Sire, vous nous ferez bientôt voir... ces temps bienheureux où il n'y aura plus qu'un pasteur et qu'un bercail, où la moisson de Jésus-Christ s'étendra dans tous les endroits de ce vaste royaume [16]. »

Jamais, cependant, le clergé ne réclama explicitement la révocation de l'édit de Nantes. Simplement, il insinua de plus en plus clairement que, fruit de son temps, cet édit ne pouvait s'opposer indéfiniment à la nécessaire unité religieuse du royaume. Surtout, après avoir veillé scrupuleusement à ce que les huguenots, toujours turbulents et entreprenants, n'en enfreignent les dispositions, il suggéra de plus en plus précisément au roi – alors très disposé à entendre ce discours – qu'il fallait tirer parti de l'esprit de l'édit – une grâce royale – comme de sa lettre pour restreindre les droits de « ceux de la R.P.R. ».

Le roi, défenseur de la religion

Les instances du clergé se fondent évidemment sur le fait que le statut des protestants procédait du souverain. S'il existait bien des tribunaux compétents pour juger des infractions, les problèmes généraux de l'application de l'édit relevaient du monarque et de son Conseil. Mais il y a davantage. Par le serment du sacre, le roi de la France d'Ancien Régime s'engageait à protéger l'Église, à en défendre les privilèges et les lois et à poursuivre les hérétiques. Il était donc revêtu d'une mission religieuse, que le clergé se plaisait à lui rappeler, comme par la harangue de l'évêque de Rennes de 1621 :

« Les Rois sont envoyés du ciel pour venger les offenses qui sont faites en terre à la divine majesté, punir ceux qui renversent ses lois et maintenir l'Église en sa splendeur par la justice, la force et les armes, que Dieu, dont ils sont la vive image, a mis pour cet effet entre les mains [17]. » Ce devoir à l'égard de la religion entraînait pour le roi l'exigence de fonder sa politique sur des principes plus élevés que l'intérêt immédiat, le véritable intérêt de l'État étant indissociable de celui de la religion, comme l'affirmait la harangue – décidément très riche – de 1621 :

« Quand l'on mesure l'honneur de Dieu à son repos ou intérêt particulier, tout ce qui se bâtit là-dessus est aussi variable que son fondement, qui est le monde, et tout édit qui divise la Foi divise aussi les Royaumes [18]. » Par l'alliance étroite qu'ils établissaient entre le trône et l'autel – et qui portait en elle-même condamnation de l'édit de Nantes – les représentants de l'Église montraient à quel point ils se séparaient de l'idéologie qui avait été celle des « politiques » de la fin du XVIe siècle. Ces derniers avaient prôné une paix civile fondée sur la tolérance et assigné à l'État une finalité purement temporelle; leurs idées, reprises au temps du ministère de Richelieu, n'avaient pas été sans influence sur les principes affirmés en 1598 [19]. Le clergé, au contraire, ne concevait pas que l'État ne soit pas au service de la vraie religion. L'évêque de Montauban le rappela encore au roi en 1654, en tirant les conséquences pratiques du commandement de saint Paul de fuir les « profanes nouveautés » :

« De ce commandement, Sire, suit par une absolue nécessité, l'obligation des rois chrétiens, et des évêques catholiques, d'employer toute l'autorité qu'ils ont reçue de Dieu pour s'opposer à l'erreur lorsqu'elle se forme, et pour la détruire lorsqu'elle est formée; et ce serait manquer aux plus essentiels devoirs de la royauté et de l'épiscopat, que de ménager ses forces en cette occasion, puisque Dieu à qui on doit tout, les demande toutes [20]. »

Le prélat tempérait immédiatement son propos en évoquant « certaines erreurs que leur condamnation n'empêche point d'être tolérées et que les rois sont contraints de souffrir ». Mais le plus important n'est pas là. Il réside dans l'acceptation, à cette date, de la théorie du droit divin des souverains, à l'égard de laquelle le clergé avait encore exprimé des réticences lors des États Généraux de 1614; elle apparaissait désormais comme un fondement de la responsabilité religieuse du monarque, « vicaire de Dieu pour les choses temporelles ». L'évêque de Montpellier n'hésitait pas, en 1656, à insister devant le jeune Louis XIV sur les comptes qu'il aurait à rendre devant la justice divine :

« Les princes aussi seront comptables devant cet épouvantable tribunal où de souverains ils deviendront sujets, si par leur négligence l'hérésie a corrompu la pureté de la doctrine, si le schisme a troublé l'ordre de la discipline, si l'avarice ou la violence des hommes a usurpé ou dissipé les biens ecclésiastiques [21]. »

Le clergé du XVIIe siècle se montra donc tout disposé à accepter le développement de l'absolutisme, pour autant que le pouvoir royal était mis au service de la cause de l'Église. L'essentiel était pour lui dans la destination de la puissance du souverain; selon le même évêque de Montpellier, cette puissance « animée de l'esprit presque sacerdotal que l'onction sacrée leur donne, sert à la grandeur du royaume de Jésus-Christ, en repoussant par la force les violences que la discipline ecclésiastique ne peut pas réprimer [22] ». En 1670, le porte-parole du clergé évoquait à son tour cette mission royale :

« La politique chrétienne nous apprend que toute puissance qui vient de Dieu doit être employée, par préférence à toute autre chose, pour les intérêts de Dieu [23]. »

Contenir les huguenots

Au cours des premières décennies du siècle, le clergé ne sollicita cette intervention royale que pour limiter les entreprises des huguenots en contradiction avec l'édit. La question qui fut au centre des préoccupations des assemblées fut d'abord celle du Béarn. Dans cette région, à la mort d'Henri IV, le protestantisme continuait à demeurer dans les faits la religion privilégiée : les églises et les biens ecclésiastiques n'avaient pas été restitués aux catholiques; les évêques n'avaient pas retrouvé leurs anciennes prérogatives, dont la présidence des États et du Conseil du Béarn; dans de nombreuses localités, le culte catholique n'avait toujours pas été rétabli.

Les assemblées du clergé de 1615, 1617 et 1619 multiplièrent les supliques au roi, n'hésitant pas au besoin à comparer la situation des catholiques du Béarn à celle des chrétiens soumis à la domination des Turcs. En 1619, l'évêque de Sées, porte-parole de l'assemblée, mit en garde le roi contre les risques liés à l'insoumission de cette province où l'enregistrement d'un édit royal de 1617 prescrivant le rétablissement du culte catholique en tous lieux avait été refusé :

« Des manquements qui arrivent aux affaires de la religion, s'ensuit ordinairement la désolation des royaumes, et il est du zèle et de la prudence de Votre Majesté de prendre garde que de cette extrémité et moindre partie de vos états, comme de la boîte d'or que rompit ce soldat romain dans le temple d'Apollon en Babylone, ne sortent des esprits et des exhalaisons contagieuses d'irréligion et de rébellion, qui s'épandent et étendent puis après sur toutes les autres parties de votre royaume et infectent les cœurs des plus religieux et obéissants de vos sujets [24]. »

L'expédition royale de 1620 accorda satisfaction au clergé sur

cette question du Béarn. Elle provoqua aussi le dernier soulèvement militaire du parti protestant qui se solda par la perte,
en 1629, des privilèges politico-militaires accordés par Henri IV.
Par la paix d'Alès et l'édit de Nîmes, qui mirent un terme à ce
conflit marqué en particulier par le long siège de La Rochelle,
le protestantisme perdait son caractère « d'État dans l'État ».
Seules, ou presque, subsistaient les clauses religieuses de l'édit
de 1598, c'est-à-dire une liberté de conscience totale et une
liberté de culte limitée. L'action des assemblées du clergé, qui
d'ailleurs avait largement contribué financièrement à la victoire
des armées royales et à cet affermissement de l'autorité monarchique (sans profit immédiat pour le catholicisme), consista dès
lors à presser le roi de contenir le protestantisme dans cet état
de religion tolérée. En particulier, le clergé demanda au souverain
de défendre l'Église contre toutes les atteintes que des huguenots
pourraient lui porter. Il sollicita ainsi que les juges protestants
soient écartés de tous les procès relatifs à des ecclésiastiques ou
à des biens d'Église. Il souhaita aussi, au début du règne de
Louis XIV, que les infractions à l'édit de Nantes soient du ressort
des Parlements, et non des chambres mi-parties dont la fonction
devait, selon lui, se limiter à juger des litiges entre protestants
et catholiques.

Ce dernier point avait une importance capitale pour le clergé
qui savait pouvoir compter sur le zèle des Parlements, peuplés
de dévots, pour le soutien à la cause catholique. Convaincu – et
pas toujours sans raisons – qu'après la mort de Louis XIII les
protestants avaient multiplié les contraventions à l'édit, en ouvrant
de nouveaux temples ou de nouvelles écoles, le clergé était certain
que l'intervention des Parlements se solderait par des décisions
qui lui agréeraient; devant les chambres mi-parties, composées
par définition pour moitié de conseillers protestants, il y avait au
minimum le risque de voir de telles affaires traîner en longueur.
Au temps de Louis XIII, la pratique s'était instaurée de donner
connaissance aux Parlements des infractions à l'édit; mais un
arrêt du Conseil de janvier 1645 les confia aux chambres mi-
parties. Le clergé, dans son assemblée de la même année, protesta
vigoureusement, voyant dans cet arrêt du Conseil le résultat des
tentatives des huguenots pour retrouver leurs anciens privilèges.

L'attribution de telles affaires aux Parlements avait pour le clergé, outre ses incidences pratiques, une valeur symbolique : l'édit de Nantes se trouvait ainsi banalisé, ramené au rang d'une loi ordinaire; la R.P.R. était privée d'un statut privilégié.

Le clergé invita aussi le roi à user de fermeté en toutes circonstances et à n'accorder aux huguenots que ce qui leur était explicitement dû. On pouvait ainsi limiter leur accès aux charges municipales ou aux carrières judiciaires. Satisfaites de la politique de Louis XIII en ce domaine, les assemblées du clergé invitèrent son successeur à agir de même. C'était, à leur avis, une méthode susceptible de provoquer des conversions, comme le soulignait l'auteur de la harangue de janvier 1651 :

« Sire, ces rigueurs favorables, ces retranchements apparents des grâces de Votre Majesté, ces traitements mêlés de sévérité et de tendresse manquent aujourd'hui à l'Église dans votre royaume pour exciter les hérétiques à chercher les lumières de l'instruction dans leurs ténèbres, ou à rompre les liens de convoitises charnelles, qui les rendent esclaves de leur parti [25]. »

Parfaitement explicite, ce propos résume bien l'attitude des représentants de l'Église au cours de la première moitié du siècle, et surtout depuis la paix d'Alès : en tenant la bride courte aux huguenots, le roi se mettait à l'abri de leur tendance permanente à contester l'autorité et les invitait en même temps à réfléchir sur la valeur d'un choix religieux si dépourvu d'avantages pratiques. Politique machiavélique du clergé de France? Peut-être un peu; surtout, les prélats partageaient avec les polémistes que nous avons évoqués la certitude que l'adhésion à la Réforme procédait d'intérêts humains; il fallait donc, par des actes, détromper ses adeptes sur ce point, autant que faire se pouvait.

La funeste liberté de conscience

A partir du milieu du siècle, le clergé multiplia les suppliques au roi sur les « affaires de la religion ». Il s'employa en particulier à obtenir que sur toutes les questions pour lesquelles l'édit de Nantes laissait subsister une marge d'interprétation, le souverain tranche dans un sens défavorable aux protestants. Surtout, tout en prenant appui sur les dispositions mêmes du texte de 1598, il s'efforça d'en diminuer la portée et d'ouvrir des brèches dans le rempart qu'il constituait.

Ainsi, dans la supplique de 1665, il fut demandé d'incorporer les chambres mi-parties aux Parlements auxquels elles étaient jusque-là juxtaposées. Cette requête ne pouvait qu'attirer au clergé les sympathies des parlementaires qui voyaient dans ces chambres une juridiction portant atteinte au prestige et à l'autorité de l'institution à laquelle ils appartenaient; surtout, elle visait à priver les huguenots – selon l'heureuse formule du Père Blet – d'une « forteresse juridique », la dernière forteresse qui leur restât : la disparition de ces chambres aurait en effet achevé le processus de privation des protestants d'un statut particulier. Pour justifier cette demande, le clergé se fondait sur l'évolution de la situation depuis 1598 : ces tribunaux avaient été installés à titre provisoire, dans un contexte de forte tension entre les membres des deux confessions; leur maintien, alors que les causes qui relevaient d'eux avaient disparu, était source de dissensions et d'injustices. On le voit, c'est en relativisant la portée de l'édit que le clergé entreprenait de donner l'assaut aux « privilèges » du protestantisme.

Mais l'affaire qui tint alors le plus à cœur aux représentants de l'Église fut d'obtenir l'interdiction des conversions du catholicisme au protestantisme. Leur argumentation consista à soutenir que la liberté de conscience, principe pernicieux, n'avait jamais véritablement été établie en France. Le premier assaut fut donné par la harangue de l'évêque de Comminges en 1651 :

« Nous ne demandons pas, Sire, à Votre Majesté qu'elle bannisse à présent de son royaume cette malheureuse liberté de conscience qui détruit la véritable liberté des enfants de Dieu, parce que nous ne jugeons pas que l'exécution en soit facile; mais nous souhaiterions au moins que ce mal ne fît point de progrès et que, si votre autorité ne le peut étouffer tout d'un coup, elle le rendît languissant, et le fît peu à peu par le retranchement et la diminution de ses forces [26]. » De tels propos étaient en parfait accord avec l'opinion des théologiens qui voyaient dans la liberté de conscience un fléau redoutable pour la véritable foi. Saint Robert Bellarmin avait par exemple écrit :

« Cette liberté de croire est mortelle pour l'Église; elle en détruit l'unité faite de l'unité de la foi. Les princes ne doivent donc en aucune façon, s'ils veulent être fidèles à leur devoir, concéder cette liberté [27]. »

Les requêtes du clergé se firent plus précises dans la décennie 1660. Elles visèrent d'abord à obtenir du roi des sanctions contre les clercs qui se convertiraient au protestantisme et contre les relaps. En 1660, le clergé exigeait contre eux une peine de bannissement. La déclaration royale de 1663, qui apporta satisfaction à l'Église sur ce point, excluait donc du droit à la liberté de conscience certaines catégories de Français. L'assemblée de 1665 revint sur la question déjà évoquée du bannissement, insuffisamment sévère. Surtout, elle pria le roi de faire une « défense solennelle » à tous ses sujets catholiques de « se pervertir ».

Il nous semble assez évident que le clergé, par de telles requêtes, demandait en fait la non-application des clauses de l'édit de Nantes. Celui-ci n'avait-il pas instauré une entière liberté de conscience par son article 6 :

« Et pour ne laisser aucune occasion de troubles et de différends entre nos sujets, avons permis et permettons à ceux de ladite religion prétendue réformée, vivre et demeurer par toutes les villes et lieux de cettuy notre royaume et pays de notre obéissance, sans être enquis, vexés, molestés, ni astreints à faire chose pour le fait de la religion contre leur conscience, ni pour raison d'icelle être recherchés ès maisons et lieux où ils voudront habiter. » Mais, pour le clergé, ces dispositions ne signifient pas que la tolérance ait été érigée en principe; elle n'est que le fruit des circonstances malheureuses qui ont contraint le roi à souffrir la présence d'hérétiques en France, ce que rappelle la harangue de 1665 :

« Où donc est le fondement de cette liberté de conscience, qu'on veut rendre commune à tous vos sujets indifféremment, sans distinction de religion? Quel est ce privilège, qui n'ayant rien que de chimérique dans son origine, ne s'est établi que par le malheur des temps et par le désordre des guerres, qui autorise également le mensonge et la vérité? Il est constant par les Déclarations les plus favorables à ceux de la R.P.R. que cette liberté de conscience marquée dans les édits n'est guère que pour eux [28]. »

Comme le montre cette déclaration, le clergé entend, à partir de son analyse des conditions de promulgation de l'édit, jouer sur deux tableaux. Sans fondement théorique solide dans le royaume chrétien qu'est la France, les dispositions de 1598 ne sont donc que des privilèges, des grâces que le souverain a bien voulu accorder à ses sujets protestants pour le bien de l'État, alors déchiré et menacé. Or qui dit octroi de grâces royales, dit aussi possibilité de les faire cesser. Le clergé redit ainsi une nouvelle fois que s'il fait référence à l'édit de Nantes, ce n'est pas en lui accordant une valeur absolue; d'une certaine manière, il invite le souverain à partager l'analyse qu'il en fait et ouvre ainsi des perspectives à plus ou moins long terme. D'autre part, et pour l'immédiat, la harangue souligne que la liberté de conscience ne s'applique qu'aux huguenots, et non à tous les Français.

Le cahier remis au roi au cours de l'assemblée suivante aide à mieux comprendre cette dernière proposition. En effet, il formule comme première demande, « qu'il ne soit pas permis aux catholiques d'abjurer leur Religion, pour professer la prétendue réformée, cette liberté ne leur ayant jamais été accordée par les édits »; et la « preuve » en est aussitôt fournie :

« Jamais les catholiques n'ont demandé la liberté de professer une autre Religion que celle dans laquelle ils sont nés; au contraire, ils détestent comme une chose abominable cette licence, qui leur ouvre la porte au libertinage et à l'athéisme; ils s'y renoncent absolument...

« On ne peut donc pas rendre commune cette liberté de conscience indifféremment à tous les sujets du roi sans distinction de Religion, et on ne doit pas présumer que jamais les rois l'aient accordée aux catholiques, puisqu'il est constant qu'ils ne l'ont jamais demandée [29]. »

Voudrait-on, avec les huguenots, voir dans l'article qui parle de « ceux qui sont ou qui *seront* » de leur confession un droit à recevoir de nouveaux coreligionnaires? Pour le clergé, ce « seront » ne peut concerner que les descendants des protestants de 1598; l'édit est une mesure de protection des familles huguenotes et non une reconnaissance du droit au prosélytisme de la part de la R.P.R., « auquel cas ce ne serait plus une Religion tolérée, mais affermie par le consentement des rois, au préjudice de l'obligation qu'ils ont d'employer toute leur autorité pour en empêcher le progrès [30] ». Reste évidemment que jusqu'à la date de ces suppliques, les conversions au protestantisme ont été possibles en France. Nos ecclésiastiques en appellent alors à l'histoire pour expliquer que l'édit de Nantes n'a pas pu être appliqué à la lettre; les voilà donc brusquement convaincus de l'intérêt de respecter les clauses de l'édit, pourvu qu'on en partage leur lecture :

« Il est vrai que, depuis les premières guerres de la religion jusqu'en 1629, les animosités étaient si grandes, les esprits si aigres, et la guerre si acharnée, qu'on n'était pas en état de demander la justice qu'on demande aujourd'hui. Depuis 1629 jusqu'à maintenant, les guerres étrangères ou domestiques n'ont pas permis aussi de travailler à cette grande affaire, non plus qu'à une infinité d'autres, dont on a pourtant connu et rendu jugement, depuis que le calme profond de l'État et l'affermissement de l'autorité royale ont mis au-dessus de toute crainte [31]. »

Pour achever de convaincre le roi, si cela est encore nécessaire, le clergé ajoute évidemment que l'autorité du prince est menacée dans un État où l'on peut être infidèle à la religion. Au total, la liberté de conscience est « un privilège odieux et une liberté funeste que les catholiques ne veulent pas, et qu'ils prennent pour un outrage [32] ».

En revanche, la même assemblée estime qu'il doit être possible à de jeunes enfants protestants de se convertir au catholicisme contre le gré de leurs parents. Et celle de 1675 revient sur cette question, dans son article 43. Il faut, estiment les représentants du clergé, que les garçons puissent se convertir avant 14 ans et les filles avant 12, âges considérés comme minima par un arrêt du Conseil d'avril 1665. En effet, explique-t-on, « nul édit ne peut ôter aux enfants la liberté que Dieu veut qu'ils aient, ni les empêcher de faire ce que Dieu leur commande, sur peine de damnation éternelle; or un enfant de quelque sexe qu'il soit, dès qu'il est arrivé à l'âge de raison, et qu'il est capable de péché mortel, est obligé, sur peine de damnation éternelle, de faire profession de la religion catholique, apostolique et romaine, n'y en ayant point d'autre qui soit la véritable religion de Jésus-Christ et dans laquelle une âme puisse faire son salut [33] ».

Il serait un peu simpliste de conclure que le clergé réclame dans un sens ce qu'il refuse dans l'autre. Si nous érigeons aujourd'hui en un absolu les droits de la conscience et considérons que chacun doit pouvoir opter librement pour la religion de son choix, tels n'étaient pas les principes du XVIIᵉ siècle, et notamment du clergé. Certain que seul le catholicisme pouvait conduire au salut, il se souciait d'éviter que ses fidèles ne s'égarent et de favoriser l'entrée des errants au bercail du Bon Pasteur.

La logique des suppliques

L'offensive du clergé contre la liberté de conscience dans les années 1660 et 1670 marque un tournant important dans l'attitude du clergé à l'égard de l'édit de Nantes; derrière une argumentation juridique formellement soutenable, ce sont en fait ses bases mêmes qui sont visées. Le procédé utilisé pour cette attaque l'est aussi pour bien d'autres de la même époque. A lire en particulier les cahiers de suppliques remis au roi en 1670 et 1675, dans lesquels les nombreux « articles » sont toujours assortis de « preuves », on a le sentiment de compulser des traités écrits par de subtils procureurs plus que les doléances de prélats. Il ne faut toutefois pas oublier que certains membres du haut-clergé du XVIIᵉ siècle étaient gradués en droit. De plus, il est évident que les assemblées du clergé s'entourèrent des conseils de juristes tout dévoués à la cause catholique. C'est une donnée essentielle de ces décennies précédant la révocation que cet affinement formel des requêtes du clergé.

Pour saisir l'origine du choix d'une telle démarche, il faut sans doute se reporter à la décision royale, consécutive à l'assemblée de 1655, d'envoyer des « commissaires de l'édit » dans les provinces. Puisque le clergé soulignait avec tant d'insistance que les huguenots avaient profité de la minorité de Louis XIV et des troubles de la Fronde pour multiplier leurs lieux de culte, ces commissaires seraient chargés d'aller vérifier les titres des églises protestantes et de recevoir les plaintes relatives aux infractions à l'édit. Ils iraient toujours par deux, un catholique – généralement l'intendant de la province – et un protestant, et auraient le pouvoir de trancher les litiges. Le clergé avait d'abord craint que l'envoi de ces commissaires soit inefficace puique en cas de désaccord entre eux – un « avis de partage » – aucune décision ne pouvait être prise immédiatement. Et les faits donnèrent partiellement raison au clergé : commissaire catholique et commissaire protestant étaient fréquemment d'un avis divergent sur le droit d'exercice du culte réformé notamment.

Mais bien vite les ecclésiastiques comprirent le parti à tirer de cet envoi de commissaires. Des dossiers solidement étayés étaient susceptibles de faire triompher le point de vue de l'Église devant le Conseil du roi – à qui étaient transmis les « avis de partage » – s'il n'avait pas été possible de le faire prévaloir devant les commissaires. Les évêques s'y employèrent, plusieurs ecclésiastiques et juristes mirent leur compétence à leur disposition. C'est ainsi qu'en 1666 Bernard, conseiller au présidial de Béziers, publia son *Explication de l'Édit de Nantes*. C'est surtout à la même époque qu'un jésuite, le Père Meynier, fit paraître une série d'ouvrages présentant et analysant les infractions à l'édit commises par les huguenots de diverses provinces. Ainsi dans son opuscule intitulé *De l'exécution de l'Édit de Nantes dans le Dauphiné,* Meynier montrait qu'en 1597, année de référence pour l'établissement de la liste des lieux de culte, le Dauphiné ne comptait qu'environ 70 Églises réformées, alors qu'en 1664 ce nombre s'élevait à 200 au moins [34]. Les assemblées du clergé, intéressées par le combat mené par le jésuite, décidèrent en 1670 de lui verser une pension pour qu'il puisse plus librement poursuivre son travail. L'envoi des commissaires conduisit donc le clergé à mener une bataille juridique; il s'entoura pour cela d'experts et teinta dès lors délibérément ses suppliques d'argumentations fondées sur l'interprétation du droit. Telle est du moins notre hypothèse.

Il serait fastidieux d'analyser en détail chacune des requêtes du clergé et d'en disséquer le raisonnement juridique. En revanche, il n'est pas sans intérêt de repérer dans ces suppliques l'image du protestantisme qu'elles véhiculent. On y rencontre en effet la plupart des thèmes développés par les polémistes, et que nous avons déjà présentés. Le clergé, qui retrouve les auteurs catholiques pour dénoncer la pression sociale exercée par les notables protestants sur les candidats à la conversion, les rejoint encore pour voir dans l'hérésie une importation de l'étranger. L'article 23 du cahier de 1670 demande « qu'il n'y ait que les naturels français qui puissent être ministres, régents et précepteurs des collèges et écoles publiques » et on lit dans la « preuve » :

« Il est certain que la plus grande partie des maux que l'Église a soufferts en France, sont venus de la licence que les étrangers ont prise d'enseigner et de prêcher publiquement l'hérésie...

« Ceux qui ont soutenu l'hérésie avec plus de bruit et plus d'éclat, soit par leurs prêches, soit par des livres imprimés, ont été envoyés de Genève... Il faut remarquer que les ministres de Genève ont affecté depuis environ quinze ou vingt années d'établir dans Lyon des ministres de leur ville, pour être informés plus particulièrement de tout ce qui se passe dans le reste du royaume. Les ministres étrangers entretiennent toujours au-dehors quelque commerce contraire au bien de l'État [35]. »

En certains lieux, ajoute-t-on en 1675, les protestants sont si peu nombreux qu'ils ne peuvent subvenir à l'entretien de leurs pasteurs « qui ne subsistent que par le secours qu'ils reçoivent secrètement des consistoires de Genève, d'Angleterre et de Hollande [36] ». Les représentants du clergé font donc un large usage du thème de l'internationale huguenote, menaçante pour le pouvoir royal. Toujours en 1675, il est demandé que les consistoires aient à présenter des comptes à l'intendant, car le clergé les soupçonne d'utiliser une partie des collectes qu'ils lèvent à aider les protestants des pays étrangers.

Entretenant des liens étroits avec leurs coreligionnaires étrangers, les huguenots sont évidemment suspectés d'échafauder de noirs projets au cours de leurs assemblées. Le clergé souhaite, en 1675 encore, qu'un officier catholique assiste aux délibérations des consistoires; cela « empêchera plusieurs délibérations violentes et séditieuses que l'on prend souvent dans ces assemblées consistoriales [37] ».

Les deux grandes initiatives des dernières assemblées du clergé qui précèdent la révocation de l'édit de Nantes montrent encore combien l'image du protestantisme diffusée par les ouvrages des polémistes est largement partagée par l'ensemble des ecclésiastiques. Convoquée par le roi à propos du conflit de la régale, l'assemblée de 1682 s'intéressa aussi à la question protestante. Elle élabora un « Avertissement pastoral » dont, par ordre du roi, lecture fut faite devant tous les consistoires du royaume. D'un ton globalement modéré, cet avertissement – qui laisse toutefois planer la menace – invitait surtout les huguenots à s'interroger sur leur situation de schismatiques :

« Celui-là même qui osa vous séduire par son erreur, et qui vous persuada de ne plus obéir à la vérité, le chef de votre prétendue réforme, ne vivait-il pas avec nous avant son schisme comme notre Frère?... Justifiez, si vous pouvez, devant Dieu votre Père, devant l'Église votre Mère, devant les Catholiques vos Frères, la honte et même l'infamie d'une séparation si criminelle, si violente et si emportée... Excusez cette faute et lavez cette tache si vous pouvez, et parce que vous ne le pourrez jamais, avouez que cet oracle de l'Écriture tombe directement sur vous : l'Enfant révolté dit hardiment que sa conduite est juste, mais quand on lui demande pourquoi il a quitté la maison de son Père, il ne saurait justifier sa sortie [38]. »

Cette certitude que les réformés se trouvent dans l'impossibilité de donner des raisons valables à leur schisme se double chez les ecclésiastiques d'une particulière défiance à l'égard des pasteurs. Ceux-ci entretiennent les fidèles protestants dans des idées fausses sur l'Église catholique. Ils mentent à son propos et en déforment la doctrine pour éviter les défections au sein de leur troupeau. L'assemblée de 1685 le souligna :

« Ils voient tous les jours que quand ils rapportent avec fidélité les sentiments sur l'Église catholique, ils ne peuvent plus ni justifier leur séparation, ni excuser les excès des premiers auteurs de leur Secte; et dans l'impuissance où ils se trouvent de se maintenir par cette voie, ils ont recours à un injuste et pernicieux artifice : ils imputent à l'Église catholique un nombre infini d'erreurs grossières et insoutenables. Ils supposent qu'elle dissimule ou qu'elle condamne les vérités les plus essentielles de la Religion... Il ne faut pas s'étonner s'ils en inspirent de l'éloignement et de l'horreur aux peuples qui sont sous leur conduite [39]. »

Aussi les représentants de l'Église de France demandaient-ils au souverain d'interdire aux protestants d'user d'injures et de calomnies à l'égard du catholicisme. Louis XIV alla au-delà des souhaits du clergé puisque, en août 1685, il donna un édit interdisant aux protestants « de parler directement ni indirectement, en quelque manière que ce puisse être, de la Religion catholique ».

Du bon usage de la charité envers les égarés

Au terme de ce parcours parmi les textes présentés au roi par les assemblées du clergé, on ne peut qu'être frappé par l'escalade opérée au cours du siècle. Toutefois, si le ton change et si les demandes se font de plus en plus pressantes et précises, il serait erroné de considérer qu'elles n'obéissent pas toutes à la même logique. D'un bout à l'autre du siècle, l'Église catholique considéra qu'elle remplissait un devoir de charité en prenant soin du salut des égarés. Ce thème, présent dès le discours de Richelieu de 1615 ou la harangue de l'évêque de Rennes de 1621, se retrouve explicitement dans la lettre circulaire aux évêques qui accompagne « l'Avertissement pastoral » de 1682; il y est fait état de la volonté de « surmonter les schismes par le zèle de la charité »; la décision de l'assemblée y est expliquée par le souci d'une conduite « conforme à la charité pastorale et à la tendresse de l'Église notre Mère ». Toutefois, même si c'est pour souligner que les représentants du clergé n'ont pas opéré ce choix, la même lettre montre que la charité peut prendre d'autres visages :

« Il est quelquefois arrivé que ceux qu'on avait pu retirer de l'erreur par ces moyens pleins de compassion pour leur misère, ont été heureusement contraints à se rendre par les saintes violences, pour ainsi dire, et par les salutaires rigueurs de la charité [40]. » Le « zèle de la charité » peut en effet se faire pressant et autoriser à pousser un peu vivement les errants à retrouver le chemin de l'Église. C'est ce que redisent encore les prélats en 1685, quelques mois seulement avant la révocation de l'édit de Nantes :

« Nous prions pour eux [les calvinistes], quoiqu'ils nous maudissent, et nous voulons, quelque mal qu'ils nous fassent, employer tous les moyens possibles pour leur procurer du bien, et le plus grand et le plus nécessaire de tous les biens, c'est-à-dire leur conversion et le salut de leurs âmes [41]. »

Pour rendre parfaite justice aux assemblées du clergé, il faut reconnaître qu'elles n'appelèrent pas plus à la répression violente contre les protestants qu'à la révocation pure et simple de l'édit de Nantes. Mais, à la fin de notre période, elles suggérèrent plus d'une fois que le recours à la contrainte pouvait être légitimé : le bien supérieur qu'était le salut des âmes pouvait exiger des remèdes un peu rudes pour les obstinés. N'oublions pas qu'en ces années 1670 et 1680 les élites catholiques se sont persuadées que mensonge des pasteurs, pression sociale et habitude assuraient à peu près seuls la survie de la Réforme. Face à ce maintien artificiel du schisme, les appels répétés du clergé au retour au bercail n'étaient peut-être pas suffisants...

Ce que les assemblées du clergé ne firent que suggérer, des auteurs catholiques le réclamèrent ouvertement; et quand le roi eut entrepris de recourir de plus en plus à la contrainte à l'égard des huguenots, il ne manqua pas d'apologistes dans les rangs des catholiques zélés. La plupart d'entre eux se couvrirent de l'autorité de saint Augustin. Déjà l'assemblée de 1650, à une époque où il semblait utile d'inciter le jeune souverain à plus de fermeté sur la question protestante, avait fait référence à ce Père de l'Église qui estimait que le recours à la persuasion ne suffisait pas toujours pour convaincre les hérétiques [42]. A partir de 1670, Augustin fut invoqué chaque fois qu'il s'agit de justifier l'attitude de pouvoir. C'est ce que firent les polémistes jansénistes, Arnauld et Nicole.

C'est aussi évidemment ce que firent les polémistes du temps de la révocation de l'édit de Nantes. Du Bois Goibaud publia ainsi deux lettres de saint Augustin pour étayer la thèse de sa *Conformité de la conduite de l'Église de France pour ramener les Protestants avec celle de l'Église d'Afrique pour ramener les Donatistes à l'Église catholique.* Il expliquait que l'évêque d'Hippone avait d'abord été réticent à l'intervention du bras séculier dans les questions religieuses. « Mais quelque ferme qu'il fût dans ce premier sentiment, il se rendit enfin à l'expérience;

et les grands succès de cette sévérité salutaire qu'on employait pour faire revenir les Donatistes à l'unité lui firent comprendre que ce serait être ennemi du salut de tant d'âmes qui périssent malheureusement hors de l'Église que de ne vouloir pas qu'on les pressât pour les y faire rentrer. Il trouva même que cette conduite était autorisée par l'Écriture [43]. » L'année suivante, en 1686, Soulier eut recours aux mêmes lettres de saint Augustin pour approuver les dragonnades [44], et Gaultier donna une *Lettre de la puissance des princes chrétiens, pour la défense de la Religion, contre leurs sujets hérétiques* qui, dès ses premières pages, se rangeait sous la même autorité. Saint Augustin, expliquait cet auteur, a affirmé que Dieu « a laissé aux rois chrétiens, qu'il a formés sur l'idée de ses grandeurs, pour être ses images vivantes sur la terre, la puissance d'arrêter les dérèglements de ce cœur lorsque l'homme, abusant de la grâce, corrompt la pureté de l'Évangile, lorsqu'il profane la sainteté des Sacrements ou qu'il a perdu le respect qu'il doit aux ministres de Dieu [45] ».

Mais, pour trouver semblable justification du recours à la force dans les textes des assemblées du clergé, il faut attendre celle qui suit la révocation de l'édit de Nantes, c'est-à-dire celle de 1690.

Cette constatation fournit une illustration complémentaire de l'aspect très « politique » de la stratégie de l'Église de France. Nous entendons par là que le clergé qui, fondamentalement, n'admit jamais l'édit de Nantes, ne s'épuisa pas en vaines diatribes contre ce texte. Plutôt que de reprendre les vieux anathèmes contre l'hérésie pour exiger du souverain, protecteur de l'Église, l'extirpation immédiate du protestantisme, le bannissement ou l'exécution de ses adeptes, il fonda sa stratégie sur une lecture de plus en plus tatillonne du texte d'Henri IV. Il en exigea d'abord la stricte application partout où il n'en était pas ainsi et le considéra comme une barrière aux entreprises des huguenots, pour le nombre des lieux de culte par exemple. Puis il souligna de plus en plus vigoureusement que la situation religieuse et politique de la France avait changé depuis 1598, que l'édit avait plus le caractère d'une grâce royale que d'un acte de justice et que les troubles avaient été le vrai motif de sa concession. Les assemblées du clergé demandèrent rarement plus que ce que le roi pouvait leur accorder en fonction du contexte de l'heure. Elles incitèrent ainsi à un processus de restriction des droits du protestantisme qui, finalement, aboutit conformément à leurs vœux.

La modération des représentants du clergé ne doit cependant pas laisser supposer qu'à l'intérieur des élites catholiques il exista des conceptions différentes de l'hérésie. L'attitude des prélats ne relève que du réalisme politique et les seules divergences qui se firent jour, à certaines dates, résident dans les méthodes à employer pour la réduction des errants. Pour le reste, le contenu des suppliques des assemblées du clergé et les « preuves » qui sont apportées suffisent à montrer que c'est bien la même image du protestantisme, de son mode de diffusion et de ses méfaits que partagent prélats et polémistes les plus virulents. Il y a bel et bien un corps de doctrine catholique sur la question de l'hérésie, que l'on peut retrouver plus ou moins explicitement dans tous les textes de l'époque, quels qu'en soient leurs auteurs, et sans autres variations notables que celles que nous avons déjà signalées.

Même s'il y eut de temps à autre des « accommodeurs » de religion, même si le ton des champions du catholicisme fut à certaines dates plus fraternel que polémique, même s'il y eut parfois des divergences sur les méthodes à employer, le protestantisme est d'abord considéré tout au long du siècle comme une hérésie et un schisme. Aussi l'Église devait-elle se mobiliser pour le combattre et reconquérir les fidèles subornés, promis à la damnation. Mais il n'est pas certain que tous les catholiques aient partagé l'horreur du clergé et des élites pour l'hérésie et compris le danger de la fréquentation des huguenots.

Seconde partie

PASTORALE DE RECONQUÊTE
ET POLITIQUE DE CONVERSION

Chapitre 6

PRATIQUES DE LA COEXISTENCE

L'application des assemblées du clergé à demander une interprétation de plus en plus restrictive de l'édit de Nantes pourrait laisser croire que le catholicisme français, unanime, a vu dans le protestantisme l'ennemi à abattre. En fait, la réalité coïncide mal avec cette conception simpliste d'une France en état de guerre religieuse permanente, fût-elle une « guerre froide ».

Certes, d'un bout à l'autre du siècle, des clercs et des laïcs s'employèrent à marginaliser les huguenots, à multiplier les tracasseries contre eux, à tenter de les ramener par divers moyens au giron de l'Église. Leur nombre s'accrut sans doute au cours du siècle, au fur et à mesure que le catholicisme opérait sa réforme intérieure et qu'un clergé mieux formé prenait plus solidement en main les fidèles.

Mais, en même temps, aussi bien dans les milieux ecclésiastiques que chez les laïcs de différentes conditions sociales, l'historien trouve de nombreuses traces d'attitudes pacifiques, voire de comportements amicaux à l'égard des protestants. Faut-il y voir seulement l'expression d'une relative indifférence religieuse ou – lorsque les réformés sont majoritaires – le souci de s'épargner l'hostilité du groupe dominant? Cette analyse, qui est celle des catholiques les plus zélés, est sans doute bien sommaire; mais il faut reconnaître aussi que nos sources d'information sont peu loquaces en ce domaine des motivations profondes. Aussi est-il bien difficile d'aller au-delà de la constatation de la présence, dans les divers groupes sociaux, dans des proportions variables, et de boutefeux dévots, et de modérés pacifiques.

Par ailleurs, si l'importance locale de la communauté protestante n'est pas sans influence sur la détermination des comportements, ceux-ci sont aussi le fruit de l'atmosphère propre à chacune des périodes du XVIIᵉ siècle. Il existe en effet différentes conjonctures dans les relations confessionnelles; des flambées de tension peuvent succéder à des décennies de bonne entente, ou les interrompre temporairement.

Réalité quotidienne pour tous les Français qui vivaient dans les villes et les villages où les deux confessions étaient représentées, la coexistence pouvait prendre mille visages.

Un clergé inégalement offensif

En quittant brusquement les assemblées du clergé et leurs déclarations enflammées contre l'hérésie pour aller observer le comportement des curés de villages à l'égard des religionnaires de leur paroisse, on a souvent le sentiment de changer d'univers. Ici en effet, la plupart du temps, les relations entre le clergé et les protestants sont exemptes de tensions, et parfois même très amicales. Dans le diocèse de Grenoble, en 1672, le curé de Clavans « vit indifféremment avec les huguenots et les catholiques »; quant à celui de Besse, il « joue aux boules avec les huguenots, mange souvent avec eux, avait grande liaison et amitié avec le ministre [1] ». A l'étonnement d'un évêque devant une telle familiarité, répond l'indignation d'un consistoire à une date et dans un diocèse voisins : en 1676, à Mens, n'a-t-on pas surpris, un dimanche soir, la fille du pasteur, une autre femme et un seigneur protestants en train de jouer aux cartes avec le curé du lieu [2]?

Sans doute tous ces prêtres font-ils partie de ce clergé, longtemps majoritaire au XVIIᵉ siècle, que n'a pas encore imprégné l'idéal de vie sacerdotale qui se répand lentement après le Concile de Trente : ils vivent profondément immergés dans la vie villageoise, partageant les divertissements et les activités des habitants; même si les évêques, au cours de leurs visites pastorales, ont tendance à les considérer bien ignorants des devoirs de leur ministère et peu conscients des exigences de la vie cléricale, il n'est pas certain qu'ils n'aient pas répondu, à leur manière, à l'attente religieuse de leurs ouailles. Mais c'est là une autre question. Pour ce qui est de leur attitude à l'égard des protestants, il est clair que la solidarité villageoise l'emporte chez eux sur le clivage confessionnel et que leur inculture dans les « sciences sacrées » leur évite de s'interroger sur le bien-fondé d'une telle familiarité.

Des exemples analogues à ceux de ces curés dauphinois se retrouveraient aisément dans d'autres provinces. En plus d'un cas, en effet, les visites pastorales notent que le curé « hante » les huguenots de sa paroisse. Pour les évêques, cette fréquentation correspond à un comportement indigne du prêtre. Sans doute redoutent-ils aussi que ces curés fassent bien piètre figure si une discussion théologique venait à s'engager, en particulier avec le pasteur. Les pasteurs, en effet, reçoivent tous une formation dans une Académie avant leur nomination; dès lors, pendant une partie du siècle, les responsables locaux des deux Églises sont très inégalement armés pour s'affronter. Mieux vaut donc que les curés ignares demeurent parmi leurs seuls fidèles pour en prendre soin au mieux de leurs capacités.

Lorsqu'il est possible de retrouver les titres des ouvrages possédés par les curés de village – qui n'avaient pas tous une bibliothèque, même rudimentaire – l'idée de leur inaptitude au débat théologique est confirmée : étudiant le diocèse de La Rochelle, Louis Pérouas observe que sur dix-huit prêtres d'une région protestante de ce diocèse, quatre seulement possèdent en 1674 un ouvrage de controverse; de plus, il semble bien par d'autres indices qu'un seul de ces quatre prêtres était capable d'engager un débat théologique avec des ministres [3]. Sans vouloir tirer d'un cas particulier plus qu'il ne peut apporter, on notera tout de même qu'il y a ici moins de 6 % des clercs qui soient susceptibles de soutenir une controverse; et encore sommes-nous à une date où les efforts de formation du clergé séculier ont déjà été entrepris.

Pour être minoritaires, les curés ayant en horreur l'hérésie, pressant leurs fidèles de ne point fréquenter les huguenots, informant évêques et tribunaux des infractions protestantes à l'édit, se retrouvent toutefois tout au long du siècle. Bien souvent, peu soutenus par leurs fidèles tièdes ou timorés, ils sont en butte aux vexations et parfois aux violences des protestants lorsque ceux-ci sont en situation de force. Tel apparaît le cas du curé de Vébron, village cévenol majoritairement protestant. Après la conversion au catholicisme d'un réformé de sa paroisse, ses rapports avec la communauté huguenote se tendent et il écrit :

« Nous en vînmes aux grosses paroles, ce qui les a tellement irrités que, si nous n'avons l'appui de Monseigneur, assurément on nous canardera. »

Isolé et assez désemparé, il place en effet ses espoirs dans l'appui des autorités diocésaines, à qui il déclare encore :

« N'oubliez pas, s'il vous plaît, les bêlements de la pauvre brebis exposée au milieu des loups. »

Faute de recevoir les soutiens qu'il escompte, il finit par ne pas engager les actions que lui dicterait pourtant son zèle : face au cas d'une relapse, il proteste certes, mais renonce en fin de compte à obtenir l'emprisonnement de cette femme [4].

On peut aussi citer, en Dauphiné cette fois, l'acharnement contre l'hérésie du curé de Dieulefit, au milieu du siècle. Dans cette paroisse, elle aussi majoritairement réformée, l'hostilité à ce prêtre zélé se manifeste par des incendies criminels. Mais il en faut plus pour le faire céder, et il porte l'affaire en justice.

Certains curés s'engagèrent donc dans des épreuves de force susceptibles de durer des années. A l'évidence, bien peu étaient de cette trempe; pour la plupart, leur accession à une cure signifiait d'abord, au XVIIᵉ siècle, la perspective de couler des jours aussi tranquilles que possible grâce à ce bénéfice.

Peut-être le nombre des curés combatifs augmente-t-il avec le développement des séminaires, dans la seconde moitié du siècle. Là, les futurs prêtres étaient imprégnés de cet idéal sacerdotal qui mettait l'accent sur leur séparation du monde et leur responsabilité vis-à-vis des âmes qui leur étaient confiées. Ils y étudiaient aussi l'Écriture, la théologie morale, parfois la controverse. Ainsi se trouvaient-ils mieux armés face aux protestants qu'ils pouvaient côtoyer; surtout, ils apprenaient ainsi qu'on ne pouvait transiger avec l'hérésie qui conduit infailliblement les âmes à la damnation.

Il semble bien toutefois qu'aucun séminaire n'ait véritablement formé à une pastorale de la conversion des protestants. Même les évêques soucieux de travailler à la réunion des confessions chrétiennes ne surent donner à leur clergé séculier une formation adaptée à cette fin. Tel est le cas d'Henry de Laval à La Rochelle [5].

Aussi, ayant surtout appris au séminaire la détestation de l'hérésie, les prêtres qui en sortaient ne pouvaient guère, s'ils voulaient faire preuve de zèle contre elle, que multiplier les plaintes contre les infractions des protestants et développer la tension entre les deux communautés.

Hors du monde des curés de paroisse, les relations des autres membres du clergé séculier avec les huguenots semblent rarement conflictuelles. Les chanoines du diocèse de Nîmes, étudiés par Robert Sauzet, en fournissent une bonne illustration. Ceux de Nîmes, majoritairement hostiles à la mise en route de poursuites judiciaires à la suite d'une manifestation protestante en 1615, sont réservés face à l'implantation de la belliqueuse Compagnie de Jésus. Certains d'entre eux ont même d'excellentes relations avec des réformés. La situation est identique à Saint-Gilles où, à la veille de la révocation de l'édit de Nantes, le chapitre confie toujours à un protestant le soin de recouvrer ses rentes [6]. Mais on trouve aussi parmi ces chanoines quelques personnages plus zélés comme celui qui consacre en 1642 une partie de ses biens à une fondation de missions pour « retirer les âmes de la captivité de l'hérésie [7] ».

Si l'on veut trouver des clercs acharnés à la lutte contre le protestantisme, c'est en fait du côté des religieux qu'il faut se tourner. Non certes vers les Ordres anciens dont les couvents ne sont pas toujours exempts des défauts que les huguenots reprochent aux moines. Mais du côté des Ordres nouveaux et des branches réformées des Ordres anciens, qui ont vu le jour au XVIIe siècle. En France, comme dans l'ensemble de l'Europe, les bataillons de la Contre-Réforme sont formés des jésuites, des capucins et – dans une moindre mesure – des récollets. Sur leur modèle, des compagnies de prêtres séculiers se forment au cours du siècle et viennent renforcer l'action qu'ils ont entreprise. Mais l'essentiel de l'activité catholique de lutte contre l'hérésie a été leur fait. Ils sont les spécialistes de l'affrontement théologique dont est incapable le clergé séculier; ils sont aussi les hommes de terrain qui parcourent les régions protestantes. Sans insister sur cette activité sur laquelle nous reviendrons, il importait de mentionner ici leur présence et leur ardeur, qui manifestent encore combien l'éventail des attitudes des clercs fut large, allant de la plus basse démission à la hargne, en passant sans doute parfois par une charité évangélique.

Le militantisme des dévots

Dès lors, comment s'étonner de la variété des comportements des laïcs? Certains ne le cédèrent en rien aux plus intransigeants des ecclésiastiques. Au cours des premières décennies du siècle, on rencontre chez des laïcs de toutes les catégories sociales une intense volonté de voir régler au plus tôt la question protestante. L'invitation pressante que bien des membres des élites urbaines – hommes de loi ou bourgeois – adressent autour de 1610 aux jésuites ou aux capucins pour qu'ils viennent s'installer dans leurs murs a souvent pour motif le zèle que ces religieux mettent à combattre l'hérésie. Prenons l'exemple du Dauphiné : à Romans comme à Crest, la ville et les notables contribuent financièrement à l'installation des capucins; à Grenoble, présidents et conseillers du parlement rivalisent de générosité pour l'établissement d'un couvent de cet Ordre; à Gap enfin, l'opposition du gouverneur protestant n'arrive pas à empêcher l'implantation des capucins. Dans toutes ces localités, des religieux de l'Ordre étaient déjà venus, avaient prêché et engagé la controverse avec les pasteurs. C'est donc au vu du zèle antiprotestant de ces religieux que les notables locaux décident de s'assurer leur présence permanente, comme pour fournir un rempart au catholicisme et lui donner un tour offensif, toutes tâches que le clergé séculier est bien incapable d'assurer en ce début de siècle.

On retrouve ainsi, dans le microcosme provincial, l'attachement à la cause catholique qu'incarne à la même époque, dans les débats politiques, le « parti dévot ». Comme celui-ci, les notables qui épaulent les entreprises des Ordres de la Contre-Réforme souhaitent voir primer les intérêts de l'Église sur toute autre considération. La lutte pour la réunification religieuse du royaume leur apparaît comme une priorité et ils font preuve, à l'instar du garde des sceaux Marillac, d'une belle « ardeur convertisseuse »⁸. En suivant sur près d'un siècle le destin de ces familles de l'élite dévote, on rencontrerait sans doute plus d'une fois des sympathies ligueuses dans la génération des dernières décennies du XVIᵉ siècle et des affinités avec la compagnie du Saint-Sacrement dans les années 1650. Au passage, on remarquera par ailleurs que parmi ces notables figurent des parlementaires et autres officiers de justice, c'est-à-dire des hommes de ce monde de la Robe qu'on range trop volontiers en bloc dans les rangs des « politiques » ou des « bons Français ». Mais cette fidélité au catholicisme le plus intransigeant n'exclut pas forcément toute aménité dans les relations quotidiennes avec les fidèles de l'autre confession.

La noblesse provinciale sait aussi faire preuve de zèle pour la cause catholique. Ici ou là, des seigneurs entreprennent sur leurs terres la lutte contre l'hérésie. Voici par exemple le baron du Poët, en Dauphiné : il sollicite au début de la décennie 1640 la venue de missionnaires sur ses terres, conseille le chef de la mission sur la méthode pour aborder les hérétiques et lui ouvre la route, au milieu de la neige, vers les hameaux isolés; un peu plus tard, il congédie tous ses serviteurs protestants. Voici encore – personnage plus connu – le comte de Grignan : il organise « un petit corps de mission composé de trois bons ecclésiastiques pour faire la moitié de l'année mission dans ses terres⁹ ».

A l'intérieur des classes populaires, pourtant souvent moins ardentes à s'associer à la reconquête catholique, on trouverait aussi des exemples de participation acharnée à la lutte contre le protestantisme. Qu'il suffise de citer ce coutelier et ce mercier, formés par le controversiste Véron, qui défient à la controverse les ministres de Charenton, puis parcourent les provinces pour s'employer « à la conversion des abusés, et spécialement de ceux d'entre le peuple », et en abandonnent du coup leur métier¹⁰. Un zèle aussi intempestif n'était d'ailleurs que très modérément apprécié par les autorités catholiques; ces laïcs ignorants rappelaient trop les artisans qui avaient assuré le succès des idées réformées.

Il ne manqua donc pas de laïcs pour partager l'esprit le plus combatif à l'égard du protestantisme. Bientôt, sur ce front de lutte comme sur d'autres, pour gagner en efficacité, ces dévots se dotèrent d'organisations. A juste titre, la plus célèbre de celles-ci est la compagnie du Saint-Sacrement fondée à Paris en 1627 par Henri de Lévis-Ventadour, lieutenant du roi pour le Languedoc [11]. Compagnie secrète, elle recrute par cooptation des clercs et des laïcs dont elle a pu observer auparavant qu'ils faisaient leurs ses propres objectifs : « promouvoir la gloire de Dieu par tous les moyens ». Rapidement, elle étend des ramifications en province où des groupes analogues sont affiliés à la compagnie-mère, celle de Paris. Ainsi une cinquantaine de villes auraient eu leur organisation de dévots. Tous ces groupes sont en correspondance avec celui de Paris, mais non entre eux, pour ne pas prendre le risque d'une découverte de cette « cabale ». D'ailleurs, pour bien protéger le secret, chacun des membres, lorsqu'il exécute des décisions prises en assemblée, agit toujours comme de son propre chef. En conséquence, il est bien difficile à l'historien de faire le partage entre les entreprises qui relèvent de la politique poursuivie par la compagnie proprement dite et celles qui ont véritablement pour auteur un de ses membres. D'où la tentation qu'ont eue certains d'attribuer à la « cabale des dévots » pratiquement toutes les initiatives liées au renouveau religieux de la France de la mi-XVIIe siècle. De fait, quand on sait que Vincent de Paul, Bossuet, Olier et plusieurs évêques en furent membres, on comprend qu'on ait pu prêter beaucoup à la compagnie...

Mais plutôt que de disputer à l'infini sur la paternité probable de telle ou telle entreprise, mieux vaut s'attacher à comprendre comment était conçu le rôle de la compagnie. Quelques registres de délibérations, retrouvés par chance, permettent de s'en faire une idée. Il faut d'abord remarquer que les assemblées fonctionnèrent comme un lieu d'échange d'informations; chacun des membres y faisait part des situations et comportements observés qui lui semblaient aller à l'encontre de l'ordre chrétien que les dévots cherchaient à instaurer : on y citait les blasphémateurs et les personnages de mœurs douteuses, on y évoquait les impiétés commises ou les manques de respect pour l'Église. A partir de ces données, la compagnie délibérait des remèdes à apporter et des voies les meilleures pour les appliquer : un membre irait faire une amicale remontrance à un voisin scandaleux, un autre solliciterait des autorités civiles ou religieuses une intervention pour obtenir la cessation de réjouissances profanes au cours de fêtes religieuses.... Nul doute que chacun des dévots ne se soit ainsi senti épaulé, conforté dans son idéal de promotion de la piété et de la morale chrétienne.

Le champ d'intervention de la compagnie était sans limites, comme l'indiquent les *Annales* du groupe parisien :

« La compagnie travaille non seulement aux œuvres ordinaires des pauvres, des malades, des prisonniers et de tous les affligés, mais aux missions, aux séminaires, à la conversion des hérétiques et à la propagation de la foi dans toutes les parties du monde; à empêcher tous les scandales, toutes les impiétés, tous les blasphèmes; en un mot, à prévenir tous les maux et y apporter tous les remèdes [12]. » On voit que dans ce programme l'attention aux plus humbles et démunis tient une place importante : souvent ignorant des points essentiels de la foi, vivant dans un dénuement qui fait bon ménage avec l'immoralité, le peuple des villes est, pour les dévots, en péril de damnation. Aussi est-ce d'abord vers lui que doit être dirigé l'élan de charité, matérielle et spirituelle. Mais on remarque par ailleurs que la question protestante apparaît en bonne place dans ce programme; il semble en effet aux dévots que les fidèles protestants relèvent du même traitement que les catholiques ignorants; de plus, l'hérésie est en soi une atteinte à l'ordre chrétien dont les dévots se font les champions. Cela explique que la compagnie ait tout à la fois soutenu les missions en région protestante, aidé les pauvres huguenots qui se convertissaient, attiré l'attention sur les infractions à l'édit ou tenté de faire interdire l'accès des protestants à certaines professions.

L'activité des compagnies de Propagation de la Foi

Mais la compagnie du Saint-Sacrement, dont l'organisation et les méthodes parurent suspectes à la monarchie, fut supprimée en 1666; en revanche, un autre groupement de dévots, contemporain de celle-ci, continua d'exister jusqu'à la fin de la période qui nous intéresse, et même au-delà. Il s'agit de la compagnie de la Propagation de la Foi.

Comme la compagnie du Saint-Sacrement, celle de la Propagation de la Foi naquit à Paris, puis essaima en province. Son fondateur est le Père Hyacinthe de Paris, appartenant à l'Ordre des capucins dont nous avons déjà relevé le rôle dans la lutte contre le protestantisme. Mais, à la différence du groupement précédent, celui-ci agit au grand jour et se fixa comme seul objectif l'action contre l'hérésie. Fondée en 1632, approuvée par Rome en 1633 et par l'archevêque de Paris en 1634, la compagnie, érigée « sous le titre de l'Exaltation de la Sainte-Croix pour la propagation de la Foi », se proposait en effet de contribuer à la conversion des protestants et, en particulier, d'aider matériellement ceux qui abandonnaient la Réforme.

Bientôt, des groupements analogues se créèrent en province, à l'initiative des capucins et des compagnies du Saint-Sacrement, certains dévots étant membres des deux associations. Les compagnies de Propagation de la Foi apparaissent ainsi souvent comme un instrument que se donnèrent celles du Saint-Sacrement pour le front particulier qu'était la lutte contre l'hérésie.

A Grenoble, où la compagnie de Propagation de la Foi fut créée en 1647 avec l'approbation de l'évêque, un quart de ses membres environ appartenait aussi à l'autre groupement. Les nombreux registres conservés permettent de retracer l'action de la compagnie dans cette ville et les provinces environnantes où elle suscita plusieurs filiales qui agirent de concert avec elle [13]. On notera d'abord que les principes d'action de cette association sont inspirés par une représentation de l'hérésie identique à celle qui traverse les ouvrages que nous avons analysés : les protestants empêchent ceux qui voudraient se convertir de le faire et multiplient violences et brimades contre ceux qui ont abandonné l'hérésie; le succès de la Réforme est étroitement lié à la liberté qu'elle accorde au vice et à tous les penchants de l'homme...

Dans ces conditions, la rigueur – voire la contrainte – ne sont pas exclues des moyens utilisés par la compagnie, qui entend favoriser les conversions et protéger les néophytes. Ses interventions sont facilitées par la présence en son sein d'un nombre non négligeable de magistrats qui connaissent à merveille tous les textes qui peuvent être utilisés contre les protestants et se dévouent totalement à la cause catholique. Un exemple le montre bien. En mars 1661, un sergent huguenot emmène un homme à la prison de Grenoble; refusant d'ôter son chapeau alors que passe un prêtre portant le Saint-Sacrement, le voici conduit lui-même en prison par les membres de la compagnie qui escortaient le prêtre; il demeure au cachot jusqu'à ce que ces messieurs aient décidé de son élargissement, bien qu'il ait rapidement manifesté son désir de se convertir :

« Le doux Sauveur de nos âmes, qu'il avait si insolemment méprisé, le venant rechercher jusque dans le fond du cachot et l'éclairant d'un rayon de ses grâces, lui fit voir son erreur et sa faute, ce qui l'aurait porté à demander d'être instruit; mais comme son dessein paraissait pour lors intéressé, on le laissa quelque temps poursuivre cette grâce qui lui fut enfin accordée, de laquelle il profita avantageusement [14]. »

La loi se trouvait ainsi délibérément mise au service d'une politique de conversion des protestants. En tout cas, les possibilités qu'elle offrait ne furent jamais négligées par les dévots qui se flattent par exemple de la condamnation au feu d'ouvrages protestants jugés injurieux, et dont auteurs et imprimeurs sont punis par l'exil ou les galères (si l'on arrive à se saisir d'eux). Dans le même esprit, la compagnie décida dès 1656 de relever, à l'intention de l'assemblée du clergé, « toutes les violences et contraventions » des protestants.

Initiatrice en Dauphiné d'une politique d'application de l'édit de Nantes « à la rigueur », la compagnie constitue le point de rassemblement de tous ceux qui, dans la province, entendent réduire la force du protestantisme. En relation avec les évêques, les curés les plus zélés et les religieux, elle recueille informations et plaintes, suggère les démarches judiciaires à suivre, conseille sur le choix des localités pour l'envoi de missionnaires. Elle agit à la fois comme un centre de coordination des initiatives et comme un relais entre les ecclésiastiques et les milieux judiciaires. Elle ne néglige pas non plus l'action psychologique. C'est elle en effet qui orchestre le « prodige » de l'Osier, survenu en 1649 : dans un village de la vallée de l'Isère, un protestant qui taillait un osier un jour de fête mariale – et donc normalement chômé – voit subitement celui-ci saigner. Aussitôt la compagnie prend toutes dispositions pour que l'événement soit connu, tant il lui apparaît qu'il s'agit d'une manifestation évidente de l'erreur de la doctrine protestante, en particulier sur la Vierge; elle pousse l'évêque à ouvrir une information, achète le terrain pour construire une chapelle, publie en vers et en prose le récit du prodige.

Enfin, la compagnie s'emploie activement à recueillir les abjurations et à veiller sur les nouveaux convertis. Le nombre non négligeable de conversions qu'elle se flatte d'avoir obtenues (2 000 de sa fondation à 1662) s'explique par le fait que curés et missionnaires entrent en contact avec elle lorsque des problèmes matériels font obstacle à une abjuration. Faut-il secourir financièrement un protestant prêt à rejoindre l'Église catholique ou trouver un emploi à quelqu'un qui perdrait le sien s'il se convertit? La compagnie en est avisée, apporte un secours, et fait éventuellement venir à Grenoble la personne concernée si son entourage empêche sa conversion ou la menace. Ainsi les conversions dont la compagnie s'attribue le mérite ne sont pas toutes dues à la seule action de ses membres et ont parfois lieu bien loin de la capitale dauphinoise. Les dévots préfèrent d'ailleurs que les convertis demeurent dans leur lieu de résidence, dans la mesure où ils n'y courent pas de danger, car ainsi « l'exemple produirait plus d'effet ».

Toutefois, dès ses origines, la compagnie grenobloise ouvrit – comme ses homologues des autres villes – une maison destinée à l'accueil des femmes nouvellement converties, qui pouvaient en théorie y être entretenues gratuitement pendant trois mois. La situation de dépendance des femmes méritait, selon les dévots, qu'ils exercent une protection particulière à leur égard. De fait, plusieurs cas montrent que cette maison fonctionna parfois comme un refuge contre lequel les protestants furent impuissants. Ainsi, en 1661, une fille de quinze ans désirant se faire catholique y trouve protection contre ses parents dont toutes les protestations n'aboutirent qu'à l'emprisonnement de la mère, pour son entêtement à vouloir retenir sa fille!

Cet accueil des nouvelles converties allait bientôt devenir l'activité principale de la compagnie suspecte, au début du règne personnel de Louis XIV, de former comme la compagnie du Saint-Sacrement une « cabale ». A l'hostilité royale à l'égard des puissances de fait, locales ou régionales, s'ajouta la méfiance épiscopale. La réorganisation de la compagnie en 1663 la plaça sous l'autorité directe de l'évêque. Une période de la lutte contre le protestantisme s'achevait ainsi; à un temps où les dévots avaient été le fer de lance de ce combat et s'étaient donné des institutions aux puissantes ramifications, succédait désormais une phase où les évêques contrôleraient plus étroitement l'ensemble des initiatives pastorales de leurs diocèses. La compagnie grenobloise vit ses activités se restreindre. Pour l'essentiel, elles consistèrent dès lors à secourir financièrement les convertis et à accueillir dans leur maison les nouvelles catholiques. La mutation qui se produisit alors explique que les historiens aient souvent ignoré les compagnies de Propagation de la Foi et n'aient évoqué que les maisons du même nom.

D'ailleurs, les compagnies formées tardivement n'eurent jamais l'envergure et l'influence de celles qui, comme la grenobloise, avaient développé leurs activités librement au temps de la minorité de Louis XIV. Celle de Lyon, par exemple, fut instituée par l'archevêque lui-même en 1659 [15]. Si elle forme ses membres à la controverse pour qu'ils puissent engager le débat avec les huguenots qu'ils rencontrent, c'est à une méthode de conversion empreinte de modération et de douceur que semblent aller ses préférences. Si elle participe à l'entreprise d'asphyxie du protestantisme et de « persécution procédurière », elle n'en fut pas le moteur comme avait pu l'être son homologue grenobloise. Comme elle, en revanche, elle aida par ses subsides à la conversion des protestants que retenait la crainte d'être privés de ressources, et recueillit aussi femmes et filles converties ou préparant leur abjuration.

« *Vivant paisiblement, et en bons compatriotes* »

Au contraire des élites dévotes, la plupart des fidèles ne semblent pas mettre un grand acharnement à la conversion des protestants et à l'extinction de l'hérésie. Bien plus, beaucoup entretiennent d'excellentes relations, professionnelles ou amicales, avec leurs voisins de confession réformée. Ainsi peut-on être surpris qu'en 1599, alors que les guerres de religion sont à peine achevées, les commissaires exécuteurs de l'édit de Nantes notent qu'à Saillans, localité de la partie méridionale du Dauphiné si partagée religieusement, les « catholiques font en toute liberté l'exercice de leur religion et aussi ceux de ladite R.P.R. en toute liberté et sans contredit, vivant paisiblement et en bons compatriotes [16] ».

Ce cas n'est pas isolé. Toutes les études récentes d'histoire religieuse ayant trait à des régions de coexistence confessionnelle soulignent que les relations conflictuelles étaient loin d'être la règle entre les fidèles catholiques et protestants. Étudiant le diocèse de La Rochelle, Louis Pérouas écrit que « les rapports quotidiens entre les deux confessions étaient de bon voisinage », du moins « à l'échelon des simples fidèles [17] ». Robert Sauzet ne juge pas différemment la situation du diocèse de Nîmes. Quant à Élisabeth Labrousse, qui s'est attachée à l'analyse fine d'une bourgade de Gascogne, Mauvezin, elle conclut :

« Alors que les théologiens tendent à creuser en abîmes ce qui sépare, dans certaines couches sociales, au moins, les laïcs vivent le pluralisme confessionnel sur un registre très différent, sans crispation, ni acrimonie [18]. »

La bonne entente qui régnait entre fidèles des deux confessions pouvait paraître suffisamment surprenante pour que des voyageurs étrangers en fassent état dans leur journal. De passage à Grenoble en 1643, un jeune Strasbourgeois de confession luthérienne, Élie Brackenhoffer, note ainsi que « les deux religions vivent en très bonne intelligence [19] ».

Ce qui est surprise pour le voyageur est scandale pour les responsables zélés de chacun des cultes. Pour nous en tenir présentement au point de vue protestant, on remarquera qu'à de nombreuses reprises les pasteurs et les anciens tonnèrent contre les protestants qui fréquentaient les églises catholiques lors des sermons. A Gap, en 1637, le pasteur est ainsi chargé de « faire remontrance au peuple et ceux qui sont allés dimanche dernier à l'église des papistes et ouï le sermon du Capucin, à l'entour du seigneur évêque de Gap [20] ». A la même époque, à Die, on défend aussi au peuple « d'aller ouïr le prédicateur papiste en ses sermons [21] ». Parfois, les consistoires placent des « espions » aux portes de l'église pour dresser la liste des réformés qui enfreignent de telles interdictions.

On comprend sans peine que les responsables protestants aient craint que ces prédications n'ébranlent les convictions de leurs fidèles. On saisit moins bien en revanche les raisons de l'attrait exercé par ces sermons sur ces mêmes fidèles. Sans doute faut-il tenir compte de la dimension autant sociale que religieuse de la grande prédication au XVIIᵉ siècle : déploiement d'art oratoire, le sermon était en ville un moment de la vie culturelle et l'on s'y pressait pour apprécier le talent du prédicateur, ou simplement s'y montrer; dans de moindres bourgs, même si la qualité de la rhétorique n'était pas la même, les ruptures apportées à la vie quotidienne n'étaient pas très nombreuses, et le sermon pouvait en constituer une. Et puis, dans l'un et l'autre cas, est-on certain que les fidèles protestants aient toujours considéré que tout ce qui sortait de la bouche d'un prédicateur catholique était mauvais? Peut-être ne furent-ils pas toujours convaincus que des « abîmes » théologiques les séparaient du papisme.

Pour leur part, les fidèles catholiques des milieux populaires semblent avoir eu parfois des vues très tolérantes qui, selon le clergé, reflétaient leur profonde ignorance. A la fin du siècle, le curé de Rumegies écrit de ses paroissiens :

« Il y en a qui ont toujours dans leur cœur de vieilles erreurs, qu'ils ne sauraient soutenir qu'à cause qu'ils l'ont ouï dire de leurs pères, et qu'ils soutiennent mordicus, comme par exemple qu'on peut être sauvé en toute sorte de religion [22]. »

Un demi-siècle avant lui, Christophe Authier, en mission dans le diocèse de Die, donnait pour preuve de l'ignorance religieuse des habitants leur croyance que « les hérétiques ne sont pas hors de la voie du salut et qu'ils n'atteindront pas moins que les catholiques la béatitude céleste s'ils vivent en conformité avec leur profession de foi calviniste [23] ».

De telles attitudes ne semblent pas devoir être considérées comme la marque d'une quelconque indifférence religieuse. Seules sans doute des minorités appartenant aux élites sociales furent conduites au scepticisme par les polémiques interminables entre les champions des deux confessions. En ce qui concerne les milieux populaires, et notamment les ruraux, il faut considérer – comme le fait Élisabeth Labrousse – que leur « tolérance de fait ne relève d'aucune mécréance..., mais bien plutôt d'un solide christianisme, très moralisant et plus ou moins teinté de méfiance anticléricale à l'égard de tous les clergés [24] ». C'est conclure en somme que les efforts déployés, par les missionnaires et les curés comme par les pasteurs, pour présenter les fidèles de la confession adverse comme des êtres promis à la damnation et de fréquentation dangereuse, ne portèrent qu'imparfaitement leurs fruits. Les flambées de violence qu'on observe ici et là à divers moments, et qui tranchent avec les rapports plutôt pacifiques entretenus ordinairement, pourraient ainsi être au moins partiellement expliquées par les succès éphémères des entreprises de fanatisation conduites par les responsables des deux Églises.

En tout cas, même s'il est difficile d'avoir un jugement arrêté sur les images du protestant chez les fidèles catholiques, divers signes de fraternisation indiquent bien que la tolérance était l'attitude la plus commune.

Les mariages entre papistes et huguenots

Tout de suite après avoir évoqué l'opinion des catholiques du Diois sur les réformés, Christophe Authier ajoute que dans plusieurs localités s'est introduite une « détestable habitude » :

« Les parents permettent que leurs filles ne se déclarent d'aucune religion jusqu'à leur mariage, puisqu'elles adopteront alors la religion de leur mari [25]. »

Cette remarque, présentée comme le résultat d'une observation, mériterait vraisemblablement d'être nuancée, d'autant qu'on ne trouve guère d'autres indications concordantes avec elle. Notre missionnaire a peut-être un peu forcé la note pour mettre en évidence ce qui lui apparaissait comme une indifférence des ruraux à la question du salut, le défaut d'instruction des enfants en fournissant une preuve supplémentaire. Mais, en même temps, il touche par là à une réalité amplement attestée pour le XVIIᵉ siècle : dans les régions de coexistence confessionnelle, le nombre des mariages « mixtes » n'est nullement négligeable, et la diversité des religions ne constitue pas un obstacle à la conclusion des unions.

Les registres des consistoires protestants évoquent en effet fréquemment, dans la première moitié du siècle du moins, le cas de parents qui ont toléré que leur fille épouse un « papiste ». En 1627, à Gap, un homme est sommé de « faire réparation publique de ce qu'il a marié sa fille dans l'Église romaine »; quelques années après, un autre comparaît avec sa fille qui fréquente un catholique [26]... Les exemples abondent, montrant par là même que ces convocations et sanctions n'avaient pas d'effet dissuasif.

Une analyse sommaire des mariages mixtes évoqués dans les registres des consistoires permet d'en dégager les caractères communs. On constate d'abord que les remontrances visent beaucoup plus souvent des filles qui ont épousé un « papiste » que des garçons qui se sont unis à une catholique. Cela s'explique par le fait que le mariage est ordinairement célébré dans la religion du mari et que, s'il est célébré à l'église catholique, il suppose l'abjuration préalable du conjoint protestant. Mais cette abjuration *pro matrimonio* n'est en réalité, dans la plupart des cas, qu'une « comédie » [27]. En effet, quelques jours après la célébration du mariage, la nouvelle convertie au catholicisme se présentait devant le consistoire, exprimait ses regrets et était alors réintégrée dans la communauté. Il y a tout lieu de penser que des filles catholiques recouraient à des procédés analogues pour convoler avec un huguenot.

Tantôt tous les enfants de ces couples étaient élevés dans la même confession, sans qu'il soit possible de dire si c'était le plus fréquemment dans celle du père ou dans celle de la mère; tantôt aussi les fils suivaient la religion de leur père, et les filles celle de leur mère. De toute manière, il apparaît bien ici que la différence de religion n'établissait pas une barrière infranchissable entre les fidèles, et que parfois la coexistence s'installait au sein même des ménages. Les ecclésiastiques comptèrent beaucoup sur les maris catholiques pour obtenir une conversion sincère de leur épouse; toutefois il ne semble pas – peut-être par manque de zèle convertisseur de ceux-ci – que le nombre de femmes ayant abandonné le protestantisme après leur mariage ait été élevé. « L'opiniâtreté » de ces huguenotes à professer leurs erreurs ne pouvait que conforter et la misogynie des hommes d'Église et leur certitude d'un entêtement irraisonné des hérétiques. En fait, plus que ne le croyait Christophe Authier, la religion était tout à la fois un choix très personnel que respectait le conjoint et une expression de la fidélité à une famille, une manière de filiation que le mariage n'interrompait pas. Aussi était-on prêt à passer par les exigences successives du clergé catholique et du consistoire pour pouvoir se marier. Ajoutons qu'en milieu rural au moins, le « stock » des conjoints possibles, compte tenu des prohibitions pour parenté, était assez réduit; il était donc nécessaire de porter ses regards au-delà de la barrière confessionnelle, sans pour autant mettre en cause ni ses propres convictions, ni celles du conjoint que l'on trouverait.

Même si elle ne disparut jamais totalement, la pratique des mariages mixtes chuta brusquement après 1663. Ne pouvant admettre les fausses conversions qu'elle provoquait, le clergé n'avait cessé de protester auprès du roi. En 1661, l'évêque de Nîmes évoquait ainsi ces femmes qui « n'ont eu dessein sinon d'acquérir un mari et de profaner nos mystères par cette feinte sacrilège » qu'était leur fausse conversion [28]. Finalement, le pouvoir civil accorda satisfaction aux prélats. Dès 1638, commission avait déjà été donnée aux intendants de Languedoc « pour informer » contre ces convertis pour le seul temps de la célébration du mariage. On avait alors souligné que ceux-ci « soutiennent impudemment n'avoir fait les actes catholiques, quoique publiés, jurés, écrits et signés, et exprimés même par les contrats de mariage, que par feinte et simulation pour parvenir à leur dessein, abusant ainsi des Sacrements, veulent tromper Dieu, l'Église et les hommes, et commettre le crime de relaps ». On ajoutait qu'il y avait là contravention aux édits « qui défendent à ceux de la Religion prétendue réformée l'abus et profanation des mystères de la Religion catholique [29] ». Mais l'information ne semble pas avoir alors été suivie de décisions. En revanche, une déclaration du roi d'avril 1663 défendit purement et simplement à ceux qui avaient abjuré le protestantisme d'y retourner. L'exposé des motifs revenait sur l'idée d'une profanation des mystères et le roi concluait que ces relaps, qui auraient pu demeurer protestants, « renoncent et se départent (par leur attitude) des grâces et bénéfices » de l'édit. Condamnés au bannissement, les relaps furent de surcroît punis, à partir de 1679, de la confiscation de leurs biens. Enfin, en 1680, le mariage entre fidèles des deux confessions fut totalement interdit. A n'en pas douter, ces mesures multiplièrent les conversions de façade.

Sur les bancs de l'école

Bien souvent aussi, les parents n'hésitèrent pas à envoyer leurs enfants dans une école ou un collège tenus par des membres de la confession adverse. A Gap, au début du siècle, le maître catholique et son homologue protestant, plus ou moins liés par des relations de parenté, décidèrent d'unir leurs efforts pour l'instruction des enfants, en proposant que « les enfants se puissent mêler indifféremment sous la promesse qu'ils font de ne toucher rien en ce qui concerne la religion, estimant par ce moyen faire avancer davantage la jeunesse et la tenir en paix ». Même le consistoire accepta et il fut convenu que le maître protestant pourrait, après leur avoir enseigné le catéchisme, « conduire les enfants à la grande classe pour que ceux qui sont capables de profiter des leçons du grand maître se puissent avancer, pourvu que nos enfants ne participent à aucune idolâtrie ni superstition [30] ». La situation dura ainsi une trentaine d'années, jusqu'à ce que le consistoire, dans les années 1630, mette en garde à plusieurs reprises les parents sur le danger de confier leurs enfants à un maître catholique [31].

En suivant de plus près les délibérations du consistoire de Gap sur la question de l'enseignement, on constate que ces réformés, minoritaires numériquement dans la cité, ne parviennent pas, à eux seuls, à mettre en place un cursus scolaire en rapport avec les ambitions éducatives qu'ils ont pour leurs enfants. D'où cette solution de conjugaison de leurs efforts avec les catholiques. Très souvent, c'est tout simplement au collège catholique que les protestants envoient leurs enfants, même s'il est tenu par les jésuites. Cela provoque les plus vives inquiétudes des synodes provinciaux. En Dauphiné, celui de 1600 décide de suspendre de la Cène les parents qui auraient opté pour cette solution pour leurs enfants, et même de les excommunier s'ils ne les retirent pas. L'année suivante, ces décisions sont confirmées. Mais à suivre la question dans les délibérations des années suivantes, on est porté à conclure que les parents n'obtempérèrent pas facilement. En 1603, outre la confirmation des sanctions prévues antérieurement, il fut décidé de rendre les pasteurs responsables de leur exécution, à peine de suspension. En 1608 et 1609, instructions et sanctions sont renouvelées et on décide d'une enquête pour connaître le nombre des fils de huguenots fréquentant le collège de Tournon; en 1613, on convient d'en dresser la liste. A l'évidence, l'attrait de la formation dispensée par les collèges de la Compagnie de Jésus est trop fort pour que les parents renoncent à en faire profiter leur progéniture [32]. Mais on se doute bien sûr que les jésuites ne ménageaient pas leurs efforts pour obtenir des conversions parmi ce public. D'ailleurs, lorsqu'ils étaient invités à prendre en charge un établissement scolaire dans une région de coexistence confessionnelle, il était bien rare qu'ils refusent. L'école était pour eux un front de lutte important contre le protestantisme et ils acceptaient alors parfois de s'installer dans des conditions difficiles. Tel est le cas de Nîmes où, lorsque les habitants catholiques eurent obtenu le mi-partiment du collège en 1633, les jésuites vinrent à leur invitation pour assurer la moitié des classes, l'autre demeurant aux mains de régents huguenots [33].

Tout autant que les collèges, les petites écoles furent, surtout en milieu rural, un lieu où se côtoyèrent quotidiennement les enfants des deux confessions. L'entretien d'un maître d'école représentait une charge lourde pour les communautés rurales. Lorsque la décision avait été prise d'en embaucher un, les parents qui souhaitaient faire enseigner les rudiments à leurs enfants ne regardaient guère si celui-ci était de leur religion. Lors du début de sa mission à Crest, en Dauphiné, Christophe Authier relève ainsi que dans cette localité, où les catholiques sont pourtant majoritaires, le maître est protestant et accueille de nombreux enfants de confession catholique [34]. Ailleurs, quand chacun des deux groupes a fait l'effort financier nécessaire pour subvenir au salaire d'un maître, il est vraisemblable que les parents se fient davantage aux aptitudes qu'à l'appartenance confessionnelle pour opérer leur choix; mais on ne peut pas exclure non plus des accords plus ou moins tacites entre les écolâtres et les parents, du type de celui de Gap, pour opérer la répartition des élèves entre les maîtres. Toujours est-il qu'on note des situations curieuses, comme celle que relève l'évêque à la Motte-Chalencon, dans le diocèse de Die, au cours de sa visite pastorale de 1644 :

« Il y a un maître d'école catholique, et un de la Religion réformée. Il y a des catholiques qui envoient leurs enfants chez le maître huguenot [35]. »

Les évêques se montrèrent de plus en plus attentifs à cette question des petites écoles au cours du XVIIᵉ siècle. Il ne faut pas oublier, en effet, qu'à leurs yeux l'école enseigne certes les « rudiments » (lecture, et éventuellement écriture, puis calcul), mais qu'elle est d'abord un lieu privilégié de l'instruction religieuse de l'enfant; dans leur conception, le maître est l'auxiliaire du curé. Or il se trouve que les protestants firent souvent preuve de plus de dynamisme que les catholiques pour la création d'écoles, comme le montre bien l'exemple du diocèse de Nîmes. En conséquence, si le faible nombre des collèges protestants conduisait beaucoup de huguenots à envoyer leurs enfants chez les jésuites ou les oratoriens, en revanche, dans le domaine de l'enseignement élémentaire, c'était souvent un maître protestant qui accueillait les élèves catholiques.

C'est sans doute en partie parce que cette pratique était difficile à interrompre que le roi décida en 1671 d'interdire aux maîtres huguenots d'enseigner autre chose que les rudiments; faute de mieux, on tentait ainsi d'empêcher que les enfants catholiques qui leur étaient confiés ne soient « pervertis ».

Malgré les oppositions et les craintes des dirigeants des deux Églises, l'école demeure largement au XVIIᵉ siècle un lieu de rencontre entre fidèles de l'une et l'autre confessions.

Les fondements d'une coexistence pacifique

Les raisons de la bonne entente qui règne souvent entre catholiques et protestants doivent d'abord être recherchées, du moins en ce qui concerne les élites locales, dans leur souci de ne pas compromettre la paix civile par les différends religieux. Robert Sauzet a ainsi montré qu'au cours des premières décennies d'application de l'édit de Nantes la bourgeoisie protestante de Nîmes s'employait à calmer les ardeurs antipapistes des milieux populaires, souvent prêts à recourir à la violence. Les prises de position de l'avocat Anne Rulman, dans la même ville, témoignèrent alors de la priorité accordée à la concorde civile par ces élites héritières des positions des « politiques » de la fin du siècle précédent. Dans une harangue de 1604, il célébrait la paix civile retrouvée malgré les désaccords religieux :

« Ces deux grands corps, peu s'en faut également puissants et forts, animés de l'esprit de deux religions appointées contraires, se sont si bien apprivoisés ensemble et se maintiennent en une telle union et alliance de cœur et de volonté que tout l'assaisonnement de leurs désirs et de leurs espérances gît en l'amour de la Royauté [36]. »

Beaucoup plus tard dans le siècle, les mêmes accents se retrouvent chez Antoine Arnauld, pourtant adversaire résolu du protestantisme et controversiste infatigable, qui écrit en 1670, au début de *la Perpétuité de la foi catholique* :

« On a appris par expérience que la diversité des sentiments sur la religion n'était pas incompatible avec la paix civile et politique. On s'est accoutumé à vivre sous les mêmes lois, sous les mêmes magistrats, sous les mêmes princes... Il n'y a plus certainement, dans le cœur des catholiques, de haine et d'aigreur contre la personne des religionnaires; et je veux croire que ces mêmes passions sont aussi éteintes dans le leur [37]. »

Malgré les discours enflammés des polémistes des deux camps qui tentèrent de jeter le discrédit sur l'adversaire, suspecté de manque de loyalisme à l'égard du souverain, les Français trouvèrent un facteur d'union dans un même culte de la monarchie et de la concorde civile.

Plus profondément, le pacifisme des élites s'enracine dans le sentiment que, protestantes ou catholiques, elles partagent une même culture. La fréquentation des collèges jésuites par les jeunes huguenots en fournit un bon indice. Les relations d'amitié entre magistrats des deux confessions ou les échanges épistolaires entre lettrés catholiques et protestants en sont autant d'autres. Ainsi la « petite république des lettres lyonnaise » réunit des érudits des deux religions; certains sont huguenots, d'autres ecclésiastiques ou même membres de la compagnie de Propagation de la Foi [38]. Amateurs d'histoire, d'archéologie, de numismatique ou de géologie, ils se rendent visite, s'écrivent, se fournissent des informations, reproduisant à l'échelle provinciale la célèbre académie parisienne des frères Dupuy. A Nîmes, des prêtres ont établi domicile chez des protestants aux enfants desquels ils donnent quelques leçons.

Au total, tout un milieu épris d'humanisme ignore les barrières confessionnelles. Les convictions religieuses de ses membres peuvent être très diverses. Si certains font preuve d'un grand attachement à leur Église, d'autres au contraire semblent glisser vers l'incrédulité et faire preuve de beaucoup de scepticisme sur les différends de religion; dans les rangs des « libertins érudits » du premier XVIIe siècle figurent bon nombre de convertis qui, en définitive, ne sont pas plus attachés à leur nouvelle qu'à leur ancienne confession [39]. Mais ces milieux sont aussi ceux dans lesquels se développent avec le plus de facilité les projets de réunion des Églises par concessions réciproques, comme si le rêve des humanistes de l'âge de la Réforme n'avait pas totalement disparu.

Au niveau populaire, une même culture rassemble aussi fidèles catholiques et protestants. Elle s'exprime d'abord par une conception de la religion. Les autorités protestantes ont beaucoup de peine à déraciner pratiques et croyances « superstitieuses » qui ont encore la faveur des milieux populaires huguenots. Ceux-ci accordent encore un pouvoir de guérison à l'eau des fontaines sacrées et ne dédaignent pas les pèlerinages; ils estiment même parfois que le baptême catholique a plus de vertu que celui de l'Église réformée [40]. La religion représente d'abord pour ces fidèles, comme pour certains catholiques, un recours et une protection contre les forces maléfiques et les menaces qui les environnent. Avec un temps de retard sans doute, mais avec autant d'acharnement, les autorités catholiques entreprirent aussi de lutter contre la conception magique de la religion chez leurs fidèles.

Dans les subtils rapports avec le surnaturel, il n'y a pas que la religion. On voit ainsi des protestants admonestés pour avoir « recouru aux sorciers » ou s'être adressés aux bohémiens « pour avoir leur bonne fortune » [41]. Là aussi, c'est bien la même mentalité que partagent les fidèles des deux confessions.

Ceux-ci se retrouvent encore dans des manifestations de sociabilité, autant profanes que religieuses, en particulier lors des fêtes catholiques. Le jour de la fête du patron de leur métier, les artisans huguenots se mêlent aux papistes pour processionner, ripailler et danser. Dans la décennie 1630, le consistoire de Die – cité pourtant réputée strictement protestante – doit blâmer ceux qui « ont fait la fête Saint-Crépin et sont allés par la ville en plein jour avec le ménétrier » [42]. Plus largement, bals, jeux et divertissements les plus variés réunissent le peuple des deux confessions.

Aux divers niveaux sociaux, des pratiques culturelles communes, des valeurs et des attitudes transcendaient les barrières confessionnelles, que pouvaient aussi sembler ignorer les relations professionnelles. Les liens économiques apparaissent en effet très forts entre protestants et catholiques.

En Languedoc, on trouve ainsi beaucoup de pauvres paysans catholiques au service de maîtres huguenots. Quant aux artisans religionnaires, ils ne dédaignent pas le travail qui leur était proposé par les catholiques ou par le clergé, y compris pour la restauration, l'entretien ou l'embellissement des églises : à Nîmes, un orfèvre fournit un calice, un serrurier place une croix sur la cathédrale, un apothicaire vend des cierges [43]. Plus généralement, il semble bien que les milieux du négoce d'une ville donnée, tout comme ceux de l'artisanat, aient encore souvent fait primer leurs intérêts communs sur les différends religieux.

Toutefois, il arrive fréquemment dans ce domaine des relations professionnelles qu'un des deux groupes confessionnels occupe une position dominante et tente d'en tirer parti sur le plan religieux. Les huguenots, dont on sait la forte représentation dans le négoce et l'artisanat en certaines régions, imposèrent ainsi leurs conditions aux travailleurs catholiques qui devaient compter sur eux pour avoir de l'ouvrage. Ici encore, le cas nîmois est le mieux connu. Les marchands protestants de la ville, plus nombreux et plus puissants que les catholiques, contrôlent largement l'industrie textile; aussi les artisans catholiques peuvent-ils être tentés, sinon de se convertir – ce qui arriva parfois – du moins de ne pas se manifester comme catholiques zélés. Au cours de la crise qui affecte cette industrie dans la seconde moitié du siècle, les artisans protestants souffrent moins du chômage que les catholiques; parmi ces derniers, ceux qui ont le plus de travail sont ceux qui ont des liens de parenté avec des huguenots, ou ceux qui font preuve de tiédeur religieuse [44].

La coexistence religieuse peut ainsi apparaître parfois comme imposée par les rapports de domination économique. Tout n'est donc pas faux dans l'analyse des polémistes catholiques qui attribuaient pour partie le maintien du protestantisme à la pression exercée par les notables réformés sur les classes populaires : l'artisan huguenot de Nîmes qui se faisait catholique risquait bien de se trouver sans travail. Comme le remarque Robert Sauzet, les « représailles économiques » restèrent l'ultime arme dont purent disposer les huguenots au temps de la restriction systématique de leurs droits [45].

Cette arme était toutefois à double tranchant : l'artisan catholique que son appartenance confessionnelle pénalisait dans sa recherche de travail pouvait passer brutalement d'une attitude de tolérance intéressée à une agressivité ouverte à l'égard des huguenots. Le contexte économique contribue ainsi à expliquer et le pacifisme religieux et les flambées de violence.

Tensions et « émotions »

Plutôt pacifiques à l'ordinaire, les relations entre les deux confessions se tendaient parfois brusquement, comme si la tolérance quotidienne n'était que le résultat d'un équilibre difficilement établi et toujours précaire. Divers indices montrent qu'un incident mineur suffit parfois à provoquer l'alarme dans l'une des communautés, surtout dans les premières décennies du siècle. A Gap, en 1619, la première fois où les capucins sonnent la cloche à minuit pour leur office, les huguenots sont épouvantés et craignent « que ce ne fût quelque signe fait par les catholiques pour les surprendre et s'en défaire [46] ». Même terreur à Die quelques années plus tôt : l'horloge des jésuites, déréglée, sonne trop souvent; les protestants volent aux armes, redoutant qu'il s'agisse d'un appel aux soldats pour occuper la ville [47]. La psychose de l'agression donne parfois naissance à des rumeurs, comme chez les protestants de Paris réunis au temple de Charenton, peu après la mort de Louis XIII :

« Le bruit courut qu'on voulait tous les massacrer au cours de leur service en plein air. Bien que la veille, déjà, ce bruit courût dans la foule, c'est seulement le lendemain, quand on fut à l'église, qu'il fut le plus fort et qu'il éclata. Car on disait que des masses étaient déjà prêtes à sortir des lieux retirés et des forêts où elles se cachaient. Il y eut une clameur lamentable. Chacun était alarmé et se mettait en position [48]. »

Cette peur peut saisir en certains cas les membres de la confession localement majoritaire. En 1621, à Grenoble, où les huguenots ne représentent qu'une petite partie de la population, les Dominicains décident d'envoyer à l'abri du couvent de Chambéry leurs titres et leur argenterie, par crainte d'un coup de main calviniste [49]. A l'inverse, la ville de Nîmes – majoritairement réformée – est à plusieurs reprises, en ce début de siècle, « secouée par des émotions suscitées par les appréhensions protestantes [50] ».

Chez ces hommes du début du XVIIe siècle, pour qui le souvenir des guerres de religion est encore vif, la crainte d'un coup de force s'explique sans peine. Mais cette atmosphère de peur contribue à son tour au déclenchement de violences, qui aviveront encore chez leurs victimes les suspicions au sujet des véritables sentiments de l'adversaire.

Dans ces flambées de violence, que le XVIIᵉ siècle appelle « émotions », le peuple tient le devant de la scène. A Nîmes, le monde de l'artisanat fournit à la fois les meneurs et les troupes de l'offensive contre les catholiques en 1621-1622, au moment de la reprise des guerres religieuses; si les violences contre les personnes sont limitées – notables et ecclésiastiques avaient eu l'heureuse idée de quitter la ville assez tôt – les lieux de culte subissent destructions et profanations; autels et croix sont abattus, les missels brûlés, tandis que se déroulent des processions sacrilèges. Au milieu du siècle, à nouveau, lorsque renaissent les violences réformées, les émeutiers sont encore des artisans [51]. En sens inverse, en 1623 à Paris, les gens de métier catholiques forment aussi l'essentiel de la cohorte des assaillants des maisons des huguenots du faubourg Saint-Marcel [52]. Ne participant pas directement aux offensives, les élites semblent le plus souvent les avoir désapprouvées. On ne peut toutefois oublier que le discours des polémistes et des responsables de chacune des deux religions invitait sans relâche à la détestation de la religion adverse, et en présentait les tenants comme les pires ennemis du christianisme. Inévitablement les images ainsi martelées imprégnèrent les mentalités et formèrent la toile de fond – et une manière de justification – aux agressions contre l'adversaire confessionnel.

Si l'on cherche à analyser plus précisément quelles sont les occasions de l'augmentation de la tension entre catholiques et protestants, on doit d'abord constater que c'est toujours dans un contexte de tentatives de modification de l'équilibre local des forces qu'agitations et émotions se manifestent. La confession victime de cette atteinte à ses positions – ou qui, du moins, croit percevoir une atteinte à ses positions – réagit alors par des manifestations d'hostilité; d'une certaine manière, peu importe qu'elle soit majoritaire ou minoritaire; seules la forme et la vigueur des réactions dépendent de ce dernier paramètre.

Les diverses entreprises catholiques de reconquête suscitèrent ainsi à maintes reprises la colère des protestants qui craignaient que soit remise en cause leur liberté religieuse. Il est par exemple frappant de constater que les épisodes déjà cités de Gap et de Die se situent l'un et l'autre immédiatement après l'installation d'un Ordre religieux connu pour son acharnement contre le protestantisme, les capucins dans un cas, les jésuites dans l'autre. Ailleurs, comme à Nyons, c'est une procession nocturne insolite qui provoque la « sédition » des protestants contre les catholiques [53].

Les missions organisées dans les localités partagées confessionnellement sont aussi souvent l'occasion d'une brusque montée de tension, et il arrive que des incidents éclatent soit au cours de la mission, soit après le départ des missionnaires. Ainsi, au début des années 1640, des capucins venus pour exhorter à la persévérance les catholiques de Saillans, localité où vient de se terminer une mission, sont victimes d'une attaque des huguenots : leur logis est assailli une nuit et toutes les vitres en sont brisées à coups de pierres [54]. Il suffit même parfois de l'annonce de l'arrivée de missionnaires pour jeter l'alarme. Dans la même région, à Bourdeaux, le pasteur entretient le peuple dans des « terreurs paniques », leur annonçant « que les moines y veulent planter leurs pavillons, qu'il y a des hommes masqués sur le château... Dernièrement, trois chaudronniers en casaques rousses venaient au village; il donna l'alarme que c'étaient des Minimes qui venaient y planter la croix; on courut avec effroi [55] ». L'acharnement des protestants à l'égard des croix doit en partie être analysé sous cet angle; plantées au cours des missions, elles symbolisaient la reconquête d'un territoire à la religion catholique. Les protestants, qui avaient toujours vu dans cet emblème religieux une idolâtrie, s'efforcèrent aussi de les faire disparaître en raison de l'accroissement de la vigueur locale du catholicisme qu'elles représentaient.

Même si le contexte de l'époque place le protestantisme sur la défensive et si ce sont donc surtout les tentatives de renforcement du catholicisme qui suscitent la tension, le phénomène inverse s'observe ici ou là. A Lille, en 1673, « la foule, excitée par le clergé, manifeste sa réprobation et sa colère » lorsqu'un prêche est organisé à l'intention des soldats réformés, et les enfants conspuent le ministre [56].

Les atteintes à l'équilibre local des forces peuvent aussi se dérouler sur d'autres terrains que celui de la religion proprement dite. Dans de nombreuses cités, les modifications qui surviennent au cours du siècle dans la répartition des fonctions municipales entre les deux confessions sont l'occasion de troubles. A Gap, pendant plusieurs décennies, les élections consulaires sont accompagnées de manifestations diverses, voire d'émeutes; ce sont d'abord les catholiques qui trouvent que le règlement de 1601 fait la part trop belle aux huguenots; ceux-ci, à leur tour, protestent à diverses reprises contre la réduction de leur place à la direction de la cité par l'arrêt de 1624 [57]. A Nîmes, l'arrivée de catholiques zélés au consulat provoque une prise d'armes protestante en 1657 et une fusillade a lieu devant l'hôtel de ville [58].

Mais l'accroissement des tensions ne saurait totalement s'expliquer par les tentatives de modification des forces au plan local. Il s'inscrit aussi plus largement dans des conjonctures nationales à la fois politiques et religieuses. Il existe des contextes qui favorisent les explosions de violence.

Il apparaît ainsi que le début de la décennie 1620 correspond à un paroxysme des peurs protestantes. Les huguenots redoutent alors une offensive conjointe du pouvoir civil et des forces de renouveau catholique; disposant encore à cette date d'une puissance militaire, ils sont prompts à prendre les armes pour défendre leurs droits. Le conflit ouvert sur lequel débouche cette phase de tension – les guerres de Rohan – favorise à son tour le déchaînement de manifestations d'hostilité dans de nombreuses régions.

Désarmé après la paix d'Alès et l'édit de grâce de 1629, le protestantisme conservait toute sa vigueur. La politique d'ordre conduite par Richelieu et relayée par les magistrats zélés pour la cause catholique ne permit guère pendant une quinzaine d'années ni un renforcement des positions huguenotes ni une réaction ouverte aux offensives religieuses de la Contre-Réforme. En revanche, au milieu du siècle, la tension connut un nouveau paroxysme. Le pouvoir montrant plus de tolérance pour les réformés, ceux-ci s'efforcèrent de regagner le terrain perdu, accrurent le nombre des lieux de culte et réagirent par la violence

aux offensives de la reconquête catholique. Les années 1650-
1657 sont ainsi parmi les plus tendues dans les rapports confessionnels dans une ville comme Nîmes.

Alors que les « émotions » protestantes se raréfient sous le
règne personnel de Louis XIV et que, d'une manière générale,
les possibilités d'expression des réformés se trouvent progressivement amenuisées, la tension latente va s'exprimer en plusieurs
cas par le déchaînement de violences catholiques. Au début des
années 1680, des temples sont attaqués à Grenoble, Loudun ou
Saintes, des Bibles huguenotes sont brûlées, des ministres –
comme celui de Vendôme – pris à parti [59]. Une fois encore, le
contexte politique pèse de manière non négligeable sur les rapports confessionnels.

Chapitre 7

ASSURER LE TRIOMPHE DE LA VÉRITÉ : LA CONTROVERSE

Pour endiguer l'hérésie dévastatrice et tenter de la faire reculer, les hommes de la Contre-Réforme déployèrent tout un arsenal. Même si les diverses armes utilisées le furent souvent simultanément, la clarté de l'exposition exige de les séparer.

La première qui se présente à nous est la controverse, c'est-à-dire le débat contradictoire, écrit ou oral, sur les matières de religion. Plusieurs raisons nous invitent à nous intéresser d'abord à elle. Elle connaît une vogue extraordinaire au début de la période qui nous intéresse, et prolonge en quelque sorte – sur un registre différent – les luttes armées de l'époque précédente. Elle est aussi le moyen auquel spontanément recoururent les champions des deux confessions, qui avaient utilisé ce genre de disputes dès les origines de la Réforme. Surtout, la controverse est une arme qui se veut totale : elle vise certes à la conversion de l'adversaire, mais par la démonstration de l'erreur de sa confession; en fait, son objectif est davantage la ruine des thèses adverses que la conversion individuelle. Son succès au début du XVIIᵉ siècle montre donc que le rêve d'un retour à l'unité chrétienne n'est pas alors totalement abandonné et que les esprits résistent à l'idée d'une fracture irrémédiable.

L'expérience le montrera vite, la controverse fige les positions des adversaires en présence plus qu'elle ne contribue à les rapprocher. Aussi, ces disputes, sans être totalement abandonnées, changent progressivement de forme et de fonction. A côté d'une controverse savante, vestige – vivant toutefois – des grands débats du début du siècle, une controverse plus sommaire, réduite souvent à la seule voix catholique, devient un des éléments de la pastorale de conversion de l'Église romaine. De temps à autre aussi, apparaissent encore des tentatives plus ou moins sincères d'un recours au débat religieux pour régler globalement la question de la séparation des chrétiens de France en deux Églises.

La controverse, guerre de livres

Les historiens l'ont souvent souligné, la situation de coexistence confessionnelle établie par l'édit de Nantes faisait de la France « un vrai paradis pour controversistes [1] ». La paix civile établie, les champions des deux confessions pouvaient s'employer tout à loisir à engager le débat théologique avec leurs adversaires. Chacune des deux confessions en présence pouvait faire valoir ses « preuves » pour se réclamer de la fidélité au Christ; chacune pouvait tenter de montrer que les positions de l'adversaire n'étaient pas fondées. En un temps qui ne pouvait concevoir que la vérité religieuse puisse se partager, le contexte de paix permettait à chacun d'entrer dans la discussion minutieuse des arguments, des sources ou des allégations de la partie adverse.

Et l'on ne s'en priva pas. La masse des ouvrages de controverse que nous a légués le XVIIe siècle est impressionnante. Un récent répertoire des livres de ce genre en dénombre plus de 7 000, soit une moyenne de 80 titres par an pour l'ensemble de la période où l'édit de Nantes fut en vigueur; pour les trente années qui suivent sa publication, et qui sont les plus riches en ouvrages de controverse, le nombre des titres s'élève à plus de 110 par an. Au moins pour ce début de siècle, c'est d'une fièvre qu'il faut parler plus encore que d'une vogue, comme le soulignait le *Mercure français* dans une évocation de l'année 1605 en France :

« On n'y fit la guerre qu'en papier... et belle était la liberté d'écrire en France en ce temps-là. Les curieux s'y amusaient [2]. »

Tous les livres publiés alors sont d'inégale ampleur. Certains ne comptent que quelques dizaines de pages; d'autres, en revanche, sont de pesants in-folio ou in-quarto de plusieurs centaines de pages. L'ampleur de ce corpus, comme aussi la difficulté de mettre aujourd'hui la main sur certains titres devenus rarissimes, expliquent pour partie que bien peu d'historiens aient été tentés par une investigation raisonnée dans cette immense littérature. On l'a souvent taxée tout à la fois de pédantisme et de grossièreté; on a insisté aussi sur le caractère répétitif de ces ouvrages. Finalement, beaucoup d'historiens se sont considérés comme dégagés du devoir de les examiner de plus près et se sont contentés d'analyser inlassablement quelques publications de « grands » controversistes, estimant ainsi avoir tiré la substance de ce véritable genre littéraire que fut pourtant la controverse. Récemment, des travaux ont tenté une investigation plus approfondie de ces livres poussiéreux, susceptibles de nous apporter beaucoup, tant sur l'évolution intellectuelle du siècle que sur les mentalités religieuses [3].

Dans cet immense ensemble d'ouvrages, trois types se distinguent. Les uns, les plus volumineux souvent, sont des traités de théologie polémique, écrits pour montrer le bien-fondé des positions d'une confession et réfuter les thèses adverses. Ce sont les écrits de controverse par excellence. Un deuxième type se présente sous une forme voisine, mais avec quelques variantes. Il s'agit des comptes rendus de conférences tenues verbalement entre des représentants de deux confessions. Toujours présentés comme parfaitement objectifs (« véritable narré », sont-ils souvent intitulés), ces comptes rendus sont en fait publiés par l'un des protagonistes qui s'efforce, par des ajouts et des commentaires – voire des déformations – de montrer qu'au cours de la conférence l'erreur de la confession adverse a été démontrée. Enfin, la troisième catégorie des ouvrages de controverse est celle des récits de conversion. Un néophyte, dont la plume est souvent guidée par quelque théologien, expose les motifs de son changement de confession et invite ses anciens coreligionnaires à le suivre.

Surtout dans le cas des ouvrages de la première catégorie, un livre de controverse provoque généralement une ou des rispostes de la partie adverse. L'auteur du premier ouvrage, ou l'un de ses frères de religion, intervient alors à nouveau pour défendre sa thèse. On assiste ainsi souvent à un combat en plusieurs manches, à la publication de livres étroitement liés les uns aux

autres, qui forment – selon la terminologie technique – une
« chaîne » d'ouvrages, genre réglé par certaines conventions, jusque
dans les titres choisis. Ainsi pour le catholique Le Féron, le titre
donné par deux pasteurs à leur livre destiné à répondre au sien
montre leur « ignorance, qui ne peut être pardonnable, vu qu'il
n'y a personne si peu versée en la dispute qui ne sache que la
Réplique suppose une Réponse, et que la première attaque que
l'on fait à un livre doit être appelée ou Apologie ou Réponse [4] ».
Les malheureux pasteurs avaient fait paraître une *Réplique* pour
attaquer le *Manifeste* publié par Le Féron ! Au-delà de la basse
polémique – qui est très présente dans la controverse – il faut
retenir de cette remarque que le débat confessionnel est régi par
les principes de la *disputatio* scolastique, héritée de l'enseignement universitaire.

Nombreux sont les thèmes abordés au cours de ces débats
écrits ou verbaux. Certains ouvrages ont prétention à aborder
l'ensemble des questions disputées entre les deux confessions,
d'autres se limitent à réfuter les positions de l'adversaire sur un
ou plusieurs thèmes. Sans doute la controverse va-t-elle de plus
en plus vers l'essentiel, au fur et à mesure qu'on avance dans le
siècle [5]. Les « valeurs sûres » – qui demeurent au centre du débat
– peuvent être rangées en quelques groupes. La question des
règles de la foi – qui implique celle du juge des controverses –
met face à face la doctrine réformée de l'Écriture seule et la
catholique de l'apport essentiel de la Tradition. Le débat sur
l'Église est le lieu d'un désaccord inextinguible puisque les uns
insistent sur l'essence spirituelle de l'Église et les autres sur son
caractère institutionnel. Dans le domaine des sacrements, l'Eucharistie, avec les questions de la transsubstantiation et de la
messe, est au cœur du débat. Enfin, les pratiques de piété
catholiques et leur rôle satisfactoire mettent volontiers en verve
les polémistes réformés. On peut s'étonner que les problèmes de
la grâce et de la prédestination, qui provoquent tant de remous
à l'intérieur même des Églises au cours du XVIIe siècle, n'aient
pas eu plus de place dans le débat interconfessionnel. La réponse
réside sans doute précisément dans les divergences internes qui
régnaient sur ces questions ; le sujet était peut-être trop brûlant
pour les uns et les autres. Au total, avec trois siècles de recul,

la liste des questions débattues met surtout en relief l'existence d'un nombre considérable de points d'accord entre catholiques et réformés. Même acerbe dans le ton, même empreinte de la certitude que l'adversaire est damné du fait de son erreur, la controverse demeure fondamentalement un dialogue entre frères chrétiens séparés.

Les premières décennies
ou le succès de la conférence verbale

Riches en publications de controverse, les premières décennies du XVIIᵉ siècle sont aussi celles au cours desquelles les adversaires font preuve de la plus grande fougue, comme en portent témoignage aussi bien les titres des ouvrages que le ton adopté dans l'argumentation. C'est l'époque où ces livres s'ouvrent par des titres qui occupent une bonne part de la page qui leur est consacrée, offrant comme un sommaire des thèmes développés par l'auteur et clamant surtout sa victoire sur ses adversaires. En voici un exemple. En 1608, l'abbé général de l'Ordre des Antonins publie une *Démonstration que ce que l'Église enseigne de la présence réelle du précieux corps de Jésus-Christ au Saint-Sacrement de l'autel n'est que pure parole de Dieu; en laquelle tant s'en faut que la religion prétendue réformée puisse trouver un seul mot pour vérifier ce qu'elle tient de sa Cène, qu'elle lui est diamétralement contraire; comme aussi la doctrine de tous les saints Pères. Le tout distribué en XVIII dialogues, dans cinq desquels est brièvement déduite la dispute de l'auteur avec un ministre...* Quelques lignes complètent encore ce titre! C'est l'époque aussi où le goût est aux titres imagés, comme dans le cas des livres du Père Richeome, ou dans celui de ce *Réveil-matin catholique aux dévoyés* [6], de ce *Petit Renardeau de Genève découvert, pris et battu* [7], ou de cette *Piperie des ministres* [8]. A côté d'austères ouvrages bardés de références latines ou grecques et de renvois à d'autres auteurs, figurent des livres cherchant à ridiculiser les doctrines adverses ou s'attaquant ouvertement aux personnes, n'hésitant pas à user d'injures. Le ton n'est pas alors à la demi-teinte; chez les protestants comme chez les catholiques, il est en rapport avec cette certitude – que nous avons présentée pour la partie catholique – que l'adversaire est un suppôt de Satan.

Ce début du siècle est aussi l'époque où les conférences verbales sont le plus prisées. Émile Kappler, qui a étudié les 166 conférences connues avec précision par des comptes rendus écrits, note que 70 % de ce nombre eurent lieu entre 1593 et 1630 [9]. Se déroulant surtout à Paris ou dans les provinces très partagées religieusement comme le Dauphiné, ces conférences mettent rarement face à face des laïcs. Le plus souvent, ce sont des pasteurs qui défendent les thèses réformées tandis que les champions du catholicisme sont surtout des religieux ; capucins et surtout jésuites, les religieux, généralement formés à l'art de la controverse, occupent les premiers rangs dans ce combat, qu'il soit écrit ou verbal.

Si certaines conférences procèdent de la rencontre fortuite de deux adversaires, et s'il arrive qu'on dispute de religion dans les hôtelleries ou le long des routes, la conférence obéit ordinairement à un rituel bien réglé. Organisées pour obtenir la conversion d'une personne hésitante – ou présentée comme telle, car le résultat est alors souvent acquis d'avance – ou encore suscitées pour permettre la confrontation publique devant un auditoire mélangé, les conférences commencent par un « défi ». L'assaillant, qui est le plus souvent le champion catholique, fait tenir à son adversaire un « cartel » exposant brièvement les thèses qui sont proposées au débat. Des pourparlers s'engagent alors, si l'adversaire accepte la rencontre, pour fixer les conditions de son déroulement. Ordinairement, un bureau est mis en place, composé d'un président – généralement un personnage important de la localité – et de « modérateurs » appartenant aux deux confessions. Sa tâche est de faire respecter les conditions nécessaires au bon déroulement des séances, d'assurer l'ordre, d'éviter qu'on s'écarte du sujet. Des secrétaires prennent note des résumés des interventions. Parfois aussi deux « vérificateurs » sont chargés de veiller à l'exactitude des références et citations scripturaires données par les polémistes ; pour chacun d'eux le vérificateur appartient à la confession adverse.

Ce débat réglé se déroule pendant plusieurs heures, et parfois plusieurs jours, devant un public plus ou moins vaste. Parfois, les invités n'appartiennent qu'à des catégories sociales susceptibles d'apprécier la valeur des arguments échangés, d'autres fois les portes de la salle sont plus largement ouvertes. Il va sans dire que, dans ce dernier cas au moins, il n'est pas toujours aisé d'imposer le silence à l'auditoire ; interpellations et rires ponctuent les interventions, quand on n'échange pas des coups. Plus d'une conférence fut interrompue avant son terme normal par les autorités civiles craignant qu'elle ne dégénère en bataille rangée dans la cité. Il arriva même que de telles rencontres fussent purement et simplement interdites pour ne pas troubler le « repos public ». Une fois encore, on s'aperçoit ici que la paix civile instaurée par l'édit de Nantes était dans bien des lieux d'une grande fragilité.

Si la conférence se termine normalement, ce qui signifie qu'on a épuisé les arguments relatifs à la question en débat mais non qu'on a convaincu l'adversaire, les deux protagonistes signent le procès-verbal établi par les secrétaires et en reçoivent un exemplaire. Le débat se poursuit alors de plusieurs manières, chacun des polémistes s'efforçant de tirer parti de la conférence à son profit. On clame haut et fort – dans des prédications par exemple – qu'on a anéanti les preuves de la doctrine adverse ; on publie surtout des récits de la conférence, agrémentés de commentaires destinés à montrer à un public insuffisamment au fait des argumentations théoriques que ce fut bien une victoire. La polémique se poursuit alors par écrit.

Les enjeux de la controverse

Les conférences de ce début du XVIIᵉ siècle entre les théologiens des deux confessions peuvent paraître bien étranges à l'observateur de la fin du XXᵉ siècle. Espérait-on vraiment trouver une solution aux différends religieux par ces combats réglés ? La réponse à cette question est difficile ; elle suppose en effet d'analyser la signification que les polémistes donnaient à leur engagement dans ces joutes. C'est cette analyse que nous voudrions tenter maintenant, en insistant particulièrement sur le point de vue catholique, tant par fidélité à notre propos général que parce que, le plus couramment, l'assaut est donné par les champions de l'Église romaine. Ajoutons que les remarques relatives aux disputes verbales nous apparaissent largement valables – au moins pour les premières décennies du siècle – pour les controverses par écrit.

On ne peut tout d'abord manquer d'être frappé, à suivre le déroulement d'une conférence, par ses analogies avec le duel, si prisé à l'époque. Du duel, la conférence a en effet la forme : combat dont les règles sont fixées par entente préalable, elle est une *rencontre* devant témoins, après qu'un *défi* a été lancé. Les comptes rendus écrits de ces débats emploient d'ailleurs volontiers le vocabulaire propre au duel. Voici par exemple un religieux qui renonce à poursuivre la dispute avec un pasteur parce que celui-ci est « sans poignard, sans épée, sans vie, sans honneur, ayant perdu le tout en cette monarchie [= combat singulier] de langue ». En 1620, un auteur anonyme établit explicitement le parallèle entre les deux types d'affrontement :

« S'il a plu au roi [de] permettre les duels entre les particuliers avec ordre et connaissance de cause afin de prévenir de plus grands maux pour le général, les conférences privées avec les ministres ne sont pas moins utiles pour affaiblir un parti avec la réduction de ceux qui le désirent et lesquels y font leur profit [10]. »

La controverse apparaît ainsi comme un substitut de la guerre, moins coûteux certes en vies humaines, mais non moins décisif dans l'esprit de ses protagonistes. Les champions catholiques entendent bien terrasser les responsables des Églises réformées, à moins que ceux-ci, par la fuite, ne s'avouent vaincus d'avance et renoncent à leur honneur. Symboliquement, la controverse doit priver le peuple huguenot des têtes qui le maintiennent dans l'erreur. L'ardeur des polémistes de l'Église romaine s'explique donc largement par leur conception d'un protestantisme imposé à des fidèles tenus en tutelle par les pasteurs. Les armes utilisées sont celles de la dispute scolastique, dans laquelle « la parole est l'objet d'un prestige et d'un pouvoir réglés, l'agressivité est codée [11] ».

Comme le duel, la controverse est aussi un spectacle. Certains de défendre la Vérité, et non moins certains que celle-ci est toujours victorieuse, les champions catholiques veulent faire du débat un théâtre de la manifestation de la Vérité – on est presque tenté de dire de son apparition, au sens le plus religieux du terme. Ce spectacle doit conforter les fidèles, leur fournir des arguments; il doit aussi jeter le trouble dans l'esprit des tenants de l'erreur et montrer la vanité des justifications qu'ils se donnent. Lorsqu'ils harcèlent les pasteurs pour leur faire accepter le débat, les membres du clergé soulignent toujours cette certitude que la Vérité jaillira. Voyant les « esprits aveugles » que sont les protestants dans une « obstination inébranlable » – certains que leurs ministres ont réponse à tout – Christophe Authier propose une conférence au pasteur de Saillans pour qu'ainsi « l'erreur du peuple puisse devenir évidente par la grâce divine [12] ».

Pour cette manifestation, la dispute verbale est de loin préférable à la polémique écrite, comme le souligne Pierre Coton, à l'adresse des théologiens réformés :

« Vous autres ne redoutez rien tant que la dispute. La dispute est la pierre de touche qui fait paraître vos bas or et le mauvais aloi de vos opinions. Le papier endure tout, la plume couche tout, la feuille porte tout, la lettre ne rougit pas; on bâtit, on démolit, on mue, sur une table, la plume à la main, ce qu'on veut; on combat son adversaire, on dissimule les objections, on déguise les propositions, on renverse les conclusions... Au contraire, en la dispute de vive-voix on répartit sur-le-champ... on vous contraint de demeurer pied-coi, ferme dans le pourpris de raison, de logique, de syllogisme... Là enfin, on paraît tel qu'on est [13]. »

Confiants dans les vertus illuminatives de débats qui devaient faire tomber le masque flatteur dont se parait l'hérésie, certains ecclésiastiques parcoururent les provinces pour entamer le débat partout où ils rencontraient un pasteur. Le plus célèbre d'entre eux est François Véron, mais il fut loin d'être le seul; dans *le Petit Renardeau de Genève* sont rapportés les exploits du Père Suffren, jésuite en résidence à Avignon, qui parcourt la vallée de la Durance et les Baronnies au début de la décennie 1610 et s'arrête partout où existe un temple [14]. Trente ans plus tard, Le Féron dressait son propre bulletin de victoire, qui prouve au moins qu'il avait déployé une intense activité de controverse :

« Depuis que Dieu m'a fait la grâce de travailler en cette

province [le Dauphiné] à la réduction des dévoyés, j'ai eu conférence de vive voix et par écrit avec plusieurs ministres, même avec le Sieur Bourel, avec le Sieur Félix, Rudel, et plusieurs autres. J'ai conféré par écrit avec le ministre Maillefaud, de Saint-Marcellin, le ministre du Marche, de Beaumont de cette province, lesquels à l'imitation de leurs ancêtres, m'ont rendu mal pour bien, ainsi que parle l'Écriture; car après leur avoir fait connaître la vérité de la Religion Catholique, ils se sont vantés d'avoir vaincu, et m'ont chargé de calomnies et d'impostures [15]. » Pour le moins, il semble donc que la manifestation de la Vérité n'ait pas toujours été éclatante lors des débats entre Le Féron et ces pasteurs. Et l'on peut légitimement s'interroger sur la possibilité pour des fidèles peu versés en théologie de voir apparaître de manière quasi tangible la Vérité au cours d'une dispute scolastique. En fait, nos controversistes étaient pleinement conscients de cette difficulté. Le compte rendu de la conférence avait pour fonction, rappelons-le, de démontrer – par ses commentaires – que la bonne cause avait bien triomphé. La description qui était donnée du comportement de l'adversaire ne laissait planer aucun doute sur l'issue qu'avait connue le débat, même pour le lecteur le moins érudit. Voici par exemple comment le même Le Féron relate l'attitude de ses adversaires grenoblois lors d'une conférence :

« Jamais bouffon ne donna tant à rire sur un théâtre que ces deux ministres firent en leur cabinet; car tantôt le vieux reprenait le jeune, tantôt le jeune tançait le vieux. Et il n'y avait pas même jusqu'aux consistoriaux [= membres du consistoire] qui, ayant pitié de leurs ministres embâillonnés, s'armaient de fureur et de rage... pour s'efforcer à donner quelque meilleure raison qu'eux. C'était une arche de Noé, une Babel de confusion... On eût eu bien de la peine à s'empêcher à mourir de rire [16]. »

Ce texte suggère que, sans attendre la publication de son compte rendu, Le Féron s'était employé dès la conférence à mettre les rieurs de son côté. En d'autres termes, au cours des disputes verbales, le triomphe de la Vérité ne passait pas que par la force des raisonnements. Pour donner la certitude que les positions catholiques étaient invincibles, on comptait autant sur la forme du débat que sur la puissance de l'argumentation : il fallait, en toutes circonstances, garder l'avantage sur l'adversaire, tourner en dérision ses preuves, rester surtout maître du terrain à la fin du combat. L'éternelle provocation au débat était un élément de cette tactique. Ancien capucin converti au protestantisme, Gabriel Martin raconte ainsi ses exploits accomplis sous la bure :

« Bouffi de la témérité et cafarderie capucine, je faisais fort le fendant et remplissais l'air de bravades et menaces contre les ministres... Je ne faisais et en chaire et hors de chaire que braver, mépriser et défier en l'air Messieurs les ministres, qui étaient bien loin de moi... [Après l'arrivée d'un ministre,] je renforçais mes bravades, je n'attendis pas qu'il me vînt trouver, je fus l'attaquer le premier devant la porte de l'Église... je conviai les plus signalés et capables de la ville pour être spectateurs et juges de cette conférence [17]. »

Plusieurs décennies plus tard, un protestant relevait le même comportement chez les missionnaires de la vallée de Pragelas :

« Si on les en croit, ils ont remporté [sur leurs adversaires] autant de victoires qu'ils ont livré de combats. Ils savent tout, ils pensent tout, ils font tout. Pour des calomnies et des injures, ils en vomissent autant que l'Enfer est capable d'en forger... Pour d'effronterie et d'opiniâtreté à dire et redire une même chose, sans s'arrêter en nulle manière à toutes les raisons et réponses qu'on leur donne, il y a du prodige dans celle qu'ils font paraître [18]. »

Ces témoignages protestants, qui rendent bien le sentiment de harcèlement permanent qui fut celui du petit troupeau, semblent aussi nous indiquer que le théâtre de la Vérité eut parfois recours à des « ficelles » un peu grosses. Les huguenots ne furent d'ailleurs pas les seuls à critiquer la manie de la controverse. Mais on ne peut abandonner ce chapitre sans évoquer le champion « toutes catégories » de ces disputes, François Véron.

La Véronique, « bref et facile moyen »

Entré dans la Compagnie de Jésus en 1595, Véron y commença une longue activité de missionnaire et de controversiste [19]. Mais, avec l'autorisation de ses supérieurs, il quitta la Compagnie en 1620 pour se consacrer entièrement à la lutte contre le protestantisme. Il devint alors un controversiste itinérant, parcourant les provinces pour affronter les pasteurs, formant des disciples, publiant sans relâche livres et opuscules. Pourvu en 1638 de la cure de Charenton – localité où, rappelons-le, était célébré le culte pour les réformés parisiens – Véron meurt en 1649.

L'activité débordante de ce controversiste rend bien difficile l'établissement d'une chronologie détaillée de ses faits et gestes. Ainsi, immédiatement après sa sortie de la Compagnie de Jésus, on le voit proposer ses services à l'archevêque de Rouen en 1620, puis se rendre la même année en Saintonge; en septembre 1621, il court avec l'approbation de l'assemblée du clergé porter la contradiction à Sainte-Foy où se déroule le synode de Basse-Guyenne. Puis on le trouve en Brie et en Champagne. En 1624-1625, il est en Languedoc où il obtient des subsides des États provinciaux... Pendant ces mêmes années, il multiplie les démarches à la Cour, à Rome, auprès des assemblées du clergé, pour obtenir la possibilité de fonder une congrégation dont les membres se voueraient entièrement à la controverse. Il ne souhaitait pas fonder un nouvel Ordre religieux, mais plutôt créer un organisme au sein duquel tous les clercs, séculiers et réguliers, qui luttaient contre le protestantisme seraient réunis; son projet était celui d'une sorte de coordination des efforts par un regroupement au sein de cette congrégation qu'il voulait intituler « de Propagation de la Foi » et dont il souhaitait confier la tutelle aux évêques.

C'est donc d'une entreprise de grande envergure contre le protestantisme que rêvait François Véron. Il était en effet persuadé, comme beaucoup de controversistes de sa génération, que quelques années de disputes habilement conduites dans toutes les provinces du royaume par des ecclésiastiques bien formés viendraient facilement à bout de l'hérésie. Cette certitude reposait sur son analyse de la situation religieuse des campagnes, qu'il exposa au roi en 1624 dans un de ses opuscules. Il y évoquait d'abord la certitude du peuple protestant d'être dans la vérité :

« Ce... peuple n'est de cette religion que pensant bien faire et que sa révolte contre l'Église soit une vraie réformation; je ne dis pas que le libertinage n'y contribue quelque chose, mais peu; s'ils pensaient mal faire, ils s'en retireraient. » Il ajoutait alors que si les yeux du peuple ne s'ouvraient pas, c'est parce que les pasteurs s'employaient à le maintenir dans l'hérésie et que les curés, tant par leur formation que par leur comportement, étaient bien incapables de le détromper :

« Tous les ministres, par toutes les campagnes, sont communément plus doctes et capables que les curés des mêmes lieux, et souvent encore plus réglés en leurs déportements extérieurs. Nous avons l'avantage sans comparaison sur ces faux pasteurs en ces qualités dans les bonnes villes, où demeurent plusieurs personnages séculiers et réguliers de doctrine et probité grande. Mais ils ont aussi le dessus sans difficulté en toutes les campagnes, dans les lieux susdits. » Dès lors « qui s'étonnera, Sire, si ceux qui sont nés dans l'hérésie y demeurent, n'entendant parler de la Religion catholique que par la bouche de leurs ministres, avantagés en ces qualités par dessus les curés? J'estimerais plutôt que ce serait un miracle s'ils se convertissaient. »

Proposant des remèdes, Véron voyait comme solution à ces maux l'attribution des cures, par concours, à de saints ecclésiastiques. Mais ce renouvellement nécessitait du temps. Un secours extraordinaire s'imposait donc, d'où son idée de congrégation :

« Faut cependant donner secours à l'Église par une voie extraordinaire, savoir par gens doctes, missionnaires qui combattent les ministres, désabusent le peuple errant et suppléent aux défauts susmentionnés. Et pour ce que le peuple que nous avons est peu capable, faut pour procéder par des façons sensibles, éloignées des subtilités de conséquence, et des difficultés naissant des langues [20]. »

L'ensemble de cette analyse, qui fonde le comportement de Véron, est d'une parfaite cohérence. Il n'était peut-être pas inutile de la rappeler, tant l'historiographie a tendance à présenter Véron seulement comme un fanfaron ou un esprit fantasque. Encore une fois, redisons que ce personnage a surtout voulu organiser à grande échelle le type de lutte que suggérait très logiquement l'image du protestantisme qui avait cours dans les esprits catholiques du temps.

Évidemment, sa méthode de controverse, destinée à détromper

un peuple « peu capable », a paru bien sommaire et bien expéditive. Et il est vrai qu'elle n'a rien à voir avec les argumentations érudites de beaucoup d'ouvrages du temps. Mais elle n'entendait nullement rivaliser de finesse; son seul but était d'éclairer le peuple en infligeant la défaite aux ministres. Cette méthode a souvent été appelée la « Véronique ». Ce label, que nous employons à notre tour, est en fait assez mal choisi. D'abord, parce que le premier emploi du terme revient à un adversaire de Véron qui proposait, dans l'ouvrage portant ce titre, un « Remède salutaire contre la morsure du vieil serpent »; l'auteur donnait ainsi à son livre, en faisant référence aux vertus de la plante du même nom, un titre imagé tout à fait dans le goût du temps [21]. De plus, la méthode de controverse de Véron fut largement employée et popularisée par lui; mais son véritable initiateur est le jésuite Jean Gontery [22].

Qu'est donc cette Véronique au sens où le terme est généralement entendu? De nombreux écrits de Véron permettent d'en avoir une idée assez précise; à partir de 1615 en effet, notre controversiste ne négligea aucune occasion de montrer comment il s'y prenait pour « bâillonner » les ministres, les « rendre muets », les « mettre à l'inquisition » ou les « mettre en fuite ». Il annonçait lui-même en 1638 avoir publié 21 éditions de sa méthode. Les principes de base en sont très simples. D'une part, les réformés, qui se sont révoltés contre l'Église, ont à faire les preuves du bien-fondé de leurs croyances; le catholique doit toujours rester en position de « défendeur » et se contenter de poser des questions. D'autre part, comme les protestants considèrent que l'Écriture est la seule règle de la foi, il faut les contraindre à montrer quels passages de la Bible fondent les divers articles de leur confession de foi. Cette dernière, dans son article 5, ne dit-elle pas que « d'autant que (l'Écriture) est règle de toute vérité, contenant tout ce qui est nécessaire pour le service de Dieu et notre salut, il n'est loisible aux hommes, ni même aux anges, d'y ajouter, diminuer ou changer »?

Ce n'est que lorsque son adversaire s'était reconnu dans l'impossibilité de trouver des passages de l'Écriture qui justifient explicitement la doctrine protestante – et ce que cela avait été noté – que Véron lui concédait de recourir aux « conséquences », c'est-à-dire à des preuves par raisonnements à partir de l'Écriture. Mais Véron n'omet jamais de souligner que les règles de la logique, sur lesquelles on s'appuie alors, sont héritées des philosophes grecs et non de Jésus; par ailleurs, chacun sait que la raison est faillible; la validité des syllogismes est donc discutable...

En tout cas, pour Véron, il était clair que les réformés ne pouvaient prétendre que leur croyance était tirée de l'Écriture elle-même. Et c'était l'essentiel. Comme les pasteurs refusèrent rapidement les propositions de débat que leur faisait Véron, celui-ci prit l'habitude d'aller assister aux prêches et de les réfuter ensuite sur la place publique, renouvelant ses invitations à la dispute, promettant même de se convertir « si une seule des propositions des protestants est dans la Bible [23] ». Ces prédications en plein air connaissaient selon lui un franc succès : elles procurent, écrit-il au pape en 1622, « une grande gloire pour l'Église, la confusion des ministres, la conversion de beaucoup et des doutes dans le cœur de tous les errants [24] ».

« Nouvelle, facile et solide », selon cette même lettre, sa méthode de controverse devait – aux dires de François Véron qui la considérait comme « infaillible » – permettre d'obtenir rapidement beaucoup de conversions. Ses opuscules fournissent d'ailleurs des nombres impressionnants de convertis. On peut n'y voir que fanfaronnades; mais on peut aussi considérer que Véron est un propagandiste-né, dont les brochures répétitives et triomphalistes sont autant de tracts publicitaires. Sans doute cherche-t-il par là à obtenir l'appui des autorités civiles et religieuses; surtout, il est un expert, avant l'heure, de la manipulation de l'information : il s'agit de faire savoir par tout le royaume qu'aucun pasteur ne lui tient tête et que les conversions se multiplient; il espère ainsi ébranler dans leurs convictions les huguenots de toutes les provinces. Véron est en définitive un homme des médias, préférant la simplicité du message aux subtilités intellectuelles, et préoccupé surtout de l'organisation d'une campagne nationale de conversions.

La simplicité de sa méthode faisait dire à Véron que même des laïcs peu instruits pouvaient l'utiliser; et l'on sait qu'il forma des artisans qui abandonnèrent leur métier pour se consacrer entièrement à la controverse. Beaucoup d'ecclésiastiques eurent recours aux procédés de Véron, en particulier parmi les missionnaires. Par exemple, dans les années 1640, voici Christophe Authier qui entre en conversation avec le châtelain de Saint-Nazaire, « homme ignorant, très fier de lui, gonflé de présomption hérétique ». Le missionnaire lui montre que la Bible de Genève elle-même « ne contient pas un seul des articles de la foi calviniste opposés à l'Église romaine ». Le succès est alors total :

« Le malheureux châtelain feuillette encore et encore sa Bible, et ne trouve rien à son avantage. Blême, il hoche la tête et se la frotte; il s'exclame alors : « Bon Dieu, en est-il ainsi? est-ce donc que tant d'hommes qui professent notre religion se trompent? Vraiment, si je suis abusé, je dois me résoudre [25]. »

Les réticences protestantes

Du côté protestant, la méthode de Véron fut rapidement présentée comme une véritable dénaturation du débat. « Tout ce que dit Véron est tour de souplesse pour noyer la conception des auditeurs dans une multitude de paroles », écrivait dès 1619 un réformé qui avait très bien saisi les objectifs du polémiste catholique [26]. De plus, en utilisant la Véronique, n'importe quel catholique pouvait s'improviser controversiste, comme le remarquait le pasteur Daillé :

« Leur invention a été trouvée si plausible que plusieurs de nos adversaires y ont réduit toute leur dialectique, estimant que pour nous défaire il ne faut que nous demander un passage exprès et formel sur chaque article de notre confession de foi, et que quiconque est capable de presser cette demande l'est aussi de nous vaincre... Au lieu qu'au commencement ils fuyaient les conférences sur la religion et ne permettaient qu'aux clercs d'en parler, maintenant toutes sortes de gens les recherchent jusques aux lingers et aux garçons de pâtissiers, devenus Docteurs en un instant par cette belle méthode [27]. »

Dans son *Avertissement sur les disputes et les procédés des missionnaires,* le pasteur Charles Drelincourt dénonçait aussi les méthodes des polémistes catholiques qui « ne veulent jamais répondre aux questions qu'on leur fait, parce que, disent-ils, ils sont en possession [28] ». Plus généralement, il stigmatisait « l'esprit d'aigreur, de haine et d'animosité » de ses adversaires :

« Ils ne font que chicaner, et la plupart de leurs questions ne sont que sur des mots et des choses curieuses, et qui ne sont nullement nécessaires au salut. Leur but est de nous surprendre, s'il leur était possible, et de mettre tout en trouble et en confusion [29]. »

Les procédés de Véron et des véroniens ne firent qu'accentuer les réticences qui, dès le début du siècle, s'étaient fait jour chez les protestants à l'égard des disputes, et que reflète le fléchissement progressif de leur production imprimée. Fondamentalement, en effet, les réformés considéraient que les questions en litige étaient trop dignes pour être traitées par la polémique. Tel était l'avis de Pierre Du Moulin, qui s'engagea pourtant à de nombreuses reprises dans le débat religieux :

« Recevoir ou envoyer des cartels, c'est chose autant éloignée de mon humeur que contraire à ma profession. » Il ajoutait ne pas vouloir « transformer le glaive de l'Évangile en fleurets et s'en servir pour jouer ou pour contenter la curiosité des premiers venus ou pour servir à leurs desseins domestiques [30]. »

Les synodes provinciaux avaient très tôt aussi montré de la défiance. Dès 1601, celui du Dauphiné soulignait qu'il fallait se méfier d'adversaires « qui ne pensent l'emporter que par un amas de paroles par lesquelles ils s'efforcent de couvrir la vérité ». Quelques années plus tard, il complétait cette mise en garde en évoquant les disputes « qui servent plus à l'ostentation de la suffisance des disputants qu'à l'édification des peuples [31] ».

Ultérieurement – surtout après 1630 – le zèle controversiste des huguenots fut aussi ralenti par les menaces de poursuites judiciaires qui pesaient sur les polémistes imprudents dans leurs paroles ou leurs écrits. Les compagnies de dévots veillèrent en effet avec soin à ce que les Parlements engagent des poursuites chaque fois qu'il y avait eu une atteinte à l'honneur de la Religion catholique, apostolique et romaine; et la législation de plus en plus répressive en ce domaine contint dans des bornes de plus en plus étroites la liberté de parole des pasteurs. Prenons l'exemple du Dauphiné. Dès 1628, un ouvrage d'un pasteur de Grenoble est condamné par le Parlement à être « publiquement lacéré sur la place du Palais, par l'exécuteur de la haute justice et ensuite jeté au feu ». Une quinzaine d'années plus tard, un ouvrage d'un pasteur de Veynes fut aussi brûlé, tandis que l'auteur, l'imprimeur et les pasteurs qui avaient délivré une approbation étaient poursuivis. En 1660, nouvel autodafé d'un livre dont l'auteur est condamné aux galères et l'imprimeur au bannissement, tandis que deux pasteurs étaient poursuivis à la même époque pour des « paroles séditieuses, et termes remplis d'invectives et injures » contre le catholicisme [32].

Il fallait de plus en plus de courage pour ouvrir le débat avec les champions du catholicisme qui, bien évidemment, renforçaient leur tactique de harcèlement. Beaucoup de pasteurs gardèrent alors le silence, au scandale des plus fougueux qui ne pouvaient accepter que la vérité soit tue. L'auteur du dernier ouvrage dauphinois de controverse avant la révocation écrivait ainsi :

« Nous vivons dans un temps où la vérité est si odieuse que quelques-uns même de ceux qui sont appelés à la prêcher et à la défendre craignent de le faire, évitant soigneusement de traiter les controverses, ou ne le faisant que très rarement et très légèrement... L'exemple de quelques Ministres, que d'autres appelleront sages et politiques, mais que je nomme lâches et prévaricateurs, bien loin de me détourner de mon dessein, m'a plutôt encouragé à l'exécuter afin de réparer toujours d'autant le tort qu'ils font à notre cause [33]. »

Des catholiques partagés

Du côté catholique, la conception de la controverse rencontrée chez Véron et ses contemporains ne disparut jamais totalement avant 1685. Beaucoup de missionnaires, en particulier, envisagèrent le débat de cette manière et intégrèrent ce type de polémique à leur pastorale multiforme.

Mais la méfiance à l'égard de la controverse, et en particulier à l'égard de sa forme simplifiée et triomphaliste, exista aussi. Ainsi, les autorités romaines voyaient plus d'inconvénients que d'avantages aux disputes qui se déroulaient en France. Dans un texte de 1645, la Congrégation *de Propaganda Fide* – ministère pontifical des missions – n'en conteste pas le caractère licite mais juge qu'il vaut mieux y renoncer; si cela est impossible, il convient de ne confier la défense des positions catholiques qu'à des hommes de savoir. Pour sa part, se référant à un décret du Saint-Office de l'année précédente, le Général des jésuites écrivait en 1629 :

« Ces conférences, le plus souvent inutiles, sont parfois dangereuses pour le bien de la religion; aussi sont-elles condamnées par le Souverain Pontife [34]. »

Certains des clercs engagés dans le combat de la Contre-Réforme estimaient aussi qu'il y avait mieux à faire que de défier les ministres. Jean Eudes, qui pensait que la méthode de Véron pouvait être utile si l'on était vraiment poussé à la dispute, recommandait à ses missionnaires une grande prudence dans la prédication sur les sujets de controverse :

« Il faut observer les conditions suivantes :

1. Ne prêcher point sur ce sujet, sinon aux lieux où il y a beaucoup d'hérétiques, ou de catholiques douteux et chancelants en la foi.

2. Quand on est obligé de parler de ces matières, le faire sans forme de dispute, et traiter les huguenots avec grande compassion, douceur et charité, et non pas avec indignation [35]. »

En 1635, Vincent de Paul écrivait à son compagnon Portail qu'il y avait à son sens trop de dangers dans les controverses pour qu'on les recherche :

« L'on éloignera les pauvres gens de nous. Ils jugeront qu'il y a eu de notre fait, et ne nous croiront pas. L'on ne croit point un homme pour être bien savant, mais pour ce que nous l'estimons bon et nous l'aimons [36]. »

Quelques années plus tard, il était encore plus catégorique :

« Cela sert de peu et... bien souvent on fait plus de bruit que de fruit [37]. »

Dans un ouvrage intitulé *Des missions ecclésiastiques* et publié en 1643, Jean-Pierre Camus, ancien évêque de Belley, contestait radicalement la méthode scolastique utilisée dans le débat confessionnel :

« Cette manière de traiter les controverses par objections et par solutions, qui est si commune et ordinaire, tant dans les

Écoles que dans les Chaires des Prédicateurs, que dans les Disputes formées avec les Errants, a je ne sais quoi de dur, et qui aigrit plutôt les esprits qu'elle ne les adoucit, les terrasse sans les dompter, les vainc, mais ne les convainc pas ; c'est une manière d'hostilité qui peut faire des captifs, des prisonniers et des esclaves, mais non pas des amis et des sujets volontaires... C'est une bise froide et impétueuse [38]. »

Se référant à son maître François de Sales, Jean-Pierre Camus pensait que l'essentiel était « d'établir et fonder solidement les vérités de la Foi catholique » et conseillait en ces termes ceux qui étaient amenés à entrer en « conversation » avec les protestants :

« Entrez hardiment en matière, en évitant toujours le style contentieux ; contentez-vous d'expliquer naïvement, rondement, catéchistiquement, non scolastiquement et subtilement, ce qui est de la créance catholique, et sachez que sa nudité surpasse en beauté tous les ornements de la Rhétorique, de la Philosophie et de la Théologie plus spéculative [39]. »

Quelques années plus tôt, Jean-Pierre Camus avait publié un ouvrage de controverse dont le titre lui-même indiquait la tonalité. Dans la préface de cet *Avoisinement des protestants vers l'Église romaine,* notre auteur rapportait la conversation qu'il avait eue avec un catholique converti au protestantisme pour pouvoir se marier. Ce personnage – peut-être fictif – avait été choqué par la méconnaissance des doctrines de la confession adverse dans laquelle étaient entretenus les fidèles tant protestants que catholiques. La controverse portait, selon l'interlocuteur de notre auteur, une lourde responsabilité dans la survie des différends religieux :

« Il lui était d'avis (et il avait raison) que cette animosité des parties exhalait autant de vapeurs qui, comme des nuages et des brouillards, obscurcissaient le Soleil de la vérité, par une fascination de vains reproches... qui ne procédaient que de mépris, mésintelligences, et malentendu [40]. » Camus n'hésitait pas à reprocher aux prédicateurs catholiques de travestir la doctrine réformée :

« Les prédicateurs romains déclament souvent contre les protestants avec des exclamations tragiques, comme étant ennemis de la Tradition divine et apostolique, ce qui n'est pas, car ils la reçoivent... Comme impies envers les morts, à la mémoire desquels ils portent honneur..., envers les Saints, lesquels ils honorent comme tels... Comme conjurés contre les Pères, Conciles, ce qui n'est pas... Comme détruisant les bonnes œuvres, à l'exercice desquelles ils exhortent continuellement... Comme estimant les commandements de Dieu ne se pouvoir faire par l'homme parfaitement régénéré, ce qui n'est pas leur doctrine... [41]. »

Aux alentours de 1640, un mouvement important exista donc chez les catholiques pour refuser la controverse hargneuse, ouvrir un dialogue pacifique avec les huguenots et souligner l'importance des points d'accord entre les deux confessions. Certes, cette attitude n'était pas entièrement nouvelle : François de Sales, par exemple, l'avait déjà adoptée au début du siècle. Mais la nouveauté réside dans l'ampleur du mouvement. Pour beaucoup, la controverse pratiquée depuis plusieurs décennies avait fait preuve de son inaptitude à ramener l'unité religieuse. De plus, ce mouvement fut soutenu et encouragé par Richelieu lui-même.

Les projets de Richelieu

En 1651, soit près de dix ans après la mort du cardinal-ministre, était publié un ouvrage de controverse dont la paternité lui était attribuée. Il s'agit du *Traité qui contient la méthode la plus facile et la plus assurée pour convertir ceux qui se sont séparés de l'Église*. Dans ce livre de près de 700 pages, peut-être écrit intégralement par le cardinal lui-même, se retrouve en tout cas sa préoccupation centrale en matière de controverse : se contenter de la présentation des points essentiels de la doctrine catholique.

Richelieu, qui dès 1615 avait soutenu qu'il fallait recourir à d'autres moyens que la force pour ramener les protestants, s'employa jusqu'à ses derniers jours à la restauration de l'unité religieuse du royaume. Il est en effet un homme de son temps et un ecclésiastique convaincu de son devoir religieux à l'égard des errants. Aussi, comme le souligne P. Blet, « c'est un grave anachronisme et une méconnaissance certaine de sa psychologie que de prêter à Richelieu une conception libérale et laïque de l'État, indifférent à l'attitude religieuse des citoyens [42] ».

Sitôt abattue la puissance politique et militaire des huguenots, le cardinal tenta de mettre à exécution un projet de réunion. Il s'agissait de gagner par toutes sortes de moyens – argent, promesses, pressions... – un certain nombre de ministres qui proposeraient publiquement de renoncer au protestantisme et de rejoindre l'Église catholique. Richelieu espérait par cet événement provoquer un mouvement de ralliement dans le peuple protestant; ensuite, les récalcitrants pourraient être poursuivis comme « perturbateurs de la paix publique ». Le cardinal avait d'abord pensé que les ministres pourraient faire leur déclaration de réunion au cours d'un synode national; puis il songea à une conférence solennelle entre membres des deux Églises, où les représentants des réformés auraient été des pasteurs gagnés par avance. A l'issue de cette conférence, le roi aurait annoncé que la religion catholique avait été reconnue comme la seule vraie et que tous devaient l'embrasser.

Dans ce projet que Richelieu s'employa à mettre en œuvre entre 1631 et 1634, et qui est connu par les informations transmises à Rome par le nonce pontifical, on retrouve l'image du protestantisme que nous avons déjà rencontrée : le peuple est sous influence et, pour le détromper, il faut lui montrer la défaite des pasteurs; la conférence, franchement « truquée » ici, a pour mission de permettre cette manifestation de la vérité. Tout en refusant de faire de l'invective une arme de combat (différence qui, il est vrai, n'est pas négligeable), le projet de Richelieu repose donc sur la même appréciation des causes du maintien de l'hérésie que les autres entreprises catholiques du temps.

Ce qui l'en distingue sans doute le plus, en revanche, c'est l'acceptation par le cardinal que l'Église catholique fasse un certain nombre de concessions doctrinales – sur des questions considérées comme non fondamentales – pour faciliter le rapprochement. Ainsi, toujours selon le nonce, le cardinal aurait eu vers 1640 des pourparlers avec le pasteur Mestrezat, au cours desquels aurait été évoquée la possibilité de tempérer la doctrine catholique sur l'autorité et les pouvoirs du pape ou sur le purgatoire.

Le lien entre Richelieu et les partisans du dialogue pacifique avec les réformés apparaît mieux maintenant. Le cardinal encouragea en effet les initiatives d'une équipe d'ecclésiastiques qui s'employèrent à souligner que les différends entre les deux confessions n'avaient rien d'insurmontable. Pour le nonce, qui voit évidemment cette entreprise d'un très mauvais œil, ces hommes « prêchent une union et un tempérament de notre sainte religion avec la secte des huguenots ». Quelques jours plus tard, il ajoute dans une autre dépêche adressée à Rome :

« On nous rapporte ici que l'on parle beaucoup d'une concorde entre catholiques et hérétiques, en donnant des interprétations étrangères au sens de l'Église catholique, apostolique et romaine, et certains ajoutent qu'elle est favorisée par le cardinal de Richelieu [43]. »

Parmi les ecclésiastiques qui travaillaient à une telle union, nous trouvons à nouveau François Véron, décidément omniprésent dans le débat confessionnel des premières décennies. Sans doute est-on un peu surpris de le rencontrer ici, dans une entreprise dont le ton est bien différent de celui de ses controverses antérieures. En fait, si l'on compare les analyses qui sous-tendent le projet de Richelieu et la méthode de Véron, on s'aperçoit que bien des points communs existent. Tout en renonçant alors au ton acerbe, Véron put d'une certaine manière demeurer fidèle à sa méthode. N'oublions pas, en effet, que celui qui se présentait désormais comme un « moyenneur » (c'est-à-dire un conciliateur) avait toujours eu en vue de débarrasser les disputes de toutes les questions accessoires, de simplifier le débat et de le faire porter sur l'essentiel de la foi, afin de mieux éclairer les fidèles. Désormais, semble-t-il, il s'employa surtout à mettre les pasteurs au défi de montrer des contradictions entre la doctrine catholique et l'Écriture. Sa *Règle générale de la foi catholique,* publiée pour la première fois en 1645, reflète bien l'esprit qui animait alors le vieux lutteur. Il y expliquait dès la préface vouloir « représenter la doctrine catholique en sa naïve beauté de foi... contre la surprise des ministres qui, par fausses couleurs qu'ils surinduisent, la rendent toute défigurée, hideuse, et telle qu'elle mériterait d'être fuie ». Il y disait encore en conclusion, en évoquant les protestants :

« Les articles que nous leur représentons à croire sont en petit nombre, et paraissent si clairement fondés en l'Écriture et en toute l'antiquité, séparés de toutes épines de philosophie ou théologie scolastique, que l'inclination qui leur demeure toujours vers la religion ancienne et de leurs pères les porte à volontiers écouter cette doctrine, à la recevoir et à y souscrire [44]. »

Sa présentation du dogme catholique atténuait alors l'importance de points qui, traditionnellement, étaient contestés par les huguenots, bien qu'il ait fortement souligné que la réunion proposée était celle des personnes et non des doctrines; et que, la lumière ne se pouvant mêler aux ténèbres, il n'était pas question d'opérer des concessions doctrinales. Dans un ouvrage publié en 1641 et intitulé *De la primauté dans l'Église,* il avait expliqué que la notion d'infaillibilité, même appliquée à l'Église universelle, était à utiliser avec prudence; il y avait aussi soutenu que la primauté pontificale n'était pas article de foi [45].

Parmi les autres défenseurs du plan de Richelieu, figurent un ancien pasteur converti, Du Laurens et un avocat rochelais protestant, Théophile Brachet de la Milletière. Les écrits de ce dernier, gagné depuis plusieurs années au catholicisme, mais demeurant extérieurement fidèle à la Réforme, permettaient de laisser entendre que les thèses unionistes du cardinal rencontraient un écho dans le petit troupeau. Excommunié par le synode national de 1645, La Milletière défendit alors ouvertement la cause catholique. Force est toutefois de constater, si l'on excepte encore la réaction favorable de Samuel Petit, professeur à l'Académie de Nîmes, que le protestantisme ne se laissa pas séduire par le projet du cardinal. Par ailleurs, le vif émoi romain devant les risques qu'il comportait dans le domaine doctrinal ne contribua pas peu à son échec.

«Accommodeurs de religion»
et polémistes de la nouvelle génération

Le rêve d'une réunion religieuse obtenue par le dialogue ne disparut jamais tout à fait. On vit même renaître le plan de Richelieu au cours des premières années du règne personnel de

Louis XIV. Le roi et le nonce envisagèrent la tenue d'une conférence entre des ecclésiastiques et des ministres préalablement gagnés; ces derniers, après leur conversion publique, partiraient convaincre les autres. Pour que les pasteurs ne soient pas retenus dans l'erreur par la considération d'intérêts matériels, on projeta de donner à ceux qui se convertiraient une pension égale au traitement qu'ils percevaient dans l'exercice de leurs fonctions [46]. Rome réagit d'autant plus vivement à ce projet de conférence que la participation du nonce à son élaboration semblait lui donner une caution pontificale. Pour les autorités romaines, « il n'a jamais été permis aux hérétiques de discuter sur un pied d'égalité dans les décisions sur le dogme, mais on les a écoutés comme des accusés et des inférieurs [47] ».

Du côté protestant, quelques pasteurs n'étaient pas restés insensibles à cette idée de réunion. Tel est le cas de Paul Ferry, qui exerçait son ministère à Metz et jouissait d'une grande réputation parmi les réformés. Mais sa mort survint, en 1669, avant même que l'affaire n'ait pris tournure. Les « accommodeurs » catholiques placèrent alors leurs espoirs en Isaac d'Huisseau, pasteur à Saumur, pour une défense du projet du côté protestant. En 1670, d'Huisseau publia *La réunion du christianisme ou la manière de rejoindre tous les Chrétiens sous une seule confession de foi*. Mais cet ouvrage fut rapidement condamné par le synode provincial et d'Huisseau fut déposé [48]. Sans être totalement abandonnée, l'idée d'une réunion négociée disparut alors du devant de la scène.

En revanche, la publication d'ouvrages de controverse reprit vigueur à partir de 1670. De multiples raisons expliquent le déclin qu'avait connu le genre depuis 1640. A la lassitude assez générale d'un public qui ne voyait que disputes stériles dans ces échanges d'arguments ressassés, il faut ajouter la modification des priorités qui était intervenue pour les champions de la Réforme catholique. D'une part, en effet, la prise de conscience de l'état religieux des populations rurales et des carences de l'encadrement ecclésiastique avait tourné les clercs les plus zélés vers les tâches de réforme et d'instruction. D'autre part, le débat sur la grâce et le développement du jansénisme avaient mobilisé l'énergie des élites intellectuelles du catholicisme; les luttes internes avaient ainsi pris le pas sur le combat contre l'adversaire confessionnel [49].

Le renouveau de la controverse aux alentours de 1670 trouve alors tout logiquement son origine dans la « Paix de l'Église » de 1669 qui met provisoirement un terme à la querelle janséniste. Par ailleurs, la politique de restriction de l'édit de Nantes dans laquelle venait de s'engager Louis XIV ne pouvait que redonner du zèle polémique aux défenseurs du catholicisme, maintenant épaulés dans la défense de leur droit par le pouvoir civil.

Mais le débat qui s'engage alors est sensiblement différent de celui des premières décennies du siècle. Le ton en est générale-ment plus sobre, et l'on pourrait dire qu'on est passé de la controverse baroque à la controverse classique. Il est certain en effet que la controverse reflète, à sa manière, les évolutions de la langue, du style, des modes littéraires. Au-delà, cette évolution formelle reflète celle qui s'est produite dans les mentalités; ainsi, sans rien renier de leurs certitudes sur la nature du protestan-tisme, les auteurs catholiques – nous l'avons vu – n'éprouvent plus absolument le besoin de placer le diable dans chaque épisode de la vie de Luther. Il faut enfin tenir compte du fait que les adversaires confessionnels se connaissent mieux maintenant. Cela n'exclut toutefois pas la virulence dans les attaques; solidement argumentées et présentées avec une rigoureuse logique, elles sont souvent plus implacables que les tirs un peu brouillons du début du siècle.

Assez fréquemment, à cette époque, la Réforme est présentée comme un schisme plus que comme une hérésie; elle est d'abord révolte contre l'Église. S'appuyant sur les recherches érudites d'histoire ecclésiastique qui se sont développées au cours du siècle, les polémistes catholiques soulignent la parfaite conformité de doctrine entre l'Église de leur temps et celle des origines; dans le même mouvement, ils dénient au protestantisme toute possibilité de se trouver des racines dans le passé. L'Église catholique, empreinte de pureté originelle, mérite une obéissance parfaite de la part de tous les chrétiens. Peut-on se fonder sur l'Écriture pour ne pas lui rester soumis? Les polémistes catho-liques soulignent que les données de l'Écriture sont bien insuffi-santes comme règle de la foi; et ils savent bien, de plus, que les protestants refusent moins qu'au début du siècle la nécessité d'un magistère ecclésiastique. Peut-on critiquer la doctrine de l'Église par l'exercice de la raison humaine ? Les catholiques objectent que la raison est faillible et montrent que les réformateurs ont été guidés par les passions. Pour les catholiques, il n'est donc d'autre voie que celle de l'obéissance totale à l'autorité et à la hiérarchie. Cette exaltation de la soumission ne saurait évidemment être séparée du contexte politique du temps et de l'affirmation par l'absolutisme de principes analogues au plan de la vie sociale. En tout cas, on le voit, les polémistes catholiques placent alors le débat sur le terrain de l'ecclésiologie plus que sur celui du dogme [50].

Parmi eux, les jansénistes tiennent une place de premier plan avec Antoine Arnauld et Nicole. Sans doute leur engagement dans la controverse est-il partiellement tactique [51] : preuve de loyalisme à l'égard de l'Église, il peut contribuer aussi au renforcement de leur influence. Mais les jansénistes sont aussi d'excellents représentants de ce catholicisme en quête de pureté originelle et peuvent mettre au service de la controverse une solide érudition, qu'illustre *la Perpétuité de la Foi de l'Église catholique touchant l'Eucharistie.*

Bossuet ne négligea pas non plus la controverse. Dès 1655, il était entré en conférence avec le pasteur Paul Ferry ; après avoir contribué à la conversion de Turenne, il participa aux projets de réunion qui s'ébauchèrent alors. C'est dans ce contexte qu'il rédigea *l'Exposition de la doctrine de l'Église catholique,* ouvrage publié en 1671. Aussi y retrouve-t-on le double souci d'aller à l'essentiel dans la présentation du dogme et de souligner les points d'accord avec les réformés. L'accent était mis aussi sur la stabilité de la doctrine catholique au cours des siècles, et Bossuet montrera plus tard dans sa célèbre *Histoire des variations des Églises protestantes,* publiée en 1688, que les réformés ne pouvaient se prévaloir d'une telle stabilité, pourtant gage de vérité [52].

Deux autres polémistes, très différents l'un de l'autre, illustrent bien les nouvelles tendances de la controverse catholique. Les ouvrages historiques de Maimbourg, qui connaissent de forts tirages, montrent l'aptitude des polémistes catholiques à la vulgarisation. D'autre part, les travaux érudits de Richard Simon attestent des audaces exégétiques dont sont capables certains champions du catholicisme pour mettre en valeur les insuffisances de l'Écriture et le nécessaire recours à la Tradition.

C'est donc sur un fond de controverse revigorée, et exacerbée au fur et à mesure que se multiplient les mesures restrictives pour le protestantisme, que la France s'achemine vers la révocation de l'édit de Nantes.

Les fruits de la controverse

A quoi servirent en définitive les centaines d'ouvrages imprimés échangés par les deux confessions au cours du siècle? Quels furent les résultats des nombreuses conférences réglées entre champions catholiques et protestants? Autant le déclarer clairement : si le bilan à dresser devait se limiter au nombre des conversions obtenues grâce à la controverse, il faudrait conclure à un énorme gaspillage d'énergie. La polémique religieuse n'a en effet que très rarement ébranlé suffisamment les convictions d'un adversaire pour l'amener à l'abjuration. Et il faut se méfier des bulletins de victoire des protagonistes : la plupart du temps, quand une conversion a lieu au terme d'un débat, elle était acquise d'avance et n'est annoncée publiquement à cet instant que pour donner une preuve tangible de la victoire d'un des combattants et tenter d'ébranler des fidèles de l'autre camp.

Mais il est d'autres manières de tirer le bilan de la controverse [53]. Il est ainsi évident qu'elle contribua fortement à affirmer les convictions des tenants de chacune des deux confessions et à enrichir leur conception propre du christianisme. La nécessité permanente d'argumenter en réponse aux attaques de l'adversaire ne pouvait en effet que pousser chacun à une meilleure définition de ses croyances. Du même coup, les sciences religieuses réalisèrent de sensibles progrès au cours du XVIIᵉ siècle : l'histoire de l'Église, du dogme et du culte se dota de méthodes plus rigoureuses, tandis que l'exégèse accédait au rang de discipline scientifique. La pensée chrétienne a donc globalement profité des débats engagés par les frères ennemis.

De plus, sans vouloir céder devant les critiques de l'adversaire, chacune des deux confessions en tira profit pour son propre examen de conscience. Ainsi la lutte contre les « superstitions » qu'engagea l'Église catholique au cours du XVIIᵉ siècle, cherchant en particulier à épurer les pratiques populaires de dévotion, répond en partie au moins aux accusations d'idolâtrie lancées par les réformés.

Enfin la controverse joua un rôle décisif dans l'évolution de la pensée occidentale. Au cours de ce débat, rien de ce qui appartenait aux traditionnelles vérités religieuses ne fut soustrait à la critique. L'histoire de l'Église fut présentée dans ses vicissitudes, et on étala au grand jour les errements humains qui l'avaient marquée à différentes périodes. La Bible elle-même fut disséquée minutieusement comme un livre passible de toutes les règles de la critique. La controverse constitua donc la voie de pénétration du scepticisme en matière religieuse et l'amorce de la désacralisation. La crise de conscience de la fin du siècle et l'esprit des Lumières plongent leurs racines dans la déstabilisation des vérités religieuses qu'elle opéra involontairement. Au total, la controverse « fonctionna... comme un double laboratoire de la modernité, dans le domaine des sciences humaines ou dans celui de la vie spirituelle [54] ».

Chapitre 8

LA RECONQUÊTE DES TERRITOIRES ET DES ÂMES
La pastorale de conversion

Reconquérir! Si le XVIIᵉ siècle avait connu la mode des slogans, celui-ci aurait sans doute été adopté par l'Église catholique du temps, traversée par cet ample mouvement qui, selon les historiens, se dénomme tantôt Contre-Réforme et tantôt Réforme catholique.

Sur tous les fronts, en effet, le catholicisme entend alors regagner le terrain abandonné à l'Ennemi en raison des vicissitudes de l'histoire. On ira donc instruire les paysans pour les conduire à de nouvelles formes de piété, plus conformes à l'idéal de foi défini au concile de Trente. On s'efforcera de moraliser le petit peuple des villes, dont le comportement apparaît aux élites catholiques tout imprégné de libertinage. On tentera aussi de ramener les brebis dévoyées que sont les protestants, en les arrachant aux griffes des pasteurs qui les conduisent à leur perte.

Dans tous les cas, l'objectif est la conversion : conversion à une attitude de foi plus intériorisée, qui doit guider les moindres choix de l'existence; conversion d'abord – pour les protestants – à cette seule Église garante du salut, le catholicisme. Plus que jamais, les clercs tentent de faire comprendre que la seule question qui mérite attention est celle de l'éternité; plus que jamais aussi, ils s'estiment personnellement responsables du salut des âmes.

Avec les progrès réalisés dans leur formation, ils sont sans cesse plus nombreux à partager ces préoccupations. Mais les résultats obtenus ne furent pas automatiquement liés au nombre des combattants.

L'essor des missions

Dès les premières décennies du XVIIᵉ siècle, plusieurs Ordres religieux prirent l'initiative d'organiser des « expéditions apostoliques » dans diverses régions françaises, tant pour raffermir la foi des fidèles et pourvoir à l'instruction religieuse des ignorants que pour tenter de gagner des protestants au catholicisme. Ces préoccupations n'étaient certes pas entièrement nouvelles, mais la situation de paix religieuse instaurée par l'édit de Nantes favorisa la mise en œuvre de ces desseins. Alors naquirent véritablement ce que l'on a coutume d'appeler les « missions » : pendant un temps relativement court – de quelques jours à quelques semaines – un groupe d'ecclésiastiques, réguliers ou séculiers, s'installe dans une localité et invite la population du lieu et des environs à de multiples exercices religieux, appelés dans le langage des missionnaires des « actions ». Plusieurs prédications ont lieu chaque jour; des séances de catéchisme sont organisées pour les adultes et les enfants. Les célébrations solennelles du culte et les processions concourent aussi à faire de la mission un temps extraordinaire dans la vie de la communauté.

Mais l'objectif ultime des missionnaires n'est pas l'instruction des fidèles; par elle, ils cherchent à conduire chacun à un accroissement de la piété et à une modification des comportements. Les missionnaires visent à la conversion, qui se traduit par la confession des fidèles, générale si possible, c'est-à-dire récapitulant l'ensemble des fautes commises au cours de l'existence. La réception du sacrement de Pénitence est comme un gage du changement de vie opéré sous l'influence des missionnaires et un nouveau départ vers une existence régénérée, tout entière tournée vers la perspective de l'au-delà. La mission se veut donc un moyen pour transformer la situation religieuse en profondeur, par une intervention limitée dans le temps. Le choix de cette méthode tient à la prise de conscience par les clercs du risque de damnation qui pèse sur de nombreux fidèles mal encadrés : leur salut exige une prompte intervention.

Les premiers missionnaires furent en France les jésuites et les capucins. Ces deux Ordres, nés l'un et l'autre au siècle précédent, dans l'époque agitée de la Réforme, avaient jeté les bases de leur implantation dans le royaume avant l'édit de Nantes. Dans les premières décennies du XVIIe siècle, le développement de leurs activités accompagne une sensible augmentation de leurs effectifs et du nombre de leurs établissements.

Les capucins, en particulier, réalisèrent rapidement un dense réseau de couvents qui, dans bien des régions, permettait de mettre toutes les localités de la province à moins d'une journée de marche du couvent le plus proche. Prenant ses racines en Italie, l'Ordre des capucins promut des formes de dévotion très proches du sentiment religieux populaire. Le succès qu'il rencontra est partiellement dû à cette orientation spirituelle; il l'est aussi à la pauvreté exemplaire et à l'austérité de vie de ses membres. Après quelques essais organisés autour de la célébration des prières des Quarante-Heures, grandioses manifestations de la dévotion à l'Eucharistie, les missions des capucins prirent vraiment forme à partir de 1617. Cette année-là, le fameux Père Joseph de Paris – future Éminence grise – commença en effet d'organiser des missions en Poitou. Son exemple fut bientôt imité par les autres provinces françaises de l'Ordre, provinces de Paris, de Lyon ou de Provence. En 1622, la naissante Congrégation romaine *de Propaganda Fide,* chargée de la diffusion du catholicisme dans le monde, confia la majeure partie des régions françaises au zèle missionnaire des capucins.

Les jésuites, dont on ne retient souvent – à tort – que l'œuvre scolaire, ne furent pas de moins actifs missionnaires en France. Certains Pères en résidence dans des collèges consacrèrent tout ou partie de leur temps à des expéditions apostoliques dans les campagnes environnantes; d'autres profitèrent de leur séjour dans une ville à l'occasion des prédications d'Avent et de Carême pour rencontrer des protestants, organiser des catéchismes, parcourir les localités environnantes, ou « recycler » le clergé local. Tout cet ensemble d'activités est fréquemment désigné dans les documents de la Compagnie sous le terme d'*excursiones* : ce sont des « courses apostoliques » hors du collège et de la ville qui l'abrite. Il s'agit d'une occupation tout à fait conforme à l'esprit des Constitutions de la Compagnie de Jésus qui insistent sur la vocation essentiellement missionnaire de tout jésuite. Certes, plus d'un aurait préféré s'appliquer à cette occupation dans des missions lointaines – comme le Canada – où les résultats étaient plus manifestes et les risques plus grands. Les nombreuses demandes adressées au Général pour pouvoir partir au-delà des mers font foi d'un réel élan missionnaire parmi les jésuites. Mais la plupart de ces Pères reçurent pour réponse qu'ils avaient à leur porte des Indes à évangéliser et qu'ils pouvaient être fidèles à leur vocation en France même. Les autorités de l'Ordre orientèrent donc vers les campagnes les enthousiasmes qui voyaient le jour au sein des collèges de la Compagnie.

Développant à peu près à la même époque leurs entreprises missionnaires, jésuites et capucins se dotèrent aussi en même temps d'institutions adaptées à cette activité. C'est en effet autour de 1620 que les deux Ordres multiplièrent les maisons de mission. Ces petits établissements, auxquels n'étaient affectés que quelques Pères, étaient implantés dans des zones qui semblaient requérir des soins particuliers, souvent notamment en raison d'une forte présence protestante. Il s'agissait donc de petits pied-à-terre, dans des villes de taille souvent modeste, qui manifestaient la volonté de reconquête d'un territoire.

Pendant plusieurs décennies, les religieux – ou plus exactement quelques Ordres – furent à peu près seuls à organiser des missions. A partir de 1635 environ, la situation change toutefois. On voit en effet apparaître alors en différents points du royaume des congrégations de prêtres séculiers qui se fixent ordinairement un double but : former le clergé et prêcher dans les villages. La plus célèbre de ces congrégations est celle que fonde Vincent de Paul en 1625 et qui est approuvée par Rome en 1633 : la congrégation de la Mission, dont les membres sont plus connus sous le nom de Lazaristes. Mais on en trouve d'autres, telles que la congrégation de Jésus et Marie, fondée en Normandie par Jean Eudes en 1643, et celle des prêtres du Très-Saint-Sacrement qu'érige Christophe Authier en Provence et en Dauphiné. Dans tous les cas, il s'agit du regroupement de prêtres conscients de la responsabilité que confère le sacerdoce et partageant plus ou moins explicitement l'idéal, présenté par Bérulle, du prêtre détaché de la société, médiateur entre Dieu et les hommes. Refusant de considérer l'entrée dans l'état ecclésiastique comme une manière de s'assurer un revenu et de se placer socialement – ce qui est alors la conception courante – ils choisissent de vivre en communauté pour mieux se conformer à leur idéal et secourir plus efficacement les populations rurales. Dans le choix de leur mode de vie comme dans leur définition des priorités pastorales, ils furent sans doute sensibles au modèle offert par les jésuites et les capucins. Mais ce qui les en distingue est la claire et répétée affirmation de ces prêtres de vouloir demeurer membres du clergé séculier, c'est-à-dire sous l'autorité de l'évêque, pour tout ce qui a trait à leurs activités extérieures. Se voulant les auxiliaires de l'épiscopat, ils contribuèrent, par leur exemple et leur rôle dans la formation du clergé, à la plus large diffusion du modèle sacerdotal promu par l'Église de la Réforme catholique.

Ainsi peut-on distinguer plusieurs vagues dans le développement des initiatives missionnaires en France au XVIIᵉ siècle. A trois décennies où les religieux œuvrent à peu près seuls, succède une période où se multiplient les initiatives. Au-delà, c'est-à-dire autour de 1670, la mission devient un complément de la pastorale dans le contexte d'un meilleur encadrement religieux des fidèles.

Les objectifs missionnaires

Le discours que tiennent les missionnaires sur leur activité est plus développé à propos des campagnes que des villes. Cela n'a rien d'étonnant puisque la mission fut d'abord conçue pour combattre des maux que le clergé jugeait particulièrement enracinés dans les contrées rurales. Pour bien comprendre selon quels principes et avec quels objectifs fut mise en œuvre la pastorale missionnaire, il nous faut donc aussi nous intéresser surtout aux campagnes. D'une certaine manière, malgré son éclat particulier lié à l'ampleur de ses processions ou à la solennité de ses cérémonies, la mission urbaine n'est qu'une copie, plus ou moins transposée, d'une pastorale élaborée pour les villages. Ajoutons que les missionnaires parlent aussi moins volontiers de leur activité dans les villes car ils éprouvèrent sans doute le sentiment d'avoir affaire à plus forte partie dans leur tentative de saisir émotionnellement toute une communauté. La ville offrait plus de possibilités pour échapper à la mise en condition que représentait la mission. Et la remarque vaut particulièrement pour la reconquête des zones protestantes : les petits groupes de huguenots des villages pouvaient davantage être ébranlés par les entreprises des missionnaires que les solides communautés urbaines.

Pendant la première moitié du siècle au moins, le missionnaire qui partait dans les campagnes ne concevait pas sa tâche comme radicalement différente de celle de ses confrères du Nouveau Monde. Comme nous l'avons déjà vu, il avait le sentiment que bien des ruraux, prisonniers de l'ignorance, des vices et de l'hérésie, vivaient sous la domination de Satan, à l'écart de la véritable religion, et par là hypothéquaient leur salut. La situation des campagnes était donc analogue à celle des contrées où régnait l'idolâtrie, elle-même instrument utilisé par le diable pour perdre les âmes. En raison de cette conception, il était assez naturel que le Général des jésuites invite les Pères soucieux d'évangélisation à se tourner vers les campagnes qui entouraient leur cité. L'image des « Indes de l'intérieur » que l'on trouve sous sa plume, et qui n'est pas utilisée seulement pour la France – elle le fut d'abord pour évoquer la situation religieuse de l'Italie méridionale – connut une grande fortune au XVIIe siècle dans le clergé épris de renouveau. Elle résume à merveille l'état d'esprit dans lequel fut entreprise la reconquête catholique.

Il est évident que, dans une telle conception, les fidèles officiellement catalogués comme catholiques ne méritent pas moins de secours que les hérétiques. Les uns comme les autres ont besoin d'être éclairés et conduits sur la voie du salut. Les différences entre eux ne sont qu'apparentes. Ceux qui sont en théorie catholiques ignorent tout des croyances et pratiques nécessaires à un bon chrétien; de surcroît, ils vivent au contact des huguenots et en subissent l'influence néfaste : leurs mœurs se relâchent par la fréquentation des protestants taxés d'immoralité, leur piété se refroidit; parfois enfin, ils négligent leur devoir religieux pour complaire à leurs concitoyens huguenots, quand ce n'est pas par crainte de représailles. Quant aux adeptes du protestantisme, ils sont, rappelons-le, subornés par les pasteurs et ne professent l'hérésie que par goût de la facilité morale et manque de lumières sur le véritable christianisme.

Partir en mission dans les régions de coexistence confessionnelle, c'est choisir de s'attaquer à tous ces maux à la fois. Il est donc bien arbitraire de vouloir distinguer des missions destinées à la conversion des protestants et d'autres tournées vers l'instruction et l'affermissement des catholiques. Ces diverses tâches étaient menées de front. Relatant les missions des capucins en Savoie, le Père Charles de Genève écrivait ainsi au milieu du siècle :

« Nous ne devons pas faire moins d'état de la rénovation ou restauration d'un catholique, en le retirant du malheur où il s'était plongé, que de la conversion d'un hérétique qui y était né; d'un qui était sur le point de se perdre que d'un qui était déjà perdu [1]. »

De la même manière, Joseph de Paris avait envoyé ses compagnons en Poitou, en leur demandant d'aborder les paysans « pour les instruire dans la foi et les y convertir s'ils étaient hérétiques ou les y affermir s'ils étaient déjà catholiques [2] ».

La mission était donc en définitive une entreprise visant à une reprise en main d'une région par l'Église. Le vocabulaire employé par les missionnaires permet de s'en faire une idée plus nette. Beaucoup d'entre eux ont recours à des métaphores empruntées à l'agriculture pour présenter leur activité. Se référant plus ou moins explicitement à la parabole évangélique du semeur, ils comparent volontiers les régions de leur apostolat à des terres jusque-là négligées, où croissent les mauvaises herbes des vices et l'ivraie de l'hérésie.

Le biographe du Père Le Quieu, missionnaire dominicain, écrit ainsi que celui-ci considérait « les petits lieux et les hameaux de montagnes comme une terre vide, où personne ne paraissait et, étant touché de ce malheur, il s'occupait à couper les épines dont ces terres incultes étaient couvertes [3] ». Défricheur, laboureur, semeur, le missionnaire se proposait aussi et surtout d'être moissonneur, pour pouvoir rentrer d'importantes moissons d'âmes dans le « grenier de Dieu ». Les variations autour de ce thème sont infinies, et Charles de Genève en donne un bon exemple en évoquant les capucins « qui ne cessaient de défricher infatigablement les champs nouvellement acquis à l'Église, arrachant les épines et chardons de l'erreur et du vice, les renversaient avec le soc de la parole de Dieu, pour mettre au jour de la confession les racines de leurs mauvaises impressions et mauvaises habitudes, et leur faire porter des fruits dignes d'une sainte conversion et pénitence salutaire [4] ».

D'autres missionnaires ont plus volontiers recours au vocabulaire militaire pour décrire leurs entreprises. Les couvents deviennent alors des garnisons, les maisons de mission des bastions. Les armées du Christ que sont les missionnaires se proposent de reprendre à l'ennemi les territoires qui lui ont été cédés dans le passé. Le protestantisme est décrit comme une armée d'invasion qui « s'est avancée dans ces régions, en tout sens ». Il faut donc faire reculer et, si possible, détruire cette armée; il faut aussi protéger les populations contre les agressions dont elles sont victimes.

Une même conception sous-tend ces deux séries d'images. On en retiendra surtout que, dans l'une et l'autre, les fidèles sont présentés de manière tout à fait passive. Le missionnaire est l'homme de l'initiative, qui sème, récolte ou combat. Les populations ne sont que le réceptacle de la Parole semée ou le terrain disputé à l'ennemi. On retrouve donc ici l'idée de l'altérité du clerc, qui vient au nom de Dieu, pour arracher les âmes à Satan. Ces images nous suggèrent aussi que les missionnaires mirent particulièrement l'accent sur la pratique religieuse, marque extérieure d'adhésion à la véritable religion. Venant pour engranger ou réaliser une conquête, ils furent peut-être souvent plus soucieux de pouvoir afficher des résultats tangibles – nombres de confessions, communions, conversions... – que de s'assurer d'une transformation en profondeur des comportements. Cette dernière préoccupation ne s'imposa sans doute vraiment que dans les dernières décennies du siècle.

Comme dans la controverse, il importait d'affirmer et de montrer qu'à l'issue du combat la victoire était allée à la vérité, et que l'Église catholique avait réalisé des progrès sur ses ennemis, et donc Dieu sur Satan. C'est dans ce contexte qu'il faut replacer la coutume, prise par les missionnaires du XVIIᵉ siècle, d'ériger des croix à l'issue de leur séjour. Planter une croix constituait une affirmation du catholicisme dans la localité; les protestants, qui voyaient dans le culte du crucifix une marque de l'idolâtrie papiste, avaient détruit bon nombre de croix des carrefours et des places au cours des conflits religieux du XVIᵉ siècle. Les missionnaires avaient donc conscience d'opérer une restauration religieuse en en rebâtissant; ils montraient que leur passage fermait la parenthèse qu'avait ouverte la Réforme dans l'histoire. Étendard de Dieu, la croix dominant le bourg signifiait la prise de possession par Jésus-Christ d'un « héritage qui lui appartient, et dont il avait été injustement dépouillé par la violence de ses ennemis [5] ».

Une pastorale de la séduction

Parce qu'ils avaient le sentiment d'agir dans un milieu insensible aux questions du salut, sinon hostile, les missionnaires s'ingénièrent à concevoir des procédés pastoraux susceptibles et d'attirer les foules et de les ébranler suffisamment pour que leur message soit reçu. D'où l'aspect spectaculaire des missions.

La mission était déjà en elle-même un événement qui rompait la monotonie de la vie villageoise, et même urbaine. Annoncée à l'avance par le curé du lieu ou par un des missionnaires envoyé au-devant de ses compagnons, elle s'ouvrait généralement par des cérémonies solennelles. La seule présence de prêtres étrangers à la localité provoquait aussi l'intérêt, ou du moins la curiosité, d'autant que bon nombre d'entre eux jouirent de leur vivant d'une réputation de sainteté auprès des fidèles catholiques.

Cette renommée tient au mode de vie de ces clercs qui pensent que leur exemple a autant de force de conviction que leur parole et donnent aux populations l'image d'un clergé austère, entièrement tourné vers le sacré. François de Sales, qui avait missionné en Chablais avec des capucins, évoquait au début du siècle la fascination inhérente au mode de vie de ces religieux :

« Les Capucins ont un esprit sévère et rigoureux et, pour bien dire quel est leur esprit, c'est un parfait mépris, quant à l'extérieur, du monde et de toutes ses vanités et sensualités... Ils veulent par leur exemple induire les hommes au mépris des choses de la terre, à quoi sert la pauvreté de leurs habits; et par ce moyen ils convertissent les âmes à Dieu [6]. »

De plus, les missionnaires présentèrent souvent la mission comme une intervention de la grâce divine dans la vie du village; ils n'hésitèrent pas à montrer que la confession pouvait libérer de troubles de la personnalité, mettre fin à des possessions ou favoriser la guérison corporelle. Il n'est dès lors pas étonnant qu'aient circulé dans les campagnes des récits d'événements extraordinaires survenus au cours des missions, allant de la conversion inespérée à la guérison miraculeuse, en passant par les prédictions faites par les missionnaires. On voit ainsi combien leur image auprès du peuple est ambiguë. Se voulant hommes du divin, ils furent peut-être surtout perçus comme des thérapeutes ou des hommes dotés de pouvoirs plus ou moins magiques. Et l'on courut sans doute les écouter ou se confesser à eux pour bénéficier du contact d'un « saint » capable de protéger contre les maux les plus divers.

En tout cas, le rassemblement des fidèles pour les exercices de la mission semble la plupart du temps n'avoir pas présenté de difficultés particulières. Il restait alors aux prédicateurs à faire preuve de leurs talents pour parvenir à leurs fins. Rapidement fut élaboré un type de prédication adapté aux missions. Pour s'adresser au public ignorant des vérités religieuses, le missionnaire rompt avec les traditions des orateurs sacrés du début du siècle, dont le discours était parsemé de citations, d'allégories compliquées ou de références à l'antiquité classique. Il veut aller à l'essentiel et insister sur les points fondamentaux de la doctrine chrétienne. Tous les grands missionnaires ont ainsi souligné la nécessité de la simplicité dans la prédication, à l'imitation de Jésus et de ses apôtres. Pour eux, le prédicateur qui n'est préoccupé que de la beauté de son discours « se prêche lui-même » au lieu de prêcher Jésus-Christ; il cherche à briller et non à convertir.

Toutefois, le style du sermon n'est pas forcément dénué de tout artifice rhétorique. Si des missionnaires comme Vincent de Paul semblent avoir prôné une grande simplicité dans le style, jugée plus conforme au caractère de l'enseignement dispensé, d'autres pensaient que les ressources de l'art oratoire devaient être utilisées pour mieux émouvoir et convertir. Tel est le cas des capucins. Le Père Albert de Paris écrivait ainsi dans *La véritable manière de prêcher selon l'esprit de l'Évangile* :

« On fait très mal de refuser à ces grands sujets qui se traitent dans la chaire le secours d'un art qui ne peut être plus utilement ni plus honorablement employé [7]. » Son confrère Yves de Paris voyait aussi dans l'art oratoire le moyen d'arracher l'adhésion des auditeurs, en multipliant les émotions et en brisant ainsi les résistances qui auraient pu naître :

« Imitez la nature qui passe vite de l'un de ces mouvements à l'autre, de l'amour à la colère, de la douleur à l'espérance, des joies à la crainte. Faites un orage dans les esprits par la rencontre inégale de ces vents contraires; la raison s'y noie et vous emportez ce qu'il vous plaît de votre auditeur, qui n'est plus en état de vous résister [8]. » Dans sa biographie du célèbre oratorien Le Jeune, Blaise Gisbert formulait des remarques analogues à propos du prédicateur de mission :

« Les grands mouvements, le touchant, le pathétique lui appartiennent; car un des caractères dominants du missionnaire est de toucher, de remuer, d'ébranler les consciences [9]. »

La justification de cette démarche pastorale résidait pour ces tenants de la rhétorique dans la conception du peuple que nous avons déjà évoquée. Blaise Gisbert poursuit en effet :

« C'est par le ministère des sens qu'on insinue au peuple les vérités de la religion; vouloir les lui faire comprendre par la voie de l'esprit, c'est peine perdue, c'est parler en vain. Il veut voir, il veut toucher, il veut sentir... Le peuple veut et prend plaisir que celui qui le harangue imagine beaucoup et pense peu; parce que le peuple ne s'élève guère au-dessus des sens. Les idées pures de la raison et de l'entendement le passent et le fatiguent... Si vous ne frappez ses sens, vous ne gagnez rien ou peu de choses [10]. »

Yves de Paris pensait aussi que le recours aux sens est particulièrement utile lorsqu'on s'adresse au peuple, « qui n'est pas susceptible de hautes spéculations [11] ». S'il faut en croire les récits de missions, les lamentations et les sanglots des auditeurs, qui interrompaient fréquemment les sermons, prouvent à l'évidence que les missionnaires surent parfaitement maîtriser cet art.

La volonté d'en appeler à la sensibilité des fidèles se retrouve dans la variété des mises en scène qui se succèdent. Voici des missionnaires qui prêchent la nuit, dans une église dont l'obscurité n'est trouée que par la flamme vacillante de quelques flambeaux projetant sur les murs et sur les piliers des ombres mouvantes; quelques jours après, l'église est illuminée, décorée, fleurie, parfumée d'encens et, ainsi, est créée une atmosphère de « commune allégresse et divine consolation [12] ». Les processions tiennent aussi une place importante dans les missions. On y retrouve les mêmes contrastes : certaines sont de pénitence et de supplication, d'autres de confiance et de jubilation. Elles permettent l'instruction des fidèles par la mise en scène de représentations costumées d'épisodes de l'Ancien ou du Nouveau Testament; elles sont de surcroît un moyen d'intégration de l'individu à une communauté.

Selon les missionnaires, le déploiement de ce faste baroque ne devait pas être sans effet sur les esprits protestants eux-mêmes. Les adeptes de la Réforme, qui appartenaient au « peuple » pour la plupart, ne pouvaient rester insensibles à ce langage de l'émotion; insatisfaits du culte calviniste en raison de son dépouillement, ils allaient reconnaître à ses cérémonies la vérité du catholicisme et y adhérer. Si l'on en croit certaines relations de missions, ce raisonnement ne fut pas toujours faux et des conversions furent ainsi obtenues. Selon le chroniqueur des capucins de Gap, en 1628, des « hérétiques qui venaient des plus hautes montagnes du Dauphiné, entrant dans l'église et la voyant parée en si grande pompe et magnificence, éclairée avec tant de lumières pour honorer le Très-Saint-Sacrement qui était exposé en évidence, se mettaient d'abord à genoux, croyant d'être dans le Paradis et disaient tout haut : Vive l'Église romaine qui est si magnifique et non pas les temples des ministres qui semblent des étables à bêtes [13] ».

Séduction exercée par le personnage du missionnaire, par sa parole, par les cérémonies qu'il organise. A l'annonce sans fard de la vérité religieuse, les missionnaires préfèrent à l'évidence une pastorale fondée sur les ressorts qu'ils attribuent à l'âme populaire.

L'affirmation de la communauté catholique
et de la vraie foi

Les cérémonies organisées au cours des missions doivent aussi, par leur ampleur et leur faste, constituer une manifestation de la vérité et de la force du catholicisme. Elles donnent aux fidèles l'occasion de marquer par des actes leur adhésion aux doctrines de l'Église romaine; elles permettent, par les démonstrations de foules, de conforter les plus timorés dans leur foi. Par ces cérémonies, l'Église catholique démontre qu'elle n'entend plus laisser le champ libre à l'hérésie. On processionne triomphalement, chantant à pleine voix devant le temple à l'heure du prêche; on se rassemble pour planter une croix au centre du bourg, si possible en face de la porte du lieu de culte des réformés. Les fidèles sont aussi invités à applaudir aux victoires que remporte leur Église sur l'hérésie, conséquences et preuves de la vérité de sa foi. C'est dans ce cadre qu'il faut replacer les défis lancés aux pasteurs par les missionnaires, les manifestations de triomphe qui clôturent les séances de controverse ou la publicité donnée aux conversions obtenues.

Beaucoup de missionnaires – en particulier capucins – prirent l'habitude d'intégrer à leur mission la célébration des prières des Quarante-Heures. Ces prières leur apparaissaient en effet un moyen privilégié pour réchauffer la foi des catholiques. Pendant trois jours, le Saint-Sacrement était exposé dans un cadre aussi richement décoré que possible et les prédications se succédaient. Les Quarante-Heures constituaient donc une expression publique du dogme eucharistique; elles représentaient comme une surabondance de dévotion à l'égard de ce mystère central de la foi catholique rejeté par les protestants. Mais elles étaient surtout l'occasion de réunir les foules des environs, qui venaient en procession pour se joindre aux cérémonies organisées et gagner les indulgences dispensées à cette occasion. Elles constituaient donc une démonstration de force.

Pour les missionnaires, l'affirmation du catholicisme passait aussi par la rupture des bonnes relations qui pouvaient exister entre fidèles des deux confessions. Ils s'efforcèrent de persuader leurs auditeurs que la fréquentation des hérétiques représentait un grave danger dans la perspective du salut. C'est ce que déclarait Jean-Pierre Camus dans un sermon de 1615 :

« Pour la conservation de la chasteté, il vaut mieux fréquenter avec le plus méchant homme qu'avec la meilleure femme du monde; car on n'est pas tenté avec son sexe. Et pour tenir la foi en sa candeur et pureté, il vaudrait mieux être avec le plus mal morigéné catholique qu'avec un hérétique moralement bon; car celui-là, débauché en la volonté, est droit d'entendement; mais celui-ci ne peut avoir la volonté juste, ayant l'entendement dépravé [14]. »

Au cours de ses missions des années 1640 dans les diocèses de Valence et de Die, Christophe Authier insista particulièrement sur cette nécessité de fuir les huguenots. Il expliquait ainsi aux habitants de Saillans que ceux qui ne veulent avoir l'Église pour mère ne peuvent avoir Dieu pour père. A Saint-Nazaire, où l'idée du salut possible dans l'une comme dans l'autre des confessions est très répandue, Authier compare l'Église à l'arche de Noé; lorsque viendra le déluge, seuls ceux qui sont à son bord seront sauvés. Il ajoute même qu'on ne peut être sauvé si l'on croit que le calvinisme peut conduire à Dieu [15]. Des actes doivent traduire cette prise de conscience du danger de l'hérésie. Ainsi, lorsque leurs enfants fréquentent une école tenue par un maître huguenot, les parents sont invités à les en retirer. A Crest, on leur explique qu'ils mettent en péril leurs enfants dont les esprits sont « sensibles aux premières impressions, malléables comme de la cire molle ». La relation de cette mission ajoute qu'on s'efforça ainsi de tirer les catholiques du « sommeil léthargique » dans lequel ils se trouvaient [16]. A l'indifférence aux questions du salut et aux bonnes relations avec les protestants, devaient donc succéder l'affirmation de l'identité confessionnelle et la tension. Pour les missionnaires, il s'agissait d'une conséquence logique du recul de l'ignorance et de la tiédeur.

Les missions furent donc un temps d'augmentation de la tension entre les communautés. De ce phénomène déjà évoqué, quelques exemples peuvent être donnés à partir des relations de missions de Christophe Authier. A Saillans, les enfants catholiques agressent le protestant qui parcourt les rues avec une clochette pour rassembler ses coreligionnaires au temple. Dans le même bourg, protestants et catholiques s'arrachent littéralement des mains un enfant réformé qui souhaite se convertir. Et l'on sait déjà que les capucins venus dans la localité à l'issue de la mission sont l'objet d'une attaque nocturne [17].

A vrai dire, l'attitude des responsables protestants contribua aussi à l'accroissement de la tension durant les missions. S'il faut en croire les récits de missions, les pasteurs galvanisent – et même fanatisent – leurs troupes à l'arrivée des missionnaires, de peur que des défections aient lieu; parfois des jeûnes sont organisés pour implorer l'assistance divine et renforcer la cohésion du groupe. Dans les prêches et les exhortations qui ont alors lieu, les missionnaires sont fréquemment présentés comme des sorciers. A Saint-Jean-en-Royans, le pasteur les peint comme de « rusés ravisseurs d'âmes qui, par les artifices mielleux de leurs paroles et un masque de sainteté, envoûtent les esprits, enlacent la volonté et la réduisent, en sorte qu'on ne peut les approcher sans risquer d'être perdu [18] ». Les pasteurs semblent ainsi avoir parfaitement compris à quelle pastorale faisaient appel les missionnaires.

Ceux-ci pouvaient craindre que les réactions protestantes à leur stratégie de la tension ne dissuadent les catholiques d'affirmer clairement leur foi après la fin de la mission. Et il est certain que, surtout dans les localités où les protestants étaient majoritaires, les catholiques furent sans doute peu tentés par un héroïsme de la foi qui pouvait les exposer à des mesures de rétorsion économique ou à des affrontements physiques. C'est pour parer à ce retour à la tiédeur, et aussi pour que le catholicisme brille partout avec l'éclat digne de la seule vraie religion, que les missionnaires eurent de plus en plus fréquemment recours au bras séculier. Il fallait donner aux huguenots le sentiment qu'ils ne pouvaient rien entreprendre contre l'Église romaine et que le droit permettait de les contenir. Prenant appui sur un arsenal juridique de plus en plus contraignant pour les protestants et sur les bonnes dispositions des parlements, les missionnaires multiplièrent les plaintes dès que leurs entreprises suscitaient des violences huguenotes ou seulement des paroles jugées injurieuses pour la religion ou pour le pape.

Dans certains cas, il est même évident que des missionnaires mirent tout en œuvre pour susciter des réactions protestantes qui déclencheraient à leur tour la répression. On le voit dans certaines provocations à la controverse, lancées en particulier dans les temples; le tumulte qui s'ensuit, au cours duquel les religieux sont pris à partie par les fidèles huguenots, entraîne une enquête de justice et la punition des plus turbulents des protestants [19]. On le voit aussi dans certains plantements de croix. A Mérindol, bourg presque entièrement protestant, le Père Antoine Le Quieu en érige une en 1659 à l'issue d'une mission de tonalité très agressive; les protestants du lieu, qui estiment « que l'on avait voulu les humilier et les confondre », l'abattent, la mettent en pièces et la brûlent au cours d'une parodie de procession. Le missionnaire obtient alors des sanctions contre les responsables de cet acte sacrilège. A la régente qui lui proposait l'envoi d'un régiment à Mérindol, Le Quieu, qui désirait seulement la « correction » et la « conversion » des huguenots, répondit « qu'il ne fallait pas user d'une si grande rigueur à leur endroit quoiqu'ils l'eussent bien méritée, mais qu'il suffisait que le Parlement donnât une sentence par laquelle il les obligeât à relever d'eux-mêmes cette croix et à ne la plus abattre » [20].

A défaut d'obtenir toujours toutes les conversions espérées, les missionnaires s'employèrent donc à modifier les rapports de force et à obtenir que les agissements des protestants soient plus étroitement surveillés. Estimant ainsi gagner des territoires à l'Église, ils espéraient aussi ébranler la cohésion et la force des communautés huguenotes. Pour la réalisation de ces objectifs, aucun moyen n'était négligé. L'inégalité entre les deux confessions, instaurée par l'édit de Nantes et amplifiée par son interprétation restrictive, fournissait un cadre propice au déploiement du zèle combatif du clergé de la Contre-Réforme.

Renforcement de la pression du clergé

Pendant la première moitié du siècle, toutefois, les protestants n'eurent à subir que des assauts sporadiques. Le clergé engagé dans la lutte contre l'hérésie demeurait en effet numériquement peu nombreux et chaque localité n'était visitée par les missionnaires qu'assez rarement. A l'exception des bourgs où les capucins ou les jésuites avaient installé un couvent, une résidence ou une maison de mission, les offensives contre le protestantisme ne représentaient que des orages passagers dans le ciel plutôt serein de la coexistence quotidienne.

Cette situation se modifia sensiblement dans la deuxième moitié du XVIIᵉ siècle, et plus particulièrement aux environs de 1670. La reconquête catholique se fit alors plus méthodique et plus tenace. A cette époque, la restauration catholique que d'aucuns avaient conçue comme facile et prompte à réaliser se révélait devoir être de longue haleine : les missions n'avaient pas obtenu toutes les conversions escomptées, le « sommeil léthargique » des catholiques semblait bien profond, la piété et le zèle n'avaient pas germé chez les fidèles de manière instantanée à l'appel des missionnaires. Il apparut ainsi progressivement qu'il fallait envisager différemment la mise en œuvre de la reconquête religieuse.

On pourrait donc dire que le temps des pionniers était révolu ; et d'ailleurs l'assimilation des campagnes françaises aux territoires du Nouveau-Monde se fit alors plus rare. Désormais, l'accent est davantage mis sur l'encadrement quotidien des populations. Ce n'est pas que cette préoccupation ait été absente dans la période précédente, mais les moyens en hommes manquaient ; le changement des conceptions et des méthodes pastorales est donc peu ou prou concomitant et tributaire de la mise en place des séminaires et des premiers résultats de l'effort de formation du clergé. En d'autres termes, au temps de l'apostolat succède celui de la pastorale.

Dans ce nouveau contexte, l'évêque joue un rôle essentiel. Jusque-là, les missionnaires ne s'en étaient guère préoccupés ; ils recevaient ordinairement son autorisation pour exercer leurs fonctions, puis vaquaient à leur gré à l'intérieur des limites du diocèse. L'évêque leur laissait le champ libre, peu préoccupé qu'il était habituellement d'une reprise en main en profondeur de son diocèse. Maintenant, au contraire, l'évêque – plus présent – devient l'âme de l'entreprise de renouveau religieux. Assez souvent, il paie de sa personne : c'est par exemple l'époque où l'épiscopat visite régulièrement et méticuleusement l'ensemble des paroisses, s'intéressant aussi bien aux péchés les plus courants dans telle ou telle paroisse qu'au comportement quotidien des curés ou à l'entretien et à la décoration des lieux de culte ; au cours de ces visites pastorales, la présence de protestants retient ordinairement l'attention de l'évêque, qui note leur nombre, s'enquiert des rapports entre les deux communautés, s'informe d'éventuelles infractions aux édits commises par les huguenots. Ainsi mieux informé de la situation religieuse de son territoire, l'évêque impulse et coordonne les initiatives.

Peut-être moins spectaculaire, la lutte contre le protestantisme est dès lors plus ample et plus suivie. Ainsi ce n'est pas un hasard si à partir des années 1660 les assemblées du clergé reçoivent, comme nous l'avons vu, des plaintes répétées des évêques contre les entreprises des protestants des divers diocèses. Profitant du crédit lié à leur charge, les évêques reprennent et poursuivent avec ténacité la politique de sollicitation du pouvoir civil qu'avaient inaugurée les compagnies de Propagation de la Foi, désormais placées sous leur autorité. Par la tenue des synodes (réunion des curés) et la publication d'ordonnances synodales, ils dictent à leur clergé la conduite à tenir à l'égard des protestants. Ils indiquent aussi aux Ordres et Congrégations présents dans leurs diocèses les noms des localités où des missions seraient les plus utiles. Bien plus, en fonction de leurs propres orientations spiri-tuelles, ils choisissent parmi les groupes de missionnaires ceux qui leur semblent effectuer le meilleur travail. Évoquant ainsi de possibles contestations des jésuites à l'envoi de missionnaires qu'il projette à Chambéry, l'évêque de Grenoble écrit en 1684 :

« Il y a cent ans que les Jésuites sont à Chambéry et ils n'y ont jamais fait de mission ; et quand ils auraient ce droit, j'ai de droit divin l'autorité d'en faire par moi et par ceux que j'y juge propres, sans qu'on m'en puisse empêcher [21]. » Ce même évêque, Étienne Le Camus, connu pour sa réprobation du recours à la manière forte en matière de conversion, avait clairement défini dès le début de son épiscopat la manière dont il concevait le débat avec les protestants :

« Il faut avec les hérétiques commencer la controverse par

leur exposer tout ce que nous ne croyons pas et qu'on dit que nous croyons. Vous ne sauriez comprendre l'effet que cela fait dans leur esprit [22]. »

La manière de procéder définie par Le Camus reflète une des orientations majeures de la pastorale du dernier tiers du XVIIe siècle. Comme nous l'avons vu avec les assemblées du clergé, les ecclésiastiques d'alors pensent que l'essentiel est de présenter le catholicisme dans toute sa pureté et de détruire les fables qui circulent à son sujet parmi les errants. Encore faut-il pouvoir montrer que les critiques protestantes contre les idolâtries papistes ne sont pas fondées et débarrasser pour cela la piété populaire de certaines pratiques traditionnelles de dévotion, entachées selon le clergé de « superstitions ». Certes, cette lutte du clergé ne puise pas ses racines dans le seul souci de convaincre les protestants; plus largement, elle correspond à l'accroissement de la distance culturelle entre les élites religieuses et le peuple. Mais il est aussi certain que la confrontation avec les réformés conduisit à mener cette épuration avec plus de rigueur. On pourrait ainsi dire que les tentatives catholiques de séduction changèrent alors de forme; désormais, les caractères communs dans les croyances et les manifestations de foi des deux confessions étaient davantage mis en évidence. La persistance de l'hérésie n'apparaissait vraiment, dès lors, que comme le fruit de l'aveuglement et de l'opiniâtreté.

Le souci des évêques de ne pas laisser le champ libre aux réformés dans leurs diocèses se manifesta particulièrement dans le domaine scolaire. On sait qu'en raison du rôle accordé à l'intimité nécessaire du fidèle avec l'Écriture sainte les protestants se préoccupèrent très tôt du développement de l'alphabétisation et ouvrirent un nombre important de petites écoles. L'édit de Nantes reconnaissait d'ailleurs le droit d'en tenir dans toutes les localités où le culte était autorisé. A quelques exceptions près, les catholiques ne manifestèrent pas, au XVIe et au début du XVIIe siècles, un zèle comparable pour le développement de l'institution scolaire. En théorie, l'école avait pourtant à leurs yeux un rôle fondamental : les enfants devaient bien sûr y apprendre à lire, et éventuellement à écrire; mais la véritable fin de cet enseignement était l'instruction religieuse, si cruellement défaillante. De plus, l'école fut progressivement conçue comme un lieu de façonnement des comportements moraux, d'acquisition des bonnes habitudes.

La fonction religieuse de l'école explique que le clergé ait insisté auprès du roi pour obtenir la tutelle sur les écoles. Un édit de 1606 exigea que les maîtres soient approuvés du curé du lieu et confia le règlement des litiges à l'évêque.

Dans la seconde moitié du XVIIᵉ siècle, les évêques insistèrent plus que leurs prédécesseurs pour que des écoles tenues par des maîtres catholiques soient ouvertes. Interdisant formellement aux parents d'envoyer leurs enfants chez le maître huguenot, ils se préoccupaient de la situation scolaire et de l'aptitude des maîtres lors de leurs visites pastorales. On a ainsi pu parler d'une « véritable croisade de scolarisation » entreprise par l'évêque de Montpellier à partir de 1677 [23]. On assiste donc à une concurrence accrue entre les deux Églises sur le terrain scolaire. Mais, comme pour beaucoup d'autres domaines, la partie devint vite inégale car le pouvoir royal restreignit considérablement à partir de 1670 les droits des protestants en matière d'école. Sur tous les fronts la présence du catholicisme se fit ainsi plus permanente et plus forte au cours des décennies précédant la révocation de l'édit de Nantes.

La bourse et la vie éternelle

La même décennie 1670 connut le développement d'une autre forme de sollicitation au retour au sein de l'Église romaine : le versement de subsides aux convertis. Le procédé n'était pas entièrement nouveau. Dès 1598, le clergé avait créé une caisse destinée à aider financièrement les pasteurs qui avaient rejoint l'Église; le fonds ainsi constitué servit aussi rapidement à subvenir aux besoins des controversistes et convertisseurs qui devaient, pour pouvoir bénéficier de subsides, présenter régulièrement le bilan et le programme de leurs travaux [24]. Le clergé de France entretenait ainsi 28 ministres convertis en 1670 et 35 en 1675, chacun d'eux recevant en moyenne 500 livres environ par an. De la même manière, des proposants, c'est-à-dire des étudiants en théologie protestante convertis avant leur accession à la fonction de pasteur, recevaient aussi des gratifications du clergé de France. Ces secours financiers étaient justifiés par le fait que les pasteurs qui se convertissaient perdaient du même coup leurs revenus; il ne fallait pas que des considérations matérielles puissent les retenir dans l'hérésie.

Au moyen de sa caisse des conversions, le clergé venait aussi en aide aux maisons de nouvelles-converties tenues ordinairement par les compagnies de la Propagation de la Foi. Il subventionnait ainsi 23 maisons en 1675 et 35 en 1680 [25]. Les secours matériels aux protestants qui abjuraient étaient – nous l'avons déjà vu – un des moyens d'action privilégiés des compagnies de dévots. Les délibérations de la compagnie de la Propagation de la Foi de Grenoble montrent ainsi que, dès 1647, elle avait invité ses membres à se cotiser pour créer un fonds destiné à « faire le progrès qu'elle se propose pour la conversion des hérétiques [26] ». L'aide accordée, qui pouvait l'être sous forme d'argent, de vêtements ou de prise en charge du logement, permettait aux convertis des milieux populaires de subsister en attendant de trouver un emploi; leur conversion avait en effet ordinairement provoqué leur licenciement; souvent aussi, il leur avait fallu quitter la localité où ils habitaient. Dans d'autres cas, les subsides alloués permettaient de s'acquitter de dettes auprès de créanciers protestants devenus intraitables à l'égard de leur débiteur dès l'instant de sa conversion. Mais le risque était évidemment que de pauvres convertis tirent parti de cette situation et cherchent à se faire entretenir le plus longtemps possible; d'où la décision de la compagnie grenobloise, en 1650, de n'assurer que trois mois de prise en charge à ses propres frais; d'où aussi l'utilisation de son vaste réseau de relations pour placer au plus vite les convertis qu'elle accueillait. Ne serait-ce que pour la santé de leurs finances, les compagnies de dévots ne versaient ordinairement que des allocations temporaires.

Cette politique de secours financiers destinés à faciliter les changements de confession prit une ampleur et un tour nouveaux à la fin de la décennie 1670. A cette époque en effet, la royauté, qui jusque-là avait estimé que ce type d'intervention n'était pas de son ressort, et qui se débattait elle-même avec d'insolubles problèmes financiers, organisa une caisse des conversions à très grande échelle. Les ressources en furent trouvées grâce au droit de régale qui permettait au roi de percevoir les revenus des plus importants bénéfices vacants. Ainsi la caisse fut-elle alimentée par les revenus des abbayes de Cluny et de Saint-Germain-des-Prés et le tiers de ceux des autres bénéfices. A elles seules, les deux abbayes procuraient plus de 100 000 livres par an, et l'ensemble du fonds constitué pouvait permettre d'envisager une action de grande envergure.

L'âme de l'entreprise fut un ancien protestant converti, Paul Pellisson. Membre de l'Académie française depuis 1653, Pellisson, qui était originaire de Béziers, fut très lié au clan Fouquet, ce qui lui valut quatre années de prison lors de la condamnation de son protecteur. Libéré, il entre dans la mouvance de Colbert et obtient en 1669 une charge d'historiographe. C'est l'année suivante qu'il abandonne le protestantisme pour l'Église romaine. Chargé à partir de 1676 de la caisse des conversions, dont il fut partiellement au moins l'inspirateur, Pellisson dirigea en fait un véritable ministère. Percevant les revenus des bénéfices en régale et engageant si nécessaire des poursuites pour obtenir les rentrées de fonds, il distribuait les subsides dans les provinces, édictait des circulaires sur la manière de les utiliser, établissait des statistiques sur les résultats obtenus. Dans un document envoyé à Rome, il dénombrait ainsi, diocèse par diocèse, un total de 10 048 conversions réalisées grâce aux ressources qu'il avait distribuées de la fin 1676 à la fin 1679 [27].

Le personnage de Pellisson et son action ont été l'objet de nombreuses controverses. On a ainsi souligné que cet homme était pétri de contradictions, qu'il n'hésita pas à faire emprisonner sa sœur demeurée protestante, mais qu'il protégea aussi sa famille lors de la révocation de l'édit de Nantes. On souligne surtout qu'il mourut sans recevoir les derniers sacrements et on s'interroge sur ses éventuels remords; on évoque même une « totale désespérance » chez ce convertisseur qui n'avait pas réussi à vraiment se convertir lui-même [28]. Ce qui est certain, en revanche, c'est que Pellisson partagea le rêve – renouvelé alors – d'un retour à l'unité religieuse et qu'il pensa que mieux valait ramener les égarés par l'attrait d'avantages financiers que par le recours à la violence. S'il n'était pas dupe sur la qualité des conversions obtenues, il demeurait persuadé que les enfants de ces mauvais catholiques en seraient pour leur part de très bons, grâce à l'éducation qu'ils recevraient dans le sein de l'Église.

Pellisson ne croyait pas, en effet, que l'argent suffisait pour de réels retours au catholicisme : l'argent n'était qu'un « pédagogue » qui devait permettre la mise en œuvre d'autres moyens. En ce sens, Pellisson rejoint parfaitement les conceptions de ses contemporains sur les raisons de la persistance de l'hérésie et sur les méthodes pour en venir à bout. C'est parce qu'il y avait cet accord fondamental que des personnages parmi les plus éminents de l'Église du temps, tels Bossuet, Fénelon ou Bourdaloue, approuvèrent son entreprise. Lorsqu'il voit dans ce soutien un signe de la « profonde dégradation spirituelle » du catholicisme de cette époque [29], Émile Léonard réagit avec sa sensibilité de chrétien du XXe siècle pour qui les droits de la conscience sont sacrés; il oublie en revanche que pour les hommes d'Église du XVIIe siècle les protestants demeuraient dans l'aveuglement et qu'aucun moyen ne pouvait être négligé pour les amener à la lumière. A propos de l'entreprise de Pellisson, Fénelon pensait ainsi qu'il fallait « remuer toutes les passions pour rendre la persuasion plus facile »; et Bourdaloue déclarait que « Dieu, dont la Providence est adorable, emploie tout à la vocation et au salut des élus [30] ». On retrouve là un discours sur les vertus de la séduction cher aux missionnaires de ce siècle, le plus difficile étant d'amener les protestants à faire le premier pas en direction de la vérité ou, en d'autres termes, de les arracher à la tutelle de leurs ministres.

La caisse des conversions n'obtint pas pour autant des résultats à la hauteur de ses ambitions. Selon les termes de Jurieu, elle n'eut guère de prise que sur la « lie du peuple » et les « indévots ». De fait, les sommes versées – quelques dizaines de livres en moyenne – ne pouvaient guère attirer que les protestants les plus démunis, nombreux toutefois en cette période de difficultés économiques. Malgré les contrôles instaurés par Pellisson, certains parvinrent d'ailleurs à toucher à plusieurs reprises ses allocations de conversion, sans toujours pour autant cesser de fréquenter le temple. De plus, les commis de Pellisson, rémunérés « à la tête », ne firent pas toujours preuve de beaucoup de scrupules dans les méthodes utilisées. Ajoutons encore que les réformés renforcèrent considérablement leur système de secours aux pauvres et, par des « contre-caisses », s'employèrent à limiter les désertions liées à une situation matérielle dramatique. Bien plus, le cynisme de la caisse ne fit qu'accroître chez beaucoup les réticences à l'égard de l'Église romaine [31].

Aussi, sans être entièrement abandonnée, la méthode de l'attrait par l'argent cessa d'être privilégiée. Lors des premières dragonnades, des tentatives de corruption leur furent associées et l'on voit, à partir de 1680, le clergé augmenter ses fonds destinés à l'entretien des ministres convertis. Mais la royauté avait nettement opté alors pour le recours à la contrainte plutôt qu'à la séduction.

Le maigre bilan des entreprises de conversion

Au terme de ce tour d'horizon des méthodes utilisées pour convaincre les protestants de rentrer dans le giron de l'Église romaine, tentons de dresser le bilan des résultats obtenus. Les nombres de conversions que donnent les missionnaires dans les relations de leurs entreprises sont souvent impressionnants et laissent entendre que le succès du catholicisme fut total. Les capucins auraient ainsi converti 12 000 personnes au cours de leurs cinq premières années d'activité en Poitou, et c'est à 40 ou 50 000 entrées dans l'Église catholique qu'il faudrait estimer le résultat de leur vingtaine d'années de missions [32]. Des indications analogues existent pour d'autres régions; en les prenant toutes au pied de la lettre on se demande comment il pouvait encore rester des protestants en France à la veille de la révocation de l'édit de Nantes. Il est donc évident qu'il faut réviser en baisse les estimations fournies par les missionnaires. Les récits qu'ils nous donnent ne sont pas des chroniques marquées d'une exigence de précision, ce sont des documents de propagande. Imprimés, ces bulletins de victoire devaient contribuer à l'ébranlement des communautés réformées en montrant que leurs rangs s'amenuisent. Quant aux relations demeurées manuscrites, elles étaient le plus souvent destinées aux autorités de l'Église et constituaient pour chaque Ordre religieux le moyen de souligner l'importance de sa contribution au combat général.

Il demeure toutefois qu'en certaines régions les conversions se chiffrèrent par milliers pendant la première moitié du siècle. Analysant la mission des capucins en Poitou, Louis Pérouas conclut que ces Pères obtinrent sans doute 7 000 à 8 000 passages au catholicisme au cours des dix premières années de leur activité [33]. Mais le mouvement se ralentit ensuite et l'on peut estimer que la pastorale catholique fut surtout fructueuse entre 1620 et 1640, c'est-à-dire au temps de sa mise en œuvre : elle profita alors largement de l'effet de surprise qu'elle créa. Ses armes s'émoussèrent ensuite, tandis que les communautés protestantes, plus conscientes du danger, se méfiaient davantage des entreprises des missionnaires. Ces derniers annoncent d'ailleurs, à partir des années 1640, des résultats plus modestes; on voit même le biographe d'un missionnaire déclarer que les « fruits » obtenus « n'ont pas correspondu à ses travaux [34] ». Il faut alors attendre les années qui précèdent la révocation de l'édit de Nantes pour observer, sous l'influence de facteurs bien différents, un mouvement assez massif de passage au catholicisme.

Sur l'ensemble du siècle, l'action du clergé n'aboutit ainsi globalement, le plus souvent, qu'à un « insignifiant grignotage [35] » des communautés huguenotes. Pour le diocèse de La Rochelle, les 40 à 50 conversions obtenues par an entre 1648 et 1680 ne représentent qu'une diminution annuelle de 0,2 % des effectifs des Églises réformées [36]! En Languedoc la caisse des conversions de Pellisson ne gagna qu'un demi-millier de protestants, soit bien moins de 1 % du total [37].

Ces moyennes ne traduisent toutefois la réalité que de manière très imparfaite. Les attaques des convertisseurs furent en effet inégalement efficaces selon les localités. A partir des listes d'abjurations reçues par les capucins du Vigan, Robert Sauzet a pu mettre en évidence cette diversité de succès de l'offensive catholique. Dans les lieux où les protestants sont majoritaires, les abandons du calvinisme sont rares : le nombre des conversions demeure inférieur à 1 % du total des protestants. En revanche, dans les bourgs où ceux-ci ne représentent qu'une petite fraction de la population, le taux des conversions peut atteindre 10 %. Il faut donc en conclure que les conversions ne résultèrent pas seulement des efforts produits par la pastorale catholique; le contexte confessionnel compte tout autant et l'on ne peut négliger l'incitation au changement de religion créée par la pression du milieu ambiant.

On comprend mieux, à la lumière de ces constatations, l'infléchissement du discours des ecclésiastiques sur les causes de la survie du protestantisme. Conscients de cette inégalité des résultats obtenus, ils soulignèrent de plus en plus que les candidats à la conversion étaient retenus dans l'hérésie partout où le protestantisme était fort; ils insistèrent sur la tutelle exercée par les pasteurs et les notables réformés et demandèrent de plus en plus instamment à la royauté des mesures destinées à briser la cohésion des communautés huguenotes. En d'autres termes, la pastorale catholique réussit son « grignotage » hors des véritables bastions protestants mais s'avéra incapable de venir seule à bout de la résistance offerte par les localités massivement réformées. C'est dans celles-ci surtout que les missionnaires usèrent de la stratégie de la provocation, que nous avons évoquée, dans l'espoir que la répression judiciaire porterait un coup à la force du groupe protestant ici dominant.

Si les communautés réformées minoritaires offrent plus de prise aux convertisseurs, il en va *a fortiori* de même pour les individus isolés, ces huguenots qui ont quitté leur lieu d'origine, notamment pour des raisons professionnelles. Étudiant le registre des abjurations de la compagnie lyonnaise de Propagation de la Foi, Odile Martin constate que 17 % seulement des convertis sont originaires de la cité, alors que 40 % sont natifs de diverses provinces françaises et 43 % de l'étranger, en particulier de Suisse [38]. Le nombre des déracinés est donc très important dans le groupe de ces transfuges confessionnels, pour qui l'adhésion au catholicisme représente souvent un facteur d'intégration sociale. Cette impression est encore renforcée par le fait que beaucoup de ces convertis n'ont pas de liens familiaux susceptibles de les retenir dans le protestantisme : ce sont en effet souvent des veuves, des orphelins ou des femmes abandonnées. Parfois, la conversion suit une séparation brutale du milieu d'origine, comme dans le cas des pauvres malades de l'Hôtel-Dieu ou encore des prisonniers. Au total, la compagnie lyonnaise « ne semble mordre que sur les franges de la communauté protestante de la ville ou sur ses membres les plus vulnérables [39] ».

Plus ou moins marginal par rapport aux Églises réformées, celui qui se convertit est souvent aussi en situation matérielle difficile ou du moins précaire. Dans le cas lyonnais, la prise en charge par la compagnie de Propagation de la Foi représente pour lui une aide immédiate et un placement professionnel à plus ou moins long terme. On ne peut donc tenir pour totalement négligeables les avantages concrets qu'offrait l'Église catholique à ceux qui acceptaient de rejoindre ses rangs. Les relatifs succès de la caisse de Pellisson, qui pourtant ne distribuait que des secours très réduits, montrent aussi que la situation matérielle des classes populaires les rendait fragiles face à l'offensive catholique.

Cependant, il faut bien conclure que le bilan total des conversions reste très en retrait des espoirs du clergé. Lorsque, vers 1679-1680, la royauté entreprit d'employer la rigueur pour accélérer les passages au catholicisme, toutes les autres solutions avaient en quelque sorte épuisé leurs potentialités.

Chapitre 9

LES TRIOMPHES DU BRAS SÉCULIER
ou l'instauration de l'ordre catholique

Si le nombre des conversions demeura globalement limité jusqu'à la veille de la révocation de l'édit de Nantes, ce n'est pourtant pas que le pouvoir royal et ses représentants aient ménagé tout au long du siècle leurs efforts pour mettre les protestants dans une situation difficile. Pour le clergé des dernières décennies du siècle, la politique de Louis XIV se situait d'ailleurs dans le droit fil de celle de ses prédécesseurs : il parvenait seulement à réaliser ce que Henri IV et Louis XIII avaient souhaité, mais n'avaient pu totalement accomplir. Les ecclésiastiques décelaient ainsi une belle continuité dans l'attitude des trois souverains du XVIIᵉ siècle à l'égard du protestantisme.

De fait, cette politique apparaît, en première approche, comme un étranglement progressif et continu des libertés protestantes. Répondant avec de plus en plus d'empressement aux sollicitations du clergé, les autorités civiles s'employèrent à contenir les huguenots dans les bornes posées par l'édit, interprété lui-même de façon de plus en plus restrictive. On limita ainsi le droit de culte et les possibilités de prosélytisme des protestants, on les exclut de diverses professions, on facilita leur harcèlement par le clergé catholique. Bref, on en fit peu à peu une minorité marginalisée, soumise au feu roulant des convertisseurs de toute espèce, avant de finir par le recours ouvert à la contrainte.

Mais un examen plus attentif des mesures prises montre que le pouvoir royal n'agit pas toujours avec les mêmes objectifs ni avec la même constance à l'égard du petit troupeau huguenot.

La politique royale obéit en effet à ses propres impératifs qui ne recoupent pas toujours totalement ceux de l'Église et des dévots. Ainsi rencontre-t-on au cours du siècle d'heureuses périodes de répit pour les protestants, qui tentèrent alors de refaire leurs forces et de reconquérir les libertés perdues. Pour bien comprendre la politique royale, il importe de suivre assez précisément la chronologie de ses phases successives.

La fin de la puissance politique et militaire du protestantisme

Jusqu'à sa mort, en 1610, Henri IV s'efforça de maintenir l'équilibre instauré par l'édit de Nantes. Pour ce faire, il joua habilement sur les antagonismes entre les trois grandes forces du royaume : les protestants, les dévots et le groupe des « politiques », défenseur acharné des libertés gallicanes. Donnant aux catholiques des assurances – et même des gages – sur ses intentions et sur ses convictions religieuses, le roi ne renonce pas pour autant à ses conseillers huguenots, tels Agrippa d'Aubigné et Sully. Son refus de céder aux dévots apparaît surtout dans sa politique étrangère : au lieu d'épouser la cause espagnole – comme ceux-ci le souhaiteraient – Henri IV soutient les Pays-Bas contre l'Espagne et les Genevois contre la Savoie; il se rapproche aussi de l'Angleterre. Le choix de telles alliances ne peut que rassurer les protestants du royaume, car ces puissances protestantes dont le roi cultive l'amitié ne toléreraient pas qu'il restreigne leurs libertés. D'ailleurs, sans renoncer à l'espoir d'une unification religieuse de son royaume, Henri IV garde trop présent en mémoire le souvenir des guerres civiles pour tenter de brusquer les choses. L'expérience lui a aussi montré que ses anciens coreligionnaires sont fermement enracinés dans leurs convictions religieuses; malgré leur attachement à sa personne, ils ne l'ont pas suivi dans l'abjuration du protestantisme. Aussi songe-t-il plutôt à la convocation d'un concile qui réglerait pacifiquement les différends confessionnels.

Pour conserver un contrepoids à la poussée des dévots, et surtout pour ne pas mécontenter les huguenots inquiets de certaines mesures royales, Henri IV les autorise à quatre reprises à tenir des assemblées politiques. Ces assemblées, que ne prévoyaient pas explicitement l'édit de Nantes, rassemblaient des pasteurs, des bourgeois et, surtout, des nobles (30 représentants de cette catégorie sur les 70 membres des réunions tenues au temps d'Henri IV). Elles avaient vu le jour au temps des guerres de religion et joué un rôle essentiel dans les négociations préliminaires à la publication de l'édit; elles étaient l'occasion d'un examen général de la situation du protestantisme, qui s'achevait par l'élaboration de cahiers de doléances adressés au roi, et se chargeaient par ailleurs de la désignation des députés du protestantisme à la cour. Le roi ne voyait pas d'un œil particulièrement favorable la réunion de ces assemblées où siégeaient des chefs militaires, tenant des places de sûreté ou influents dans les régions de forte tradition huguenote; elles pouvaient apparaître comme un moyen de pression sur la royauté, voire une menace pour elle.

C'est après l'assassinat d'Henri IV que les assemblées politiques apparurent véritablement comme un danger pour la monarchie; on y débattit à plusieurs reprises des moyens à mettre en œuvre pour défendre la « cause ». Dès celle de 1611, autorisée par la régente, elles apparurent comme un lieu d'agitation et de coordination d'une opposition protestante à la politique royale. On décida ainsi en 1611 de l'organisation des « cercles », structures provinciales destinées à la défense locale du protestantisme. Par ailleurs, au cours de la même assemblée, quelques nobles bouillants, en particulier Henri de Rohan, exhortèrent leurs coreligionnaires à la résistance et laissèrent entendre à la royauté que le petit troupeau était prêt à réagir à toute attaque. Comme l'ensemble des gentilshommes, les nobles huguenots avaient été tenus sous la férule au temps du bon roi Henri. Après son assassinat, la grande noblesse chercha à profiter de la minorité de Louis XIII pour afficher des prétentions politiques et contrôler le pouvoir. Rivalités de clans et ambitions personnelles se donnèrent libre cours. L'agitation qui se fait jour dans les assemblées politiques des protestants correspond donc surtout à une tentative des Grands de la religion réformée d'utiliser cette structure au profit de leurs desseins personnels.

Si, dès 1612, la tenue de nouvelles assemblées fut interdite par la régente, les risques de troubles fomentés par les protestants demeuraient toutefois limités. Les rivalités entre les divers groupes de gentilshommes rendaient en effet impossible toute action concertée de grande envergure. De plus, si une partie de la noblesse était prête à montrer à la royauté la force du parti, bourgeois et pasteurs tenaient trop à la paix civile instaurée par l'édit pour s'engager dans d'aventureuses entreprises et pour jouer le jeu des Grands. Aussi les tentatives de soulèvement de Condé ne reçurent-elles qu'un accueil réservé de la part des protestants, sauf très brièvement en 1615.

Cette division des huguenots en « fermes » et en « prudents » ne fut pas sans incidences sur le dénouement des dernières guerres de religion (appelées ordinairement guerres de Rohan) qui se déroulèrent à partir de 1621. Dès sa véritable prise de pouvoir en 1617, Louis XIII se préoccupa du rétablissement du culte catholique en Béarn, que les assemblées du clergé réclamaient avec insistance. Dévot et très hostile au protestantisme, Louis XIII ordonna d'abord la restitution des biens du clergé en Béarn. Les protestants réagirent par une assemblée de cercle, puis une assemblée générale, malgré l'interdiction royale. Louis XIII, d'abord retenu par le conflit qui l'opposait à sa mère, décida en août 1620 d'acheminer vers le Béarn les troupes rendues disponibles par la paix qu'il venait de conclure avec Marie de Médicis. La région fut occupée et pillée malgré l'annonce par les États de Béarn d'une entière soumission aux ordres royaux. Louis XIII rétablit le culte catholique dans les villes et anéantit les franchises béarnaises. Il rentra avec la certitude qu'il lui était possible de faire plier le protestantisme.

Surpris par cette expédition, dans la mesure où le roi avait donné des apaisements aux députés de l'assemblée qu'ils avaient tenue, les protestants décidèrent d'une nouvelle assemblée, réunie à La Rochelle à partir de la fin de 1620. En mai 1621, celle-ci ordonna la mobilisation des huguenots et confia à Bouillon le commandement général des troupes. Mais déjà le roi avait pris la direction de La Rochelle pour faire face à l'assemblée interdite et soumis le Poitou sans y rencontrer de résistance. La combativité des huguenots se révéla en effet alors très inégale. Certaines provinces et certains Grands se désolidarisèrent de la tentative de résistance et firent acte d'allégeance au roi. Ainsi Duplessis-Mornay ou Lesdiguières gardèrent-ils toujours leurs distances par rapport au mouvement. Après la prise de Saint-Jean-d'Angély, le roi ne s'acharna pas contre La Rochelle, solidement défendue. Ses troupes envahirent la Guyenne, mais échouèrent devant Montauban, malgré un siège de trois mois. A l'annonce de cette nouvelle, d'autres villes protestantes se joignent au soulèvement au cours duquel Rohan s'affirme de plus en plus comme le véritable chef militaire du protestantisme. Au printemps de 1622, les opérations reprennent et dans le Sud-Ouest et en Languedoc. Se saisissant sans difficulté des places de faible importance, les troupes royales échouent devant Montpellier. C'est là que la paix est signée entre les deux partis, paix qui maintenait les protestants dans la plupart de leurs droits mais les privait de plusieurs dizaines de leurs places de sûreté.

Dès le début de l'année 1625, les hostilités reprirent. Désormais certain qu'il fallait en finir avec le parti huguenot et peu satisfait de sa dernière campagne de 1622, Louis XIII ne respecta pas les clauses de la paix de Montpellier. En particulier il laissa des troupes dans cette ville et maintint un dispositif de surveillance étroite de La Rochelle, tant sur terre que sur mer. L'inquiétude des protestants s'était pour sa part accrue avec l'arrivée au pouvoir de Richelieu, alors homme des dévots. L'année 1625 est marquée de nombreux combats, sans grands déplacements de troupes royales (elles sont demeurées depuis 1622 dans les régions « chaudes »). Du côté protestant, l'ardeur de la noblesse faiblit et c'est le peuple des villes qui est l'âme de la résistance, se heurtant parfois à une bourgeoisie réformée plus modérée et attachée aux franchises urbaines, face à Rohan aussi bien que face au roi. En février 1626, une nouvelle paix est signée, renouvelant pour l'essentiel les dispositions de celle de Montpellier.

L'année suivante, toutefois, commence le siège de La Rochelle par les troupes royales. Cette ville symbolisait depuis les guerres de religion la résistance du protestantisme français. Voulant abattre la puissance politique des huguenots, Richelieu ne pouvait que tôt ou tard concentrer ses forces sur cette cité. L'occasion en fut fournie par le débarquement des troupes anglaises de Buckingham à l'île de Ré, en juillet 1627, pour des raisons qui tiennent autant à la tension entre l'Angleterre et la France dans les domaines politique et économique qu'à la volonté de soutenir les huguenots. Mais Buckingham doit rapidement abandonner Ré, et La Rochelle se trouve isolée. Le siège méthodique de la ville, terrestre et maritime, dure un an, au bout duquel les 1500 survivants doivent capituler; les remparts sont rasés, les libertés de la ville supprimées.

Pendant ce siège, Rohan, pour sa part, avait ranimé l'ardeur au combat dans le Sud-Ouest et en Languedoc et tenu tête aux armées royales. Mais La Rochelle tombée, Louis XIII et Richelieu gagnent le Midi au printemps 1629, décidés à porter le coup décisif aux armées protestantes. En mai, Privas est assiégée, prise, pillée et brûlée. Alès doit à son tour capituler. Les huguenots négocient alors. La paix d'Alès et l'édit de grâce de Nîmes mettent un terme à ces dernières guerres de religion. Les clauses religieuses de l'édit de Nantes sont confirmées, mais les protestants perdent tous leurs privilèges politiques et militaires. La fin de cette puissance s'inscrit dans la lutte entreprise par la royauté contre toutes les forces limitant son autorité; elle réduit le protestantisme au seul état de minorité religieuse.

L'édit, rien que l'édit

On pouvait imaginer que Richelieu, nourri dans le sérail des dévots, tenterait alors de pousser plus avant sa victoire et d'imposer par la contrainte la disparition pure et simple du protestantisme. Certains l'incitèrent d'ailleurs à suivre cette voie, tel le garde des sceaux Michel de Marillac, champion du parti dévot et de l'alignement de la France sur les positions espagnoles en politique étrangère. Mais, pour Richelieu, la lutte qui s'était terminée avec la paix d'Alès n'avait eu pour objectif que la réduction à l'obéissance d'insoumis dont les agissements portaient ombrage à la souveraineté du monarque. Le retour des égarés dans le bercail de l'Église était pour le cardinal un problème d'un autre ordre, dont la solution dépendait surtout de Dieu. Les évêques, le clergé séculier et les religieux devaient travailler à la conversion des hérétiques que Dieu éclairerait lorsqu'il le jugerait bon. Richelieu comptait sur le dynamisme de la Réforme catholique pour venir à bout du protestantisme qui, dépourvu de son organisation politique, ne devait pas manquer, à son sens, de s'éteindre assez rapidement. Lui-même ne ménagea pas ses efforts pour la réduction des huguenots. Comme nous l'avons vu, il projeta de gagner des pasteurs par divers moyens et d'organiser une assemblée de réunion des deux confessions. Il soutint aussi divers controversistes, à qui il donna des instructions sur les méthodes à utiliser. Il organisa à diverses reprises – et finança même parfois de ses propres deniers – des missions de capucins et de jésuites. L'édit de grâce de 1629 signifiait pour Richelieu que « les sources de l'hérésie et de la rébellion (étaient) taries » [1], ainsi qu'il l'avait écrit au roi cette même année.

Sans doute le cardinal-ministre exagérait-il, comme ses contemporains, la dimension politique de l'adhésion au protestantisme et voyait-il dès lors de manière bien simpliste le lien entre la chute du parti huguenot et la disparition des Églises réformées. Toujours est-il que son analyse le détourna du recours ouvert à la contrainte sur les consciences, comme l'en détourna aussi l'évolution de ses conceptions politiques : de plus en plus nettement, en effet, Richelieu sépara la question de l'obéissance civile de celle de l'unité religieuse, même s'il continua d'œuvrer en faveur de l'une comme de l'autre.

Cela ne signifie évidemment pas que les protestants bénéficièrent de la plus parfaite tranquillité. Le pouvoir les suspecta en effet de chercher à reconstituer leur puissance politique passée et s'efforça donc de limiter les contacts entre les provinces, de surveiller les synodes par la présence de commissaires et d'empêcher les relations avec les Églises de l'étranger. Il fut ainsi interdit de recourir à des ministres étrangers. Dès 1623, le pouvoir s'était préoccupé de cette présence jugée inquiétante; une déclaration royale de 1627 et des arrêts du conseil et du parlement des années 1630 et 1634 renouvelèrent l'interdiction. Dans son arrêt de mars 1634, le parlement de Paris justifiait ces mesures par les risques d'appels à l'insoumission de la part de ces pasteurs :

« Il est nécessaire d'arrêter le cours de tel désordre et prévenir les intelligences secrètes que telles personnes pourraient avoir avec les ennemis de cette Couronne; lesquelles étant préposées pour parler en public, pourraient aussi enseigner des maximes étrangères contre les lois de la France, et détourner les sujets du Roi de la juste obéissance qu'ils lui doivent [2]. »

Craignait-on vraiment une agitation fomentée par « l'internationale huguenote »? Voulait-on surtout faire céder tous les particularismes devant l'autorité royale et renforcer et la soumission et la cohésion nationale? Cherchait-on simplement à étouffer par ce moyen, comme par d'autres, le protestantisme? Le choix entre ces hypothèses – qui ne s'excluent d'ailleurs pas – est difficile. Toujours est-il qu'on s'employa à faire sentir alors aux Églises réformées qu'elles tenaient leur existence de la seule grâce royale et que l'obéissance était la meilleure garantie de leur survie. Les huguenots se trouvèrent devant l'obligation de céder aux nombreuses injonctions royales restreignant leurs droits dans l'espoir de sauvegarder l'essentiel des libertés que leur avait accordées l'édit de Nantes. Menaçant de les considérer comme des mauvais sujets et des « perturbateurs du repos public » s'ils tentaient quoi que ce soit, le pouvoir, relayé par ses intendants et les parlements, mit alors en place une politique d'interprétation de l'édit « à la rigueur », qui commence ainsi bien avant le règne personnel de Louis XIV.

Divers textes de cette époque restreignirent la liberté de parole des pasteurs ou inaugurèrent une politique d'exclusion des protestants de certaines fonctions. Mais la grande affaire fut celle du culte dans les « annexes ». La question mérite un examen particulier car on découvre dans son déroulement comment les diverses autorités politiques, judiciaires et religieuses s'épaulaient dans leur tentative d'étouffement légal du protestantisme. Les « annexes », dont le sort n'était pas clairement réglé par l'édit de Nantes, étaient des localités où une petite communauté réformée, tout en ayant le droit de culte, n'avait pas de pasteur. C'était donc celui d'une Église voisine, à laquelle l'annexe était rattachée, qui visitait les huguenots du lieu et organisait de temps à autre le culte. En octobre 1630, deux arrêts du conseil, pris à la demande des évêques de Valence et de Vaison, interdirent aux ministres de Dieulefit et Nyons de prêcher hors de leur « lieu de résidence », sans tenir compte du problème particulier des annexes;

ces textes ne voyaient dans l'attitude de ces deux pasteurs qu'une tentative illégale de prosélytisme, puisque l'édit stipulait que le culte protestant ne pouvait avoir lieu que dans les localités où il était explicitement autorisé. On considérait donc que s'il n'y avait pas de pasteur à demeure, c'était que le culte n'avait pas été autorisé.

Le parlement de Grenoble, prenant le relais, fit signifier cette décision à quatre autres ministres de la province accoutumés à prêcher dans des annexes; bien informé des us et coutumes des protestants des environs, il tira donc au maximum parti de la décision du conseil. Les huguenots protestent alors, assurant que les annexes sont bien des lieux où le droit de culte est reconnu. Sur rapport d'une commission mi-partie, le parlement fait marche arrière en 1633, reconnaissant qu'un ministre peut bien desservir plusieurs lieux de culte, et le conseil du roi suit ses conclusions.

Mais le répit fut de courte durée. Censée expliciter l'édit, une déclaration du roi de 1634 interdit le culte dans les annexes, se fondant, à défaut de clauses précises du texte de 1598, sur l'édit de 1561. Le conseil reprend alors la poursuite des ministres en infraction. S'estimant dans leur droit, les protestants rédigent une requête très argumentée lors du synode national de 1637, mais en vain. Peu auparavant, le conseil, suivant l'argumentation de l'assemblée générale du clergé et poussant la logique à son terme, a pris un autre arrêt : si les ministres ne peuvent aller dans certaines localités, celles-ci ne peuvent avoir aucune forme de culte, car on ne saurait imaginer un culte sans pasteur. Tirant parti de cette victoire, le parlement de Grenoble dresse alors un règlement général qui reprend l'ensemble des décisions obtenues; ce texte de mars 1639 est affiché aux carrefours et « publié à son de trompe »; la même année, dans ses ordonnances synodales, l'évêque de Grenoble recommande à ses curés de veiller au respect de ces décisions et les invite ainsi à dénoncer les pasteurs en infraction [3].

Au moins sur le papier, avec le prétexte de défense de l'ordre public, la liste des lieux d'exercice du culte réformé se trouve ainsi limitée à ceux où séjourne un pasteur. Les groupes réduits de protestants sont théoriquement privés de toute vie religieuse, sauf à se déplacer régulièrement vers le temple le plus proche.

Au-delà de la mesure elle-même, son esprit reflète les conceptions catholiques de l'hérésie. Elle n'existe que si elle a des lieux de culte, et c'est donc contre eux que doivent être portés les coups. Par ailleurs, le protestantisme survit grâce aux pasteurs; isoler des groupes réformés du contact avec les ministres constitue donc une étape essentielle pour l'obtention de conversions. En 1631, lorsqu'il avait demandé un arrêt contre le ministre de Châtillon-en-Diois, l'évêque de Valence avait ainsi souligné que les déplacements de ce pasteur avaient pour objet « d'empêcher les conversions qui se font dans les villages circonvoisins depuis quelque temps [4] ».

On voit aussi à travers cette lutte contre les annexes combien tout ce qui n'est pas explicitement autorisé par l'édit tend alors à tomber sous le coup de l'interdiction. Parlementaires catholiques zélés, évêques et dévots suscitent les décisions et veillent à leur stricte application. Aussi ces décennies 1630 et 1640 offrent-elles l'image d'un protestantisme subissant une double attaque. Sur le plan légal, les libertés sont rognées et les menaces de poursuites judiciaires deviennent plus nombreuses. Par ailleurs, controversistes et missionnaires, protégés par le pouvoir, redoublent leurs assauts.

Le relatif répit de la mi-siècle

La politique inaugurée au temps de Richelieu fut poursuivie après son décès. Parlements et intendants continuèrent à s'employer à l'affaiblissement du protestantisme. Ainsi Baltazar, intendant du Languedoc, s'acharne-t-il à réduire les droits des huguenots méridionaux, non par fanatisme religieux mais par certitude qu'il s'agit d'une condition du progrès de l'autorité royale. Dans cette région où le protestantisme est majoritaire, le représentant du pouvoir pense que seul le langage de la fermeté peut maintenir les réformés dans l'obéissance. « En tout temps, écrit-il, la seule faiblesse de ce parti l'empêchera d'entreprendre contre le roi. » Il convient donc de ne tolérer aucune infraction aux mesures royales et même d'empêcher que les synodes mettent en débat les décisions prises par le pouvoir, telles que l'interdiction du culte dans les annexes par exemple. Pour Baltazar, certaines institutions donnent trop de force aux huguenots et doivent voir leurs attributions rognées. La chambre de l'édit lui apparaît particulièrement dangereuse car elle assure « une manifeste impunité qui fait triompher la hardiesse et témérité de ceux de la religion prétendue réformée de la modestie et obéissance des catholiques, puisqu'il est certain que les juges huguenots sont beaucoup plus unis entre eux que les catholiques [5] ».

Comme cet intendant qui surveille étroitement les mauvais sujets que lui apparaissent être les protestants, en bien des provinces les dévots organisent la lutte contre les infractions à l'édit de Nantes commises par les réformés. Le milieu du siècle est en effet l'époque de floraison des compagnies du Saint-Sacrement et de Propagation de la Foi dont nous connaissons l'acharnement à affaiblir le protestantisme. Mais en prenant une vue globale de la politique suivie alors à l'égard des huguenots, on a le sentiment d'un profond déphasage entre l'attitude du pouvoir et l'activisme des dévots; il semblerait même que ceux-ci cherchent à compenser par la multiplication de leurs initiatives et la mise en place de leur réseau national l'inertie des sphères ministérielles.

De fait, Mazarin n'avait rien d'un pourfendeur d'hérétiques. Bien plus, on peut légitimement douter qu'il ait eu quelque conviction religieuse que ce soit. Aussi Mazarin régla-t-il son attitude à l'égard des huguenots sur leur loyalisme, qui fut à peu près total. D'où la célèbre formule qui lui est prêtée :

« Je n'ai pas à me plaindre du petit troupeau; s'il broute de mauvaises herbes, du moins il ne s'écarte pas [6]. »

Pour une fois, le comportement très soumis des protestants leur valut des faveurs du pouvoir. Par une déclaration de mai 1652, le jeune Louis XIV reconnaissait la fidélité dont ils avaient fait preuve durant la Fronde et revenait sur la plupart des restrictions apportées à leurs droits au temps de Richelieu. C'est ainsi que les pasteurs obtinrent par exemple de pouvoir prêcher à nouveau dans les annexes.

Dans ce contexte de relatif répit qu'est celui du gouvernement de Mazarin, les Églises réformées firent preuve d'une assez belle vitalité. Le culte fut restauré en des localités où il avait été supprimé; parfois même il fut célébré en d'autres lieux que ceux prévus par l'édit. Par ailleurs, des conversions au protestantisme ont lieu, signe évident de son dynamisme. Sur les quelque 800 passages du catholicisme au protestantisme qu'il dénombre à Nîmes entre 1632 et 1672, Robert Sauzet relève ainsi que les dernières années de Mazarin représentent la période de plus forte intensité de ce mouvement [7]. Fortifiés par la déclaration de 1652, les huguenots n'hésitent pas alors à réagir vivement aux assauts des convertisseurs et c'est peut-être alors qu'il arrive le plus souvent que des missionnaires trop ardents soient éconduits un peu rudement par les communautés réformées. Au total, le groupe réformé ne donne nullement à cette époque l'impression d'une perte de vitalité liée à un certain « embourgeoisement », qu'avaient cru pouvoir déceler certains historiens du protestantisme. C'est donc une communauté vivante, voire en expansion, que Louis XIV s'emploiera peu de temps après à réduire, sur les instances de plus en plus pressantes des assemblées du clergé inquiètes de cette vigueur de l'hérésie. D'un indiscutable loyalisme à l'égard de la monarchie, les réformés français allaient aussi à terme faire bien malgré eux les frais des événements survenus Outre-Manche : les protestants anglais n'avaient-ils pas eu l'audace en 1649 de livrer au bourreau leur roi Charles Ier ? La propagande catholique se saisit de l'épisode pour raviver l'image à peine estompée du huguenot rebelle à toute autorité.

Marginalisation des protestants et ordre catholique

A partir de 1656, et surtout après le début du règne personnel de Louis XIV, la politique monarchique renoua avec celle inaugurée dans les années 1630. Une fois encore, le profond loyalisme des protestants à l'égard des autorités constituées les conduisit, pendant plusieurs décennies, à subir sans révolte sinon sans protestations les assauts répétés contre les droits que leur avait accordés l'édit de Nantes.

Le ton est donné par deux déclarations royales de 1656 que viennent compléter des arrêts du conseil de 1657, en un temps où la France entre en pourparlers de paix avec l'Espagne très catholique et envisage de sceller la paix entre les royaumes par la conclusion d'un mariage royal. La déclaration du roi de 1656 « portant que l'édit de Nantes et les déclarations, arrêts et règlements donnés en conséquence seront gardés et observés », décide de l'envoi de commissaires dans les provinces « pour les faire exécuter ». Mais une autre déclaration, du mois de décembre, montra qu'il s'agissait bien d'une volonté d'appliquer l'édit sans concessions pour les protestants ; elle interdisait par exemple le culte dans les villes épiscopales et reprenait les défenses relatives aux annexes. Trois arrêts du conseil, pris en janvier 1657, précisaient peu après la liste des infractions pour lesquelles des poursuites seraient entreprises. Les ministres ne devaient prendre la qualité de « pasteurs », ni « parler avec irrévérence des choses saintes », ni prêcher sur les places publiques ; la déclaration de 1634 sur les annexes devait être appliquée, nonobstant celle de 1652 qui était rapportée ; enfin les temples bâtis par les seigneurs protestants haut-justiciers, qui avaient droit de culte, devaient être démolis [8].

Les premières années du règne personnel de Louis XIV furent marquées par une accélération du rythme des atteintes aux libertés des protestants. De 1661 à 1666, de nombreux arrêts du conseil, pris en particulier pour régler les questions sur lesquelles les commissaires exécuteurs de l'édit étaient partagés, interprétèrent l'édit à la rigueur. Ces mesures obéissent à deux grands principes : marginaliser les protestants et favoriser les entrées dans l'Église catholique.

Un certain nombre de textes visent tout d'abord à atténuer le poids du groupe protestant dans la vie sociale. Il en est ainsi de ceux qui tendent à diminuer leur influence dans la direction des villes ; ici ou là, les réformés sont exclus du consulat ou doivent laisser la place de premier consul aux catholiques, même si ces derniers sont minoritaires. D'une manière plus générale, le partage des responsabilités municipales devient la règle. On peut ranger avec ces mesures celles qui diminuent le rôle des chambres de l'édit, les privant de bon nombre de leurs attributions traditionnelles de justice ; progressivement réduites à l'inactivité presque totale, elles sont finalement supprimées en deux temps – 1669 et 1679 – à la plus grande satisfaction du clergé, comme nous le savons. Pendant ces mêmes décennies 1660 et 1670, s'amorce aussi la politique d'exclusion des protestants de certaines professions, qui s'accentuera à partir de 1680. Comme souvent, les mesures prises ici sont ponctuelles ou de portée locale avant d'être généralisées. Ainsi, en mars 1661, un arrêt interdit la réception de notaires protestants à Montpellier jusqu'à ce que les catholiques soient aussi nombreux que les huguenots dans cette profession. Les considérants de ce texte font référence au fait que les notaires de la R.P.R. « suppriment et adirent [= égarent] » certains des documents dont ils ont la garde « pour faire perdre tous les droits de l'Église au grand préjudice d'icelle et de la religion catholique » [9]. Officiellement, c'est donc pour défendre les intérêts du catholicisme menacés par les agissements des huguenots que le conseil du roi intervient.

Progressivement mis à l'écart socialement, les protestants subissent un assaut de décisions réglementaires qui tendent à restreindre le caractère public de leur culte; fausse religion, le protestantisme n'est que toléré; il doit donc apparaître le moins possible au grand jour et, lorsqu'il sort de l'ombre, conserver au front ce stigmate de l'erreur. En toute situation, la R.P.R. doit toujours céder le pas au catholicisme et lui manifester la déférence due à la seule vraie religion; ainsi diverses déclarations royales rappellent des décisions antérieures obligeant tous les sujets, quelle que soit leur confession, au respect à l'égard du Saint-Sacrement lorsqu'il est porté dans les rues. D'autres textes prévoient des sanctions contre les protestants, et notamment les pasteurs, qui utiliseraient des termes « injurieux » pour la religion catholique; et l'on se doute qu'en un tel domaine les magistrats zélés pouvaient sans difficulté relever bien des propos susceptibles de provoquer des poursuites.

Ces mesures sont complétées par celles qui interdisent au protestantisme de se présenter comme la véritable religion : des textes rappellent qu'il faut toujours parler de « religion prétendue réformée ». Les huguenots se prétendent-ils dans l'orthodoxie? Un arrêt du conseil de janvier 1661 répond que « cela ne peut et ne doit être souffert puisqu'il n'y a que la Religion catholique, apostolique et romaine qui puisse être qualifiée la Religion orthodoxe, et non pas la R.P.R., les ministres et professeurs de laquelle ne peuvent apporter aucun déguisement ni changement pour tromper et séduire les peuples, et les éloigner de la véritable doctrine [10] ». Dans la même veine, des arrêts s'opposent à l'utilisation des termes « pasteurs » ou « ministres de la Parole de Dieu... attendu que la Parole de Dieu est vraie, sainte et pure, au lieu que celle qui est enseignée et prêchée par les Ministres de la R.P.R. est fausse, profane et corrompue [11] ».

Pour limiter les méfaits de cette fausse religion, des dispositions visent à briser l'unité des Églises réformées, à les isoler les unes des autres pour les amener ainsi au dépérissement. Ainsi, après 1659, le roi n'autorisa plus la tenue de synodes nationaux; par ailleurs, il fut interdit aux Églises les plus fortes de venir financièrement en aide aux plus pauvres. Les atteintes aux possibilités d'enseigner la doctrine protestante procèdent du même souci de réduire l'influence des propagateurs de l'erreur. Le conseil multiplie ainsi les arrêts relatifs aux annexes, interdit la prédication en plein air, fait obligation aux pasteurs de résider au lieu de leur ministère. Finalement, comme l'écrivait Élie Benoit quelques années après la révocation de l'édit de Nantes, tout devenait prétexte à la suppression du culte réformé :

« S'ils [les protestants] faisaient bâtir des temples dans des lieux dont l'exercice n'était pas contesté, ils avaient tort, parce qu'il ne s'ensuivait pas de ce qu'ils avaient le droit de prêcher qu'ils dussent avoir un temple; et s'ils prêchaient dans un lieu où ils n'eussent point de temple, ils avaient tort encore, parce que ce qu'ils n'avaient point de temple témoignait qu'ils n'avaient pas droit de prêcher [12]. »

Le chant des psaumes apparaît lui-même comme une manifestation intempestive de la religion réformée; dès lors il est interdit en tout lieu public. Toute cérémonie protestante doit, si elle est tolérée, garder le maximum de discrétion. Un arrêt de 1670 fait ainsi défense aux huguenots de réunir plus de douze personnes pour les mariages ou les baptêmes [13]; quant aux enterrements, ils doivent s'effectuer sans « pompe ni cérémonie » déclare le parlement de Rouen en 1664, ajoutant « que c'était un honneur réservé à ceux qui professent la Religion du Prince; qu'il ne pouvait y avoir ni égalité ni commerce entre lesdites deux religions, que la Catholique, qui était la religion maîtresse et dominante, devait avoir tous les honneurs et tous les avantages, que la p.r. devait demeurer dans l'abaissement, dans le silence et dans l'obscurité, qu'il n'était pas juste que la servante se parât des mêmes ornements que sa maîtresse [14] ». De plus en plus fréquemment, les textes du conseil ou des parlements évoquèrent ainsi la nécessité d'une différence dans les signes extérieurs sous lesquels apparaissaient les deux confessions; de plus en plus aussi, ils soulignèrent que les auteurs d'infractions seraient punis comme « perturbateurs du repos public ». L'établissement de l'ordre monarchique et l'affirmation du catholicisme se présentaient ainsi comme indissociables.

Tout est aussi fait, à la même époque, pour favoriser les passages de la Réforme à l'Église catholique. Les Nouveaux-Convertis, c'est-à-dire ceux qui ont fait le saut, sont choyés par le pouvoir. Un arrêt du conseil de juillet 1664 les place sous la protection du roi « et à la garde des Consuls, Syndics et principaux habitants de la Religion prétendue réformée, en sorte qu'ils en répondront en leurs propres et privés noms [15] ». Persuadé sans doute que les convertis sont menacés par leurs anciens coreligionnaires, le pouvoir cherche aussi à attirer au catholicisme par les avantages matériels qu'il accorde aux convertis. Diverses mesures ponctuelles, couronnées par un arrêt du conseil de novembre 1680, accordent ainsi aux nouveaux catholiques un délai de trois ans pour le règlement de leurs dettes.

Mais c'est en direction des enfants que sont surtout déployés les efforts destinés à amenuiser les rangs des protestants. Dès 1661, un arrêt du conseil interdit aux magistrats d'interroger les enfants protestants réfugiés dans des établissements religieux « pour se mettre à l'abri de la fureur de leurs parents et pour achever de se faire instruire en la Religion catholique »; ces juges, qui intimident ou effraient les enfants, sont déboutés de leurs prétentions car les choix de la conscience ne relèvent pas de leur compétence [16]. Au cours des années suivantes, déclarations royales et arrêts du conseil précisent que les enfants qui se convertissent « pourront opter ou de demeurer en la maison de leurs pères et mères, pour y être par eux nourris et entretenus selon leur condition, ou de leur demander une pension proportionnée à leurs facultés [17] ». En théorie du moins, les maisons de la Propagation de la Foi se trouvaient ainsi partiellement financées par les huguenots eux-mêmes! En 1681, le dispositif sera complété par l'abaissement à sept ans de l'âge auquel peut être abjuré le protestantisme. Par ailleurs, divers textes obligent les pères de confession catholique à faire instruire leurs enfants dans leur religion, même si leur épouse est protestante, font obligation d'élever enfants trouvés et bâtards dans le catholicisme ou somment les nouveaux convertis de donner à leur progéniture la religion qu'ils ont adoptée.

Assuré que certains protestants ne le sont que par conformisme et peuvent donc avoir des scrupules sur leur lit de mort, le pouvoir autorise le clergé catholique à visiter les grands malades huguenots; à partir de 1665, les familles protestantes ne peuvent plus refuser cette visite.

Il reste évidemment à s'assurer que les conversions au catholicisme soient durables. Une déclaration royale de 1663 interdit le retour au protestantisme. Les relaps, y lit-on, commettent un « abus et profanation des mystères de la Religion catholique »; ayant abandonné le protestantisme alors qu'ils avaient « l'entière liberté de demeurer dans ladite Religion prétendue réformée », les convertis qui voudraient retourner à leurs anciennes erreurs « renoncent et se départent des grâces et bénéfices » de l'édit de Nantes [18]. A partir de 1665, sur la pression du clergé, les relaps sont désormais punis du bannissement.

Se succédant à un rythme rapide de 1661 à 1666, ces diverses mesures sont un peu tempérées par la déclaration royale de 1669. Mais dix ans plus tard, l'avalanche des restrictions à l'édit reprend, accompagnée cette fois du recours à la contrainte.

Les multiples assauts des années 1680

A partir de 1679-1680, les déclarations royales et les arrêts du conseil se multiplient une nouvelle fois et viennent aggraver la situation créée par les textes des décennies antérieures. La marginalisation sociale se poursuit. Dans de nombreuses professions, il n'est plus possible de recevoir des huguenots, et ceux d'entre eux qui exercent déjà doivent ordinairement abandonner leur activité. Il en va ainsi pour les sages-femmes, les chirurgiens et apothicaires, les médecins, comme aussi pour les notaires, huissiers, sergents ou pour les libraires et imprimeurs. Dans tous les cas, il est reproché aux protestants qui exercent ces professions d'empêcher les conversions, ou de manquer de respect pour l'Église. Le pouvoir devient à cette époque très vigilant sur cette dernière question : il traque sans répit tous ceux qui portent atteinte au légitime honneur dû à sa religion. Aussi les protestants doivent-ils accepter, à partir de 1683, la présence dans leurs temples de catholiques venus pour surveiller les propos qui s'y tiennent. Finalement, persuadé que les calomnies que déversent les pasteurs contre le catholicisme ne contribuent pas peu à maintenir les protestants dans l'erreur, le roi leur interdit en août 1685 de « parler directement ni indirectement, en quelque manière que ce puisse être », de la religion catholique.

Plus que jamais soucieux du salut de ses sujets, le roi interdit en juin 1680 toute conversion au protestantisme, considérant que ceux qui abjurent le catholicisme le font « le plus souvent... par séduction ou par l'intérêt imaginaire de leur fortune particulière [19] »; en sens contraire, toutes dispositions sont prises pour empêcher les « menaces, intimidations ou voies de fait » contre ceux qui souhaiteraient abandonner la Réforme [20]. D'une portée sans doute limitée, la déclaration royale de janvier 1683 est peut-être aussi le texte le plus révélateur de l'état d'esprit du pouvoir en ces années précédant la révocation de l'édit de Nantes. Ce texte, qui prévoit que les « Mahométans et Idolâtres qui voudront devenir Chrétiens ne pourront être instruits que dans la Religion catholique », fait état de la volonté royale « d'empêcher qu'on ne puisse abuser de leur ignorance, pour les engager dans une Religion contraire à leur salut »; surtout, il montre combien le pouvoir a fait sienne la question de la conversion des protestants :

« Les soins continuels que nous prenons pour la conversion de ceux de la Religion prétendue réformée – déclare le roi dans le préambule – ont déjà eu de si heureux succès que nous avons lieu d'espérer de la bonté divine que ce qui reste de nos sujets de ladite Religion, connaissant enfin les erreurs dans lesquelles ils sont à présent engagés, rentreront dans le sein de l'Église, pour y trouver le salut que nous souhaitons avec tant d'ardeur de leur procurer [21]. »

D'autres mesures visent à précipiter la disparition du protestantisme en apportant des entraves au culte ou en tentant de briser la cohésion des communautés réformées. Non seulement contraints à quitter les localités où le culte a été interdit, les ministres doivent aussi changer obligatoirement de poste tous les trois ans. Dans les deux cas, pour justifier ces décisions, il est souligné que les pasteurs empêchent les conversions : « abusant de la confiance de ceux qui se rendent trop facilement à leurs persuasions, ils leur inspirent souvent des résolutions contraires à leurs propres intérêts et à l'obéissance qu'ils nous doivent [22] ». D'autre part, toute réunion de la communauté réformée hors de la présence d'un pasteur est sévèrement prohibée. C'est ici officiellement le souci de la « tranquillité publique » qui est invoqué ; des assemblées sans ministre, dit la déclaration royale d'août 1682, « pourraient servir de prétexte pour faire des cabales, et prendre des résolutions contraires à notre service et au bien de notre État [23] ». Doit-on alors, dans les cas où le culte a été interdit et le ministre chassé, aller au prêche dans une autre localité ? Une déclaration de juillet 1685 limite cette possibilité aux seuls lieux de culte du même bailliage, toujours au nom de l'ordre monarchique et catholique :

« Cette affluence de peuple cause des attroupements dans les lieux où l'exercice est permis, du scandale dans ceux où ils passent, par les irrévérences qu'ils commettent devant les églises, et des querelles avec les Catholiques, par leur marche tant de nuit que de jour, pendant laquelle ils chantent leurs psaumes à haute voix, au préjudice des défenses qui en ont été faites [24]. »

Au total, tous les prétextes sont bons pour tenter de priver de toute vie religieuse les communautés auxquelles le droit de culte a été retiré. Or celles-ci sont de plus en plus nombreuses. La punition des infractions aux décisions royales devient en effet ordinairement, dans les années qui précèdent la révocation, la démolition du temple et la suppression du culte. Cette stratégie de grignotage des positions du protestantisme par limitation de son implantation géographique peut nous paraître bien simpliste. En fait, ne l'oublions pas, la réduction de l'hérésie fut souvent

vue au XVIIᵉ siècle comme la conquête d'un territoire; elle nécessitait donc la destruction de ses forteresses. De plus, et surtout,
on demeurait persuadé que le peuple était trompé et demeurait
sous la coupe des pasteurs; la disparition des Églises devait donc
faciliter les retours au bercail.

Mais, dans ces mêmes années, le pouvoir dut bien constater
aussi qu'il n'était pas si facile de désabuser les huguenots. On
évoqua de plus en plus souvent leur opiniâtreté. Confronté aux
résistances des protestants à la conversion, et certain en même
temps qu'il était possible de faire disparaître totalement l'hérésie,
le pouvoir s'engagea dans une escalade de mesures coercitives :
il faudrait bien que tôt ou tard ces égarés cèdent et acceptent
de renoncer à leurs erreurs.

Aux mesures réglementaires vint alors se joindre la violence.
La monarchie savait qu'elle disposait d'une arme éprouvée pour
réduire les opposants à sa politique : le logement des gens de
guerre. Le procédé avait déjà quelque peu été utilisé au temps
des guerres de Rohan; il l'avait aussi été pour ramener des
provinces à l'obéissance lors de soulèvements. En mai 1681,
l'intendant du Poitou, Marillac, entreprit de loger des dragons
chez les huguenots, après qu'il eut été précisé que les nouveaux-
convertis seraient dispensés de cette charge. Et les dragons ne
se contentèrent pas de s'installer chez les protestants, ils pillèrent
et commirent des violences. Selon l'intendant, le résultat fut
bon : plus de 30 000 conversions en moins d'un an. Mais les
procédés utilisés, rapidement connus, suscitèrent la réprobation
dans toute l'Europe. Louvois rappela Marillac à l'ordre et le
somma de mettre un terme à cette entreprise. Bientôt, un autre
intendant fut nommé en Poitou pour le remplacer.

En certaines régions, des huguenots finirent par estimer qu'il
fallait réagir aux coups redoublés qui les atteignaient et qu'ils
avaient considérés jusque-là comme un juste châtiment envoyé
par Dieu pour les punir de leurs fautes. Tout en partageant avec
leurs contemporains le culte du monarque, ils eurent de plus en
plus de peine à ne pas voir dans la rigueur de sa politique à leur
égard une volonté d'atteinte aux droits de la conscience. Dans
bien des cas, il apparaissait ainsi que la condamnation des temples
à la démolition résultait d'une machination, puisqu'il suffisait

qu'un nouveau converti ou un enfant de nouveau converti se soit trouvé au prêche pour que le temple soit promis à la pioche des démolisseurs; et l'on se rendait bien compte que certains catholiques zélés s'employaient à organiser de telles provocations. Aucune des libertés dont pouvait encore jouir le petit troupeau n'était à l'abri de l'imposant arsenal réglementaire mis en place. Et que dire des procédés des dragons? Quant au fraternel « Avertissement pastoral » de l'assemblée du clergé de 1682, qui avait été communiqué à tous les consistoires, ne contenait-il pas lui aussi des menaces?

Aussi, à partir de 1681, diverses tentatives de résistance voient le jour. Nombreux sont les huguenots qui, tout en protestant de leur entière soumission au roi, espèrent que requêtes ou suppliques permettront de mettre un terme aux démolitions de temples. Dans la partie méridionale du royaume, certains pensent qu'il faut aller plus loin. Plusieurs provinces synodales nomment des « directoires », secrets parce qu'illégaux, chargés d'assurer la coordination des Églises. Finalement ceux-ci décident d'appeler à la célébration du culte dans des localités où il a été interdit, estimant qu'il s'agit là d'une défense des droits élémentaires de la conscience. Pour expliquer cette décision, une requête est adressée au roi :

« Sire, vos très humbles sujets de la R.P.R., ne pouvant résister au mouvement de leur conscience, sont contraints de s'assembler pour invoquer le saint nom de Dieu et pour chanter ses louanges et de s'exposer par cette action religieuse à toutes les rigueurs qu'un zèle trop ardent pourrait inspirer à vos officiers...

Les suppliants sont persuadés, Sire, que Dieu ne les a mis au monde que pour le glorifier et ils aimeraient mieux mille fois perdre la vie que de manquer à ce devoir si saint et si indispensable [25]. »

Mais ces rassemblements organisés sur les « masures » (les ruines des temples) en juillet et août 1683 demeurèrent limités en nombre. Les « zélateurs » étaient en effet minoritaires parmi les réformés, la bourgeoisie urbaine refusant en particulier assez largement de s'associer à ces manifestations. Une volonté affirmée de défendre la liberté de culte aurait pourtant sans doute pu, à cette date encore, faire hésiter le roi à aller plus avant dans sa politique de destruction du protestantisme.

Quoi qu'il en soit, les catholiques et les autorités s'émurent de ces rassemblements. Des arrestations eurent lieu, suivies de regroupements armés de protestants décidés à se maintenir « jusqu'au dernier soupir de leur vie dans la précieuse liberté de conscience [26] ». Après avoir isolé les plus fermes grâce à des tractations avec les notables, les représentants du pouvoir royal envoyèrent les dragons contre ces « camps » surtout composés de paysans. Le Dauphiné, le Vivarais puis les Cévennes connaissent alors une répression brutale complétée par des procès expéditifs. Exclus de l'amnistie qui accompagne le rétablissement de « l'ordre », les pasteurs qui ont participé au mouvement prennent le chemin de l'exil, tandis que de nouveaux temples sont abattus en punition de cette insoumission aux ordres royaux. Pour Soulier, qui écrit en 1686, ce soulèvement fit « connaître au Roy qu'il était absolument nécessaire d'achever l'ouvrage qu'il avait si bien commencé, et qu'il y allait de l'intérêt de Dieu, et de celui de son État, de ruiner entièrement la faction Huguenote dans son Royaume. De là vient que, dès que le calme fut rétabli dans ces Provinces, on prit dès lors la résolution de presser le parti protestant plus fortement qu'on n'avait encore fait, et de les réduire à n'avoir que très peu d'exercices publics [27] ».

La révocation, terme d'une logique

Mais, continue Soulier, les protestants privés de temples, « bien loin d'écouter les missionnaires, devinrent plus opiniâtres; Sa Majesté crut qu'il fallait se servir de remèdes un peu plus forts, pour les tirer de cette léthargie dans laquelle le malheur de leur naissance les avait fait tomber [28] ». L'année 1685 marque en effet l'étape ultime de la mise en œuvre d'une pression multiforme. Année de la révocation, elle fut aussi celle d'un recours plus systématique aux dragons et d'une campagne de missions de très grande ampleur.

A partir de mai 1685, des troupes massées à la frontière espagnole et rendues disponibles par la trêve qui vient d'être conclue, sont employées par l'intendant Foucault pour faire plier les huguenots béarnais. Puis les dragonnades s'étendent : Languedoc, Provence, Dauphiné d'une part, Guyenne, Saintonge et Poitou d'autre part reçoivent ces « missionnaires bottés ». Partout le procédé est à peu près identique : les intendants font connaître aux habitants que le roi souhaite qu'ils adoptent la religion catholique ; à la suite de l'insuccès de cette démarche, les dragons arrivent et se chargent d'obtenir les abjurations souhaitées. Plusieurs centaines de milliers de protestants se seraient alors « convertis » sous la pression pendant l'été 1685.

On a discuté de la responsabilité royale dans cette campagne de dragonnades. Sans doute l'initiative première appartient-elle à Foucault qui eut bientôt des émules parmi les autres intendants de province. Mais il est invraisemblable que le roi n'ait pas connu assez rapidement par quels procédés étaient obtenues les nombreuses « réunions » à l'Église dont les nouvelles lui parvenaient. Sans avoir peut-être personnellement donné l'ordre de recourir aux dragons, le roi couvrit les administrateurs zélés de sa politique d'extinction du protestantisme.

Mais pensa-t-il qu'on ne pouvait laisser entendre que la force seule avait eu raison de l'opiniâtreté des huguenots ? Ou estimat-il qu'il fallait parfaire l'œuvre des soldats et des administrateurs par des tentatives pour convaincre de la vérité catholique ? Toujours est-il que Louis XIV décida au milieu de l'année d'organiser une campagne de missions d'une ampleur sans précédent, financée pour partie par lui-même, pour partie par le clergé sur sa pressante invitation. A partir du mois de septembre, l'archevêque de Paris répartit les subsides entre les diocèses ; et les missionnaires, recrutés surtout dans la capitale, commencent à prendre la route des provinces protestantes. Les évêques avaient été avertis que leur zèle serait estimé proportionnel aux demandes de missionnaires qu'ils formuleraient :

« Plus ils en demanderont, plus ils persuaderont Sa Majesté de leurs bonnes intentions... Elle ne trouverait pas bon qu'aucun d'eux refusât un secours si salutaire dans la conjoncture présente, sous prétexte qu'ils auraient déjà un nombre suffisant d'ecclésiastiques dans leur diocèse ou pour quelque autre raison ou excuse que ce puisse être [29]. »

Cette campagne de missions dura environ deux ans. En certaines régions, comme le Languedoc, elle représenta un véritable quadrillage. En février 1687, 96 missionnaires étaient à l'œuvre dans cette province et l'intendant en réclamait 25 supplémentaires [30].

Mais au moment même où l'organisation de ces missions prenait forme, le roi révoquait l'édit de Nantes par celui de Fontainebleau, promulgué au mois d'octobre.

Le préambule du texte, relativement long (un tiers du total), présente les motivations royales. Des thèmes qui nous sont familiers constituent l'essentiel de l'argumentation : d'Henri IV à Louis XIV, un même dessein a animé les souverains, la réunion de tous les Français dans une même religion, et seuls les malheurs du temps en ont empêché une plus prompte réalisation. Si l'édit de Nantes est révoqué, souligne le préambule, c'est donc d'abord parce qu'il n'était que de circonstance, et que le contexte – la paix – permet enfin de réaliser la réunion souhaitée depuis si longtemps ; c'est aussi parce que le grand nombre de conversions le rend à peu près inutile. Pour le reste, on trouve encore dans ce préambule l'idée que le protestantisme, « fausse religion », a causé en France « troubles... confusion et... maux » et que, même sous le régime de l'édit, les huguenots n'ont su faire preuve d'obéissance et ont tenté de « nouvelles entreprises ». On pourrait dire que le discours inlassablement répété par le clergé a, à cette date, parfaitement été assimilé par la monarchie.

La même impression se dégage de la lecture des douze articles de l'édit. Les trois premiers visent l'exercice du culte, désormais interdit en tout lieu ; tous les temples seront démolis. Les trois suivants concernent les pasteurs, à qui on offre le choix entre la conversion et l'exil, après un délai de réflexion de 15 jours seulement. Pour ceux qui acceptent de se convertir, des pensions sont promises et des facilités réservées pour l'accès à divers emplois. Deux articles concernent les enfants : tous les petits Français seront désormais baptisés et élevés dans la religion catholique. Quant aux fidèles protestants, l'exil leur est interdit, mais rien ne les empêche de poursuivre paisiblement leurs activités. Seulement, ils ne pourront « point faire d'exercice, ni s'assembler sous prétexte de prières ou de culte de ladite Religion »; l'abjuration ne leur est pas demandée formellement; le roi déclare attendre « qu'il plaise à Dieu les éclairer comme les autres [31] ».

Des historiens se sont livrés à de savantes explications des mobiles qui ont conduit le roi à signer l'édit de Fontainebleau en octobre 1685. On a ainsi évoqué la situation internationale, marquée alors par l'accès d'un catholique, Jacques II, au trône d'Angleterre et les succès de l'empereur contre les Turcs; Louis XIV aurait ainsi cherché à se présenter comme le défenseur de la vraie foi dans un contexte d'affermissement du catholicisme en Europe, et alors que ses relations avec la papauté étaient particulièrement tendues, du fait du conflit de la régale et des déclarations gallicanes de l'assemblée du clergé de 1682. On s'est penché sur la psychologie royale et on a souligné que le monarque des années 1680 est devenu dévot, après une véritable « conversion » qu'on a d'ailleurs bien de la peine à dater précisément; les protestants auraient ainsi fait les frais du soudain zèle religieux du roi, stimulé par Mme de Maintenon. On a aussi insisté sur le fait que le Roi-Soleil est à cette époque indifférent aux réactions de l'opinion internationale et préoccupé surtout de ne laisser ternir sa gloire d'aucune ombre.

Il restera sans doute bien difficile de démêler l'écheveau des influences directes qui donnèrent le jour à l'édit de Fontainebleau. D'une certaine manière, sa promulgation demeure une surprise. Les mesures prises les mois précédents pouvaient en effet laisser supposer que le roi entendait poursuivre la politique de restrictions réglementaires menée tambour battant depuis quelques années. Mais, en même temps, le contexte invite aussi à conclure qu'à sa date près la révocation était depuis longtemps prévisible. Après avoir, plusieurs décennies durant, poussé le roi à limiter les droits des huguenots, le clergé applaudissait à ses mesures et le louait pour son zèle; largement dévoués à Versailles, les prélats français ne manquèrent jamais de souligner combien la gloire royale et l'unité religieuse allaient de pair. De plus, la polémique religieuse connaissait un nouveau souffle du côté catholique, insistant sur l'absence de raisons valables pour justifier la séparation, évoquant l'insoumission foncière des sujets protestants ou rappelant comment les empereurs romains avaient agi à l'égard des hérétiques. L'intolérance ambiante, alimentée par la politique royale, ne pouvait à son tour que la stimuler. Il faut enfin tenir compte des rapports des administrateurs annonçant les conversions massives et laissant ainsi entendre qu'il n'y avait plus que quelques quarterons d'entêtés en fait de huguenots.

Dans cette analyse des origines idéologiques de la révocation, il faut ensuite passer de la conjoncture à la structure. Par là, certains problèmes apparaissent sous un autre jour. Ainsi, si l'on peut être spontanément tenté de douter que Louis XIV crut en la valeur des conversions opérées par les dragons, il faut immédiatement se souvenir que d'un bout à l'autre du siècle l'essentiel avait toujours semblé de détacher les errants de leur fausse religion; on pourrait toujours ensuite les instruire, ou instruire leurs enfants. Aux méthodes des controversistes, des missionnaires ou de Pellisson, succédait ainsi celle des dragons, puis celle de l'interdiction pure et simple du culte protestant. Les dispositions de l'édit de Fontainebleau sont en effet dans le droit fil de la vision catholique de l'hérésie : introduite par la force, maintenue par la tromperie, elle tient captifs des fidèles qui logiquement devraient être catholiques. L'important est donc de faire sauter tous les obstacles à leur ouverture à la lumière et d'éviter que le message pernicieux de la Réforme continue à être répandu. C'est pourquoi il est surtout question du culte, des pasteurs et de l'éducation des enfants.

N'oublions pas non plus que l'édit de Nantes réglait d'abord, et surtout, la question des droits de culte pour les protestants. Il n'est donc guère surprenant que celui qui le révoque s'attache aussi à ces mêmes questions de façon particulière. Nous sommes certes indignés par l'atteinte aux droits de la conscience que constitue l'édit de Fontainebleau : sans les rejeter formellement, il en refuse aux protestants l'expression dans un culte. Mais reportons-nous aux discours du clergé : puisqu'il n'existe qu'une seule vraie religion, voie du salut, l'idée d'une liberté de la conscience est un leurre. Le devoir de charité impose d'aider les égarés à retrouver ce chemin où Dieu pourra les éclairer de sa grâce.

« La France toute catholique »

L'édit de révocation suscita aussitôt les applaudissements du clergé. Les ecclésiastiques multiplièrent les déclarations de satisfaction et assurèrent le roi que le plus grand acte de son règne venait d'être scellé. En 1686, Soulier écrivait que l'édit de Fontainebleau était un « monument éternel du zèle et de la piété de notre invincible monarque Louis XIV [32] ». La même année, Bossuet célébrait la politique royale dans l'oraison funèbre de Michel Le Tellier :

« Nos pères n'avaient pas vu, comme nous, une hérésie invétérée tomber tout à coup; les troupeaux égarés revenir en foule, et nos églises trop étroites pour les recevoir; leurs faux pasteurs les abandonner, sans même en attendre l'ordre, et heureux d'avoir à leur alléguer leur bannissement pour excuse; tout calme dans un si grand mouvement, l'univers étonné de voir dans un événement si nouveau la marque la plus assurée, comme le plus bel usage de l'autorité, et le mérite du prince plus reconnu et plus révéré que son autorité même [33]. »

Quelques années plus tard, le concert de louanges n'avait pas totalement cessé. Dans son panégyrique du roi, prononcé en 1690, le capucin André-François de Tournon déclarait :

« Vous n'avez eu qu'à parler, ô grand roi! et en même temps le calvinisme est rentré dans le néant où il a été tant de siècles. Vous cassez un édit, vous en publiez un autre, en voilà assez pour opérer un changement inouï, et ne voir plus en France ni chaires d'erreurs, ni loups dans la bergerie, ni pasteurs sans mission, ni membres sans chef, ni religion sans sacrifice, ni enfin toutes sortes de crimes sous le voile trompeur d'une réforme prétendue [34]. »

A vrai dire, les laudateurs de l'édit de Fontainebleau écrivaient l'histoire d'une bien étrange manière. Les abjurations qui avaient suivi la promulgation de l'édit avaient, comme celles qui l'avaient précédée, été obtenues le plus souvent par les dragons. La Normandie, le Massif Central, l'Anjou, la Picardie avaient en effet vu à leur tour l'arrivée des missionnaires bottés. L'article XII de l'édit de Fontainebleau, par lequel les protestants n'étaient pas contraints de se réunir à l'Église catholique, avait ainsi pris dans bien des cas l'allure d'une pure clause de style; d'autant qu'on recourut rapidement aussi à l'emprisonnement des obstinés, voire à leur déportation vers les Antilles.

Par ailleurs, l'édit fut accompagné de mesures destinées à vaincre la résistance des opiniâtres. La liste des professions interdites fut élargie. Un édit de janvier 1686 retira leurs enfants aux parents demeurés huguenots pour les confier à des catholiques de leur famille ou à des institutions religieuses, voire aux hôpitaux généraux. Obligation fut aussi faite aux protestants de n'employer que des serviteurs catholiques, privant ainsi les plus humbles des entêtés d'une possibilité de revenus et de protection.

Les clauses relatives aux pasteurs furent appliquées sans ménagement. Contraints à l'exil, ceux qui refusaient d'abjurer durent souvent partir sans se faire accompagner de leur famille, et notamment de leurs enfants de plus de sept ans. Certains pasteurs, pour des considérations matérielles, ou dans l'espoir de pouvoir servir secrètement leurs fidèles, préférèrent se réunir à l'Église catholique. Sans doute y eut-il environ un sixième du corps pastoral qui opta pour cette dernière solution.

Hormis les ministres du culte qui refusaient de se convertir, des membres de la noblesse purent aussi quitter le royaume. Mais, pour tous les autres protestants, l'exil demeura interdit, sans d'ailleurs que le pouvoir arrive véritablement à l'empêcher.

Plusieurs centaines de milliers de huguenots quittèrent alors leur patrie pour pouvoir continuer à confesser leur foi, espérant plus ou moins que le roi accorderait à nouveau un jour la liberté de culte et qu'il leur serait alors possible de rentrer. Selon les régions et les milieux sociaux, l'ampleur de cet exode fut inégale : les protestants des provinces frontalières émigrèrent en plus grand nombre que les autres; la bourgeoisie, qui pouvait emporter avec elle sa véritable richesse – son savoir et ses connaissances techniques – quitta plus facilement le royaume que la paysannerie dont la terre était le seul bien. Par les ports, par la frontière du Nord et par les cols des Alpes, les fugitifs gagnèrent la Grande-Bretagne, les Pays-Bas, le Danemark, la Hesse, la Prusse ou les cantons suisses. Ils y formèrent souvent de solides communautés qui conservèrent jusqu'à un passé récent une forte originalité culturelle.

Pour tenter d'enrayer cette hémorragie, le pouvoir augmenta la surveillance des frontières et multiplia les sanctions contre les émigrants et leurs complices. Les fugitifs saisis étaient condamnés aux galères à vie pour les hommes, à l'emprisonnement pour les femmes. En octobre 1687, on décida même de les condamner à mort. Tous ceux qui venaient en aide aux protestants choisissant l'exil encouraient aussi de lourdes peines, qu'ils leur aient donné des indications sur les chemins à suivre ou accepté de gérer les biens qu'ils laissaient. Toutefois, les départs continuèrent de nombreuses décennies encore après 1685.

Quant aux huguenots qui demeurèrent en France, beaucoup – surtout dans les provinces de forte implantation de la Réforme, comme le Languedoc – restèrent attachés à leur foi. Malgré l'absence de pasteurs, un culte clandestin s'organisa très rapidement. Ces assemblées du « Désert » symbolisent la fidélité du peuple protestant à sa religion et, au-delà, à sa culture. Plus de quinze ans plus tard, la guerre des Camisards témoigna à son tour de cet enracinement de la Réforme.

Certains protestants, bien qu'officiellement convertis au catholicisme, ne renièrent rien non plus de leurs intimes convictions. Ils suivirent le moins possible les instructions données par le clergé et ne s'approchèrent que rarement des sacrements de l'Église catholique. Leur attitude suscita bientôt chez certains ecclésiastiques des doutes sur la valeur de la politique qui avait été menée. Par les conversions forcées, n'avait-on pas contribué au développement de l'incrédulité ? N'avait-on pas donné la main à une profanation des mystères de la religion par ces mauvais catholiques ? Treize ans après la révocation de l'édit de Nantes, l'évêque de Grenoble dressait ainsi un bien pessimiste bilan des efforts qu'il n'avait pourtant pas ménagés pour l'instruction de ses nouvelles ouailles :

« A la réserve d'un petit nombre... les autres sont pires qu'ils n'étaient avant leur abjuration... L'on peut dire qu'à présent, à la réserve des femmes, qui ont toujours grand zèle pour leur fausse religion, le reste n'a presque plus de religion et ne tient plus que par un point d'honneur [35]. »

L'attachement des huguenots à leur foi révélait ainsi que les analyses catholiques du protestantisme étaient largement passées à côté de la réalité et avaient progressivement conduit à une impasse totale.

Pour conclure

L'ÉGLISE CATHOLIQUE, L'ÉTAT ET LES PROTESTANTS

Lire cette histoire dans sa totalité

Contrairement au parti adopté dans ce livre, la lutte contre le protestantisme dans la France du XVIIᵉ siècle a souvent été présentée comme essentiellement politique. Nous entendons par là que les projecteurs ont été placés, de manière privilégiée, sur l'action du pouvoir civil, qu'il s'agisse du roi, de son conseil ou des parlements. Une telle perspective, justifiée d'une certaine manière, ne nous semble rendre compte qu'imparfaitement de la réalité.

Il n'est pas douteux que dans les années qui encadrent la révocation de l'édit de Nantes l'initiative ait appartenu presque exclusivement au pouvoir royal. A partir de 1679-1680, les arrêts se sont multipliés, allant pratiquement au-devant des vœux formulés par le clergé pour la réduction de l'hérésie. Après la révocation, certains évêques tentèrent de modérer le zèle convertisseur des représentants du roi en province, dont l'action brutale ne leur semblait apporter que des abjurations purement formelles; ils se virent alors répondre que les intendants recevaient leurs ordres du monarque et non de l'épiscopat. Le rôle moteur avait donc bien alors échappé aux prélats dont on n'attendait guère que l'envoi de missionnaires, en deuxième ligne, pour parfaire l'œuvre accomplie par le bras séculier.

Mais il nous semble que cette situation est propre à la conjoncture du temps de l'édit de Fontainebleau, et qu'à vouloir analyser en ces termes l'ensemble du XVIIᵉ siècle on simplifie à l'excès une histoire singulièrement plus complexe. A procéder ainsi, on est un peu victime d'une sorte de fascination exercée par la révocation de l'édit de Nantes. Si nous avons quelque peine au XXᵉ siècle à trouver des termes assez forts pour exprimer combien une telle décision choque notre sensibilité, nous ne pouvons non plus organiser toute notre analyse de la lutte menée pendant un siècle contre le protestantisme en fonction du seul point de mire que serait l'année 1685. La logique de ce combat est à rechercher en amont, et dans la situation créée par l'édit de Nantes, et dans les images catholiques de l'hérésie, et non dans ce qui n'en constitue qu'un point d'aboutissement, au terme de bien des vicissitudes. Sans cela, on ne s'intéresse qu'aux volets de l'entreprise qui ont abouti à son « succès », et l'on passe en pertes et profits tout ce qui a été tenté mais n'a pas débouché sur l'heureuse issue espérée. En particulier, tous les efforts déployés par le clergé sont minimisés, sinon négligés.

Certes, il demeure toujours plus facile à l'historien de bâtir son récit sur la documentation, commode d'accès et assurée, constituée par les édits, déclarations, arrêts du conseil et autres productions administratives, que de tenter d'appréhender avec précision l'activité du clergé. Pour cela, il faut en effet faire appel à une documentation éparse, parfois rédigée en latin, souvent répétitive; de plus, la fiabilité de ce type de sources est sujette à caution, tant on a de la peine à mesurer l'écart entre le discours des clercs sur leur action et les effets réels de celle-ci. L'héritage d'une histoire très tournée vers les institutions et le politique a sans doute trop longtemps pesé sur la manière de concevoir la lutte contre le protestantisme au XVIIᵉ siècle.

Il n'est pas certain que les penchants sociologiques de ce qu'on appelle un peu simplement la « nouvelle histoire » lui permettent de retracer cette lutte avec un meilleur angle d'approche. A l'évidence, la question des rapports quotidiens entre fidèles des deux confessions est d'une très grande importance et a conditionné, en la favorisant ou en l'entravant, la politique menée à l'égard du petit troupeau. Mais à trop s'enfermer dans les microcosmes locaux on risque de perdre de vue des réalités premières qui sous-tendent l'évolution générale des rapports : la profonde inégalité entre les deux confessions en 1598, tant numériquement que juridiquement, l'élan que constitue pendant plusieurs décennies la Réforme catholique, les conceptions pastorales du clergé de choc. L'histoire des relations entre protestants et catholiques ne pourra jamais se résoudre à la somme des *modus vivendi* locaux ou régionaux.

Les mutations d'un combat d'abord religieux

En tentant de ne négliger aucun des aspects de l'histoire du combat mené dans la France du XVIIe siècle contre les huguenots, comment peut-on dès lors en résumer les phases et les modalités ?

Au début du siècle, profondément traumatisé par le long et douloureux épisode des guerres de religion, le royaume aspire sincèrement à la paix civile à laquelle l'édit de Nantes fournit une armature. Mais la fraction la plus zélée du clergé – essentiellement les Ordres religieux de la Contre-Réforme – a tôt fait de trouver une autre arme de combat : le livre. Pour ces militants de l'Église romaine, on ne saurait concevoir que deux religions puissent conduire au salut. L'une d'elles – la réformée – est œuvre de Satan, et d'ailleurs toute son histoire et tous ses caractères le démontrent. Il faut donc revenir à l'unité par absorption des huguenots, après démonstration de leurs erreurs. La violence ayant montré son inefficacité, tout l'espoir est alors placé dans la force de conviction des arguments. Aussi ce début de siècle est-il une période de fabuleuses joutes tantôt épiques, tantôt bouffonnes, érudites ou emphatiques... Bref, l'apogée du style baroque. Toujours est-il qu'on ne demande au bras séculier que de contenir les minoritaires dans les droits que leur a concédés l'édit, tout en regrettant – un peu pour la forme – qu'une telle situation ait été créée.

Alors que commence le deuxième quart du siècle, le catholicisme français connaît une de ses phases de plus grande vitalité. L'apogée de la Réforme catholique se traduit par la richesse de la littérature de spiritualité et le foisonnement des initiatives apostoliques et charitables : créations de congrégations, intérêt pour la formation du clergé séculier, attrait de l'apostolat lointain, prise de conscience de la nécessaire instruction religieuse des ruraux. Sans renoncer totalement à l'idée que la menace diabolique sur l'Église et le monde est forte, le catholicisme est saisi d'un dynamisme qui lui fait apparaître la possibilité d'un prochain triomphe d'un christianisme régénéré. Face aux protestants, la recherche des conversions semble prendre le pas sur l'intérêt pour le combat théorique. Comme sur les autres fronts de lutte, il s'agit de ramener au bercail du Bon Pasteur des brebis égarées. Cela peut se faire par les tentatives de séduction dans les localités protestantes, que constituent les missions alors en plein développement; cela peut se faire aussi par des entreprises de grande envergure comme le plan de réunion de Richelieu. Dans l'un et l'autre cas, la controverse n'est pas totalement abandonnée. Mais cette arme a alors montré qu'à elle seule elle ne pouvait régler la question de la division religieuse. On l'intègre donc, en lui faisant subir des inflexions, aux nouveaux procédés de combat. Pour les missionnaires, elle devient le moyen de prouver qu'ils sont bien les tenants de la Vérité, lorsqu'il est nécessaire de le manifester aux populations errantes; pour Richelieu, elle doit au contraire faire ressortir que le retour au catholicisme est possible : elle est, par son ton et son contenu, le moyen de nouer le contact. Toutes ces entreprises apparaissent alors comme suffisantes pour arriver à brève échéance aux objectifs poursuivis, d'autant que la fin de la puissance politique et militaire du protestantisme réduit les huguenots à ne plus compter que sur leur capacité de résistance religieuse... et sur la bonne volonté du roi à leur égard.

Mais ce gigantesque effort pastoral ne porte pas lui-même tous les fruits escomptés. A partir de la mi-siècle, le clergé, conscient que la surveillance des entreprises des huguenots a faibli depuis la mort de Louis XIII et de Richelieu, va être tenté d'imputer son échec à l'absence de soutien des autorités civiles. Il explique donc qu'aucun résultat religieux ne peut être obtenu sans un minimum de fermeté politique. Pour encourager la royauté dans cette voie, toute la vieille imagerie de l'hérésie – et en particulier tous les clichés relatifs à l'insoumission congénitale des protestants – est ravivée. La monarchie, qui est de plus en plus sensible à toute atteinte potentielle à son autorité, va alors prêter une oreille attentive à ce discours.

La stratégie adoptée par le clergé n'est toutefois pas une innovation totale. Dès les années 1630, les compagnies de dévots, héritières du catholicisme militant de la fin du XVIᵉ siècle et de l'influence exercée dans les élites sociales par la Réforme catholique, avaient favorisé cette restriction des droits des huguenots. Pourvues de solides relations au conseil du roi comme dans les parlements, elles avaient obtenu des résultats non négligeables, mais que le ministère de Mazarin révéla précaires. D'une certaine manière donc, l'interprétation de l'édit à la rigueur, sollicitée par le clergé et suivie par la royauté à partir de 1656, renoue avec une tradition; mais elle a aussi un caractère de nouveauté par son aspect systématique, lié à la fermeté politique de Louis XIV comme à la pression plus forte exercée cette fois par les représentants du clergé en corps.

A partir de là, on pourrait dire que la mécanique s'emballe. L'Église catholique, pourvue d'un clergé de mieux en mieux préparé à sa tâche et dotée d'un épiscopat partageant totalement les idéaux politiques de la monarchie, surveille avec plus de vigilance les infractions des protestants à l'édit et prépare les textes dont elle souhaite la promulgation. Certaine qu'elle s'est profondément régénérée depuis l'époque de la Réforme et consciente du peu de succès de ses entreprises auprès des huguenots, elle impute de plus en plus volontiers leur séparation à une opiniâtreté sans fondement théologique, favorisée par la pression des pasteurs et des notables. Elle cherche donc tous les moyens pour les faire céder, au nom de la charité pour les égarés; elle renoue aussi avec la tradition de controverse la plus virulente. Finalement, on a le sentiment que la Réforme catholique s'essouffle avant d'avoir pu atteindre son objectif d'anéantissement de l'hérésie; ses responsables se raccrochent alors à l'autorité royale comme à une bouée de sauvetage. Le clergé attend donc beaucoup du monarque qui ne néglige pas lui-même l'intérêt que peut présenter le contrôle exercé par des clercs présents jusqu'au fond des provinces et aussi dévoués à la cause du roi qu'à celle de la religion.

Inscrite potentiellement dans l'édit de Nantes, programmable à tout moment à partir de 1629, la révocation de l'édit de Nantes devenait inéluctable à partir de la rencontre entre le désarroi du clergé et la politique absolutiste de Louis XIV. Le roi régla ainsi une question dont les clercs n'avaient pu venir à bout. Mais la lutte fut pendant la majeure partie du siècle une affaire d'abord religieuse, conduite par le clergé. Simplement, la résistance rencontrée provoqua un dérapage de plus en plus net de ce combat vers la recherche de solutions politiques. Et si l'Église fut déroutée par la résistance rencontrée c'est que, pour partie au moins, ses analyses de la nature du protestantisme étaient erronées. Mais il est toujours douloureux d'opérer une révision profonde de l'image qu'on a d'un adversaire; l'Église préféra donc se persuader qu'il faudrait bien, coûte que coûte, que les réalités se plient à son schéma idéologique. C'est seulement à la suite de l'édit de Fontainebleau que certains clercs commencèrent à concevoir que, décidément, tout n'était pas aussi simple qu'il l'avait imaginé.

Tous ces ecclésiastiques qui affrontèrent le protestantisme ou mirent en branle contre lui le bras séculier n'avaient en effet nullement douté, tout au long du siècle, de la justesse de leur cause. Les esprits du XVIIᵉ siècle n'avaient pas été préparés à vivre la tolérance religieuse et restaient persuadés que la vraie religion ne pouvait supporter aucun compromis. La gloire de Dieu exigeait donc le retour à l'unité religieuse et la soumission générale au magistère de l'Église. Et il ne manqua pas de théoriciens pour souligner que l'obéissance à l'autorité ecclésiale et à l'autorité royale allaient de pair, et que des tendances républicaines ou anarchiques animaient les déviants religieux. L'État, de son côté, conçut l'unité religieuse comme un moyen de renforcer la cohésion sociale. L'entière soumission des sujets que revendiquait l'absolutisme passait par la réduction de la minorité religieuse.

Dans le majestueux ordonnancement classique des pyramides de l'ordre religieux et de l'ordre monarchique, tout non-conformisme apparaissait comme une imperfection à éliminer.

NOTES

PREMIÈRE PARTIE

Chapitre 1
LE « PETIT TROUPEAU »

1. Pour la répartition géographique des protestants, nous nous appuyons sur les travaux de S. MOURS, en particulier *Le protestantisme en France au XVIIᵉ siècle,* Paris, 1967, p. 59 et suiv.
2. R. SAUZET, *Contre-Réforme et Réforme catholique en Bas-Languedoc. Le diocèse de Nîmes au XVIIᵉ siècle,* Paris-Louvain, 1979.
3. J. GARRISSON-ESTÈBE, *L'homme protestant,* Paris, 1980, p. 68.
4. J. VIENOT, *Histoire de la Réforme française,* t. I, Paris, 1926, p. 455 et 461.
5. E. G. LÉONARD, *Histoire générale du protestantisme,* t. II, *L'établissement,* Paris, 1961, p. 149.
6. *L'homme protestant,* p. 32.
7. *Le protestantisme en Dauphiné au XVIIᵉ siècle* (sous la direction de Pierre Bolle), La-Bégude-de-Mazenc, 1983. Cet ouvrage présente les paroisses protestantes de Mens, Die et Gap.

Chapitre 2
LES ORIGINES DE LA RÉFORME

1. Florimond DE RAEMOND, *Histoire de la naissance, progrez et décadence de l'hérésie de ce siècle,* p. 5 (nos références renvoient à l'édition de Rouen, 1629).
2. *Ibid.,* « Vœu de l'auteur » (non paginé).
3. *Ibid.,* p. 865-866.
4. *Ibid.,* p. 32-33.
5. *Ibid.,* p. 38-45.
6. *Ibid.,* p. 70.
7. L. MAIMBOURG, *Histoire du luthéranisme,* p. 256 (éd. de 1686). Sur la conception de l'histoire du Père Maimbourg, voir G. DECLERCQ, « Un adepte de l'histoire éloquente, le Père Maimbourg, s.j. » dans *XVIIᵉ siècle,* avril-juin 1984, nº 143, p. 119-132.

8. *Ibid.*, p. 12.
9. *Ibid.*, p. 13-14.
10. *Ibid.*, p. 10.
11. *Ibid.*, p. 10 et 14.
12. BRUEYS, *Examen des raisons qui ont donné lieu à la séparation des Protestans...*, 1683, p. 7.
13. SOULIER, *Histoire du calvinisme...*, 1686, p. 3. DU BOIS GOIBAUD, *Conformité de la conduite de l'Église de France*, 1685, p. XI-XII (voir aussi p. XXII).
14. RICHELIEU, *Traité qui contient la méthode la plus facile...*, 1651, p. 282.
15. L. MAIMBOURG, *Histoire du calvinisme*, 1682, p. 5.
16. SOULIER, *Histoire du calvinisme...*, p. 6 et 8.
17. L. MAIMBOURG, *Histoire du calvinisme...*, p. 72.
18. DE RAEMOND, *Histoire de l'hérésie*, p. 880-881, 886.
19. L. MAIMBOURG, *Histoire du calvinisme*, p. 55-56 et 75.
20. R. SIMON, *Histoire critique du Vieux Testament*, 1678, p. 432 et suiv.
21. DE RAEMOND, *Histoire de l'hérésie*, p. 213, p. 101-102.
22. L. MAIMBOURG, *Histoire du calvinisme*, p. 66-76.
23. Jacques GAULTIER, *Table chronographique de l'Estat du christianisme* (nous avons consulté la 5e édition, Lyon, 1633). Voir en particulier l'épître au roi de l'édition de 1626 (reproduite dans celle de 1633) et la p. 694 (à propos des Vaudois).
24. Jacques GAULTIER, *L'Anatomie du calvinisme*, 1621, Épître à l'archevêque de Lyon, f° A3.
25. P. NICOLE, *Préjugez légitimes contre les calvinistes*, 1671, p. 199 (l'édition consultée est celle de 1736).
26. J. GAULTIER, *Table chronographique*, Épître au lecteur (3e remarque).
27. F. DE RAEMOND, *Histoire de l'hérésie*, p. 965-966.

Chapitre 3
LA VRAIE NATURE DU PROTESTANTISME

1. L. RICHEOME, *L'idolâtrie huguenote figurée au patron de la vieille païenne*, Lyon, 1608, p. 220.
2. *Ibid.*, Épître au roi (non paginée).
3. *Ibid.*, p. 218.
4. *Ibid.*, p. 20-26.
5. *Ibid.*, p. 248-249.
6. *Histoire de l'hérésie*, p. 214.
7. RICHEOME, *L'idolâtrie*, p. 52. Pour une définition actuelle de l'hérésie, par un théologien catholique : M.-D. CHENU, « Orthodoxie et hérésie. Le point de vue du théologien », in *Hérésies et sociétés dans l'Europe préindustrielle*, Paris-La Haye, 1968, p. 9-14 (en particulier p. 11).
8. RICHEOME, *L'idolâtrie*, p. 57.
9. *Ibid.*, p. 90-91.
10. *Ibid.*, p. 73.
11. J. GONTERY, *La Pierre de Touche ou la vraie méthode pour désabuser les esprits trompés sous couleur de réformation*, Bordeaux, 1614. Cité in J. SOLÉ, *Le débat entre catholiques et protestants français de 1598 à 1685* (thèse multigraphiée), p. 977.
12. RICHEOME, *L'idolâtrie*, p. 79.
13. F. DE RAEMOND, *Histoire de l'hérésie*, p. 956.
14. RICHEOME, *L'idolâtrie*, p. 87.
15. F. FEUARDENT, *Entremangeries ministrales*, Caen, 1601, p. 87-88.
16. J. GAULTIER, *Table chronographique*, Épître au lecteur (non paginée) et p. 784.
17. L. MAIMBOURG, *Histoire du luthéranisme*, p. 406.

18. P. Nicole, *Préjugés légitimes contre les Calvinistes*, Paris, 1671, p. 11.
19. *Ibid.*, p. 69-70.
20. *Ibid.*, p. 16-17.
21. Richeome, *L'idolâtrie*, p. 30. Richeome reprend ici le chapitre 40 du *De praescriptione haereticorum* de Tertullien.
22. De Raemond, *Histoire de l'hérésie*, Épître dédicatoire, Vœu de l'auteur et p. 2.
23. *Ibid.*, p. 38-39.
24. *Ibid.*, p. 863.
25. *Ibid.*, p. 1018. Joseph de Acosta avait publié en 1589 une *Histoire naturelle et morale des Indes occidentales* dans laquelle il présentait les religions amérindiennes comme l'envers de la religion chrétienne. Cet ouvrage a récemment été réédité dans la traduction de J. Rémy-Zéphir (Paris, Payot, 1979).
26. J. Gaultier, *L'Anatomie du calvinisme*, Épître dédicatoire, p. A3.
27. Cité in J. Solé, *Le débat...*, p. 660.
28. P. Nicole, *Préjugés légitimes*, p. 255 et 271.
29. F. Feuardent, *Entremangeries ministrales*, p. 95-96.
30. F. Feuardent, *La prodigieuse et épouvantable confession...*, p. 3-5.
31. *Ibid.*, p. 6.
32. Cordemoy, *Récit de la conférence...*, in *Dissertations tant anciennes que nouvelles*, t. I, 1701, p. 283.
33. M. Audin, *Histoire de la vie, des écrits et des doctrines de Martin Luther*, 5ᵉ éd., Paris, 1845, t. II, p. 199-201.
34. J. Delumeau, *La peur en Occident (XIVᵉ-XVIIIᵉ siècles). Une cité assiégée*, Paris, Fayard, 1978, p. 233. Du même auteur, « Les Réformateurs et la superstition », in *Un chemin d'histoire. Chrétienté et christianisation*, Paris, Fayard, 1981, p. 51-79.
35. François de Toulouse, *Le missionnaire apostolique*, Paris, 1666-1682. Ce sermon a été publié par Migne, *Collection intégrale et universelle des orateurs sacrés*, t. XI, Paris, 1844, col. 598-613 (Ici, col. 600).
36. *Ibid.*, col. 607.
37. J. Solé, *Le débat...*, p. 211-212.
38. F. de Raemond, *Histoire de l'hérésie*, p. 327.
39. Sur ces questions, R. Muchembled, *Culture populaire et culture des élites*, Paris, Flammarion, 1978, p. 287 et suiv.; J. Delumeau, *La peur en Occident*, p. 364 et suiv. et *Un chemin d'histoire...*, p. 80 et suiv. (« Pouvoir, peur et hérésie au début des Temps modernes »).
40. Norman Cohn, *Démonolâtrie et sorcellerie au Moyen Age*, Paris, 1982, p. 35-82.
41. J. Ferrier, *De l'Anti-Christ et de ses marques*, Paris, 1615. Cité in J. Solé, *Le débat...*, p. 847.
42. Cité in J. Solé, *Le débat...*, p. 712.
43. J. Gaultier, *Table chronographique*, p. 784.
44. Explicitement ou non, les auteurs se réfèrent à l'Évangile selon saint Matthieu, chapitre VII, v. 15-16.
45. Richeome, *L'idolâtrie*, p. 39.
46. *Ibid.*, p. 42.
47. *Ibid.*, p. 44.
48. L. Maimbourg, *Histoire du calvinisme*, p. 70-71.
49. Du Perron, *Réplique à la réponse du roi de la Grande-Bretagne*, Paris, 1620. Cité in J. Solé, *Le débat...*, p. 1686.
50. J. Gaultier, *Anatomie du calvinisme*, p. 333.
51. P. Nicole, *Préjugés légitimes*, p. 107.
52. Richeome, *L'idolâtrie*, p. 76 et 462.
53. F. de Raemond, *Histoire de l'hérésie*, p. 300.
54. Richeome, *Le Panthéon huguenot*, p. 205.
55. Richeome, *L'idolâtrie*, p. 488.

56. *Ibid.*, p. 497.
57. *Ibid.*, p. 27.
58. Voir J. SOLÉ, *Le débat...*, p. 1417 et suiv.
59. *Sommaire de l'État de la religion dans la vallée de Pragelas*, s.l.n.d., p. 2.
60. CHARLES DE GENÈVE, *Les Trophées sacrés...*, éd. F. Tisserand, Lausanne, 1976, t. I, p. 68.
61. RICHEOME, *L'idolâtrie*, p. 316.
62. FRANÇOIS DE TOULOUSE, *loc. cit.*, col. 606-607.
63. A. ARNAULD, *Le Renversement de la Morale de Jésus-Christ...*, Paris, 1672. Cité in J. SOLÉ, *Le débat...*, p. 1427 et 1489.
64. NICOLE, *Préjugés légitimes*, p. 106.
65. *Ibid.*, p. 68-69.
66. RICHEOME, *L'idolâtrie*, p. 340-341. Le verset controversé (Matthieu, X, 34) rapporte ces propos de Jésus : « N'allez pas croire que je sois venu apporter la paix sur la terre ; je ne suis pas venu apporter la paix, mais bien la guerre. »
67. J. GONTERY, *La Pierre de Touche...* Cité in J. SOLÉ, *Le Débat...*, p. 1449.
68. RICHEOME, *L'idolâtrie*, p. 338.
69. *Ibid.*, p. 154 à 158.
70. *Ibid.*, p. 341.
71. L. MAIMBOURG, *Histoire du calvinisme*, p. 2 ; Feuardent est cité par J. SOLÉ, *Le débat...*, p. 1306 ; FRANÇOIS DE TOULOUSE, *loc. cit.*, col. 608.
72. J.-P. CAMUS, *Réparties succinctes...*, Caen, 1638. Cité in J. SOLÉ, *Le débat...*, p. 1312.
73. FRANÇOIS DE TOULOUSE, *loc. cit.*, col. 609.
74. Sur cette question, E. LABROUSSE, « Les guerres de religion vues par les huguenots du XVIIᵉ siècle », in *Historiographie de la Réforme* (sous la direct. de Ph. Joutard), Neuchâtel-Paris, 1977, p. 37-44 ; Ph. JOUTARD, J. ESTÈBE, E. LABROUSSE et J. LECUIR, *La Saint-Barthélemy ou les résonances d'un massacre*, Neuchâtel, 1976, p. 72 et suiv.
75. SOULIER, *Histoire du calvinisme*, p. 499.
76. A. ARNAULD, *Apologie...* Cité in J. SOLÉ, *Le débat...*, p. 1457.
77. SOULIER, *Histoire du calvinisme*, p. 29-30.
78. L. MAIMBOURG, *Histoire du luthéranisme*, p. 89.
79. FRANÇOIS DE TOULOUSE, *loc. cit.*, col. 609.
80. F. GARASSE, *Doctrine curieuse des beaux esprits de ce temps*, Paris, 1624. Cité in J. SOLÉ, *Le débat...*, p. 713.

Chapitre 4
LES VOIES DE L'HÉRÉSIE

1. DE RAEMOND, *Histoire de l'hérésie*, p. 10, 2, 254, 255.
2. MAIMBOURG, *Histoire du luthéranisme*, p. 38 ; NICOLE, *Préjugés légitimes*, p. 106 ; BRUEYS, *Examen des raisons...*, p. 7.
3. B. LAMY, *Entretiens sur les sciences.* Cité in J. SOLÉ, *Le débat...*, p. 621.
4. MAIMBOURG, *Histoire du luthéranisme*, p. 38.
5. *Recueil des actes, titres et mémoires concernant les affaires du Clergé de France...*, Paris, 1768-1771, 12 vol. (abrégé désormais en *M.C.* = Mémoires du Clergé). Ici, t. I, col. 20-21.
6. BRUEYS, *Examen des raisons...*, p. 179-182.
7. NICOLE, *Préjugés légitimes*, p. 251-252.
8. GAULTIER, *Anatomie du calvinisme*, p. 773.
9. NICOLE, *Les Prétendus Réformés convaincus de schisme*, Paris, 1684, p. 2.
10. NICOLE, *Préjugés légitimes*, ch. 7.
11. *Ibid.*, p. 261.
12. FRANÇOIS DE TOULOUSE, « L'Église persécutée... », col. 605.

13. SOULIER, *Histoire du calvinisme*, p. 3; NICOLE, *Préjugés légitimes*, p. 107.
14. F. DE RAEMOND, *Histoire de l'hérésie*, p. 894.
15. *Ibid.*, p. 847.
16. FRANÇOIS DE TOULOUSE, « L'Église persécutée... », col. 605-606.
17. RICHEOME, *Idolâtrie huguenote*, p. 48-49.
18. F. DE RAEMOND, *Histoire de l'hérésie*, p. 954-955.
19. *Ibid.*, p. 1033.
20. *Ibid.*, p. 888.
21. Cité par M. YARDENI, « Richard Simon et la Réforme », in *Historiographie de la Réforme*, p. 63.
22. FEUARDENT, *Entremangeries ministrales*, Épître (non paginée).
23. Références précises et développements dans B. DOMPNIER, « Pastorale de la peur et pastorale de la séduction. La méthode de conversion des missionnaires capucins », in *La conversion au XVIIᵉ siècle*, Marseille, 1983, p. 257-273.
24. Cité in G. SNYDERS, *La pédagogie en France aux XVIIᵉ et XVIIIᵉ siècles*, Paris, 1965, p. 194.
25. FEUARDENT, *La prodigieuse et épouvantable confession...*, p. 3. C'est nous qui soulignons.
26. F. DE RAEMOND, *Histoire de l'hérésie*, p. 871-872.
27. I. FAVEROT, *Le Réveil-matin à double montre. Une qui guide au précipice et l'autre à la Gloire*, Grenoble, 1670, p. 2 et 5.
28. CHARLES DE GENÈVE, *Les Trophées sacrés de la souveraine Emperière de l'univers*, éd. F. Tisserand, Lausanne, 1976, 3 vol. (Mémoires et documents publiés par la Société d'histoire de la Suisse romande, t. XII, XIII et XIV). Ici, I, p. 111 et II, p. 130.
29. Voir en particulier, J. DELUMEAU, *Un chemin d'histoire*, p. 156-158.
30. CHARLES DE GENÈVE, *Les Trophées sacrés*, I, p. 69.
31. *La vie de messire Christophe d'Authier de Sisgau...*, par Mᵉ Nicolas Borely, Lyon, 1703, p. 78.
32. *Archivum Romanum Societatis Iesu*, *Lugd.* 37, fᵒ 300.
33. A. BONNET, *La vie du Père Jean-François Régis*, Lyon, 1964, p. 28.
34. Archives de la Congrégation *de Propaganda Fide* (= A.C.P.F.), S.O.C.G., vol. 202, fᵒ 247.
35. *Ibid.*, S.O.C.G., vol. 199, fᵒ 375 vᵒ.
36. GAULTIER, *Anatomie du calvinisme*, p. 775. L'orthographe de *pasture* a été conservée en raison du jeu de mots.
37. DU BOIS GOIBAUD, *Conformité de la conduite*, p. XVI.
38. J.-P. CAMUS, *L'avoisinement des protestants vers l'Église Romaine*, Paris, 1640, Avant-propos.
39. F. VÉRON, *Règle générale de la foi catholique*, éd. Labouderie, Paris-Besançon, 1825, p. 3-4.
40. *M.C.*, I, col. 50.
41. *Ibid.*, col. 99-101.
42. BRUEYS, *Examen des raisons...*, p. 196-197.
43. *M.C.*, I, col. 1611.
44. NICOLE, *Préjugés légitimes*, p. 162-163.
45. A.C.P.F., S.O.C.G., vol. 199, fᵒ 375.
46. *M.C.*, I, col. 1165.
47. *Ibid.*, col. 1187-1211.
48. NICOLE, *Préjugés légitimes*, p. 32-33.
49. DU BOIS GOIBAUD, *Conformité de la conduite*, p. XXIII.
50. SOULIER, *L'Explication de l'édit de Nantes de M. Bernard, avec de nouvelles observations...*, Paris, 1683, p. 268.
51. DU BOIS GOIBAUD, *Conformité de la conduite*, p. XXXIII-XXXIV.

Chapitre 5
LES LIMITES DE LA TOLÉRANCE

1. MAIMBOURG, *Histoire du calvinisme,* p. 495-505.
2. SOULIER, *Histoire du calvinisme,* Épître au roi (non paginée).
3. *Ibid.,* p. 1.
4. *Ibid.,* p. 331-332.
5. *Ibid.,* p. 577.
6. *Ibid.,* p. 630-631.
7. Pour tout ce qui a trait aux assemblées du clergé, nous avons largement utilisé les ouvrages de P. BLET, *Le clergé de France et la monarchie. Étude sur les Assemblées générales du Clergé de 1615 à 1666,* 2 vol., Rome, 1959, et *Les Assemblées du Clergé et Louis XIV (1670-1693),* Rome, 1972, 633 p.
8. *M.C.,* XIV, col. 415 (A la suite de P. Blet, nous donnons comme référence *M.C.,* XIV au volume réunissant les harangues, remontrances et cahiers du clergé, publié en 1771 à la suite des *Mémoires* proprement dits).
9. Cité *in* J. LECLER, *Histoire de la tolérance au siècle de la Réforme,* Paris, 1955, 2 vol. Ici, II, p. 121.
10. *Ibid.,* II, p. 131.
11. *M.C.,* XIV, col. 448.
12. « Cahier présenté au roi en 1621 », in *Collection des procès-verbaux des Assemblées générales du Clergé,* t. II, Paris, 1768, pièces justificatives, p. 42.
13. *M.C.,* XIV, col. 510.
14. *Ibid.,* col. 674-675.
15. *Ibid.,* col. 601.
16. *Ibid.,* col. 785.
17. *Ibid.,* col. 440.
18. *Ibid.,* col. 447-448.
19. Sur cette question, J. LECLER, *Histoire de la tolérance...,* II, p. 127-134.
20. *M.C.,* XIV, col. 674.
21. *Ibid.,* col. 644-645.
22. *Ibid.,* col. 654-655.
23. *Ibid.,* col. 760.
24. *Ibid.,* col. 433-434.
25. *Ibid.,* col. 580.
26. *Ibid.,* col. 601.
27. R. BELLARMIN, *De laïcis.* Cité in J. DELUMEAU, *La peur en Occident,* p. 399-400.
28. *M.C.,* XIV, col. 721.
29. *M.C.,* I, col. 1134.
30. *Ibid.,* col. 1135.
31. *Ibid.,* col. 1136.
32. *Ibid.,* col. 1136.
33. *Ibid.,* col. 1210.
34. B. MEYNIER, *De l'exécution de l'édit de Nantes dans le Dauphiné,* Valence, 1664, p. 19-20.
35. *M.C.,* I, col. 1162-1163.
36. *Ibid.,* col. 1206.
37. *Ibid.,* col. 1204.
38. *Ibid.,* col. 18-19.
39. *Ibid.,* col. 50.
40. *Ibid.,* col. 13-14.
41. *Ibid.,* col. 40.
42. P. BLET, *Le Clergé de France et la monarchie,* II, p. 349.
43. DU BOIS-GOIBAUD, *Conformité,* p. VI-VII.

44. Soulier, *Histoire du calvinisme,* p. 598.
45. Gaultier, *Lettre de la puissance...,* Caen, 1686, p. 4-5.

SECONDE PARTIE

Chapitre 6
PRATIQUES DE LA COEXISTENCE

1. Cité par P. Bolle, « Le Camus et les protestants », in *Le cardinal des montagnes. Étienne Le Camus, évêque de Grenoble,* Grenoble, 1974, p. 151.
2. P. Bolle, *Le protestantisme en Dauphiné au XVIIᵉ siècle,* p. 59.
3. L. Pérouas, *Le diocèse de La Rochelle de 1648 à 1724,* Paris, 1964, p. 297.
4. R. Poujol, *Vébron. Histoire d'un village cévenol,* Aix-en-Provence, 1981, p. 109-111.
5. L. Pérouas, *op. cit.,* p. 298.
6. R. Sauzet, *Contre-Réforme et Réforme catholique en Bas-Languedoc,* p. 172 et 402.
7. *Ibid.,* p. 287.
8. V.-L. Tapié, *La France de Louis XIII et de Richelieu,* Paris, 1967, p. 264.
9. E. Albe, « La confrérie de la Passion », in *Revue d'Histoire de l'Église de France,* t. 3, 1912, p. 655.
10. F. Véron, *Déroute générale des ministres et huguenots de France,* Paris, 1648, p. 3-9.
11. Sur la compagnie du Saint-Sacrement, on consultera toujours R. Allier, *La cabale des dévots,* Paris, 1902. Une mise au point récente est fournie par R. Taveneaux, *Le catholicisme dans la France classique,* Paris, 1980, p. 225-233.
12. R. du Voyer d'Argenson, *Annales de la compagnie du Saint-Sacrement,* publiées par Dom H. Beauchet-Filleau, Marseille, 1900, p. 17.
13. Sur la compagnie de Propagation de la Foi de Grenoble, B. Dompnier, *Missions de l'intérieur et Réforme catholique. L'activité missionnaire en Dauphiné au XVIIᵉ siècle,* thèse dactylographiée (Université de Paris I, 1981), p. 458 et suiv.
14. *Journal des conversions qui ont été faites et des grâces dont Dieu a favorisé la Compagnie de la Propagation establie à Grenoble,* Grenoble, 1662, p. 3.
15. O. Martin, « Prosélytisme et tolérance à Lyon du milieu du XVIIᵉ siècle à la Révocation de l'édit de Nantes », in *Revue d'Histoire Moderne et Contemporaine,* XXV, 1978, p. 306-320.
16. Cité in E. Arnaud, *Histoire des protestants du Dauphiné aux XVIᵉ, XVIIᵉ et XVIIIᵉ siècles,* Paris, 1875-1876, 3 vol. (Ici, t. II, p. 335).
17. L. Pérouas, *Le diocèse de La Rochelle,* p. 143.
18. E. Labrousse, « La conversion d'un huguenot au catholicisme en 1665 », in *Revue d'Histoire de l'Église de France,* t. 64, 1978, p. 67.
19. E. Brackenhoffer, *Voyage en France. 1643-1644,* traduit et édité par H. Lehr, Nancy-Paris, 1925, p. 97.
20. A.D. Hautes-Alpes, 3 H supplément 74.
21. A.D. Drôme, D 57.
22. *Journal d'un curé de campagne au XVIIᵉ siècle,* édité par H. Platelle, Paris, 1965, p. 76.
23. A.C.P.F., S.O.C.G., vol. 199, fᵒ 376.
24. E. Labrousse, « La conversion... », p. 68.
25. S.O.C.G., vol. 199, fᵒ 376.

26. A.D. Hautes-Alpes, 3 H Supplément 72; A.D. Isère, V E 227/2, f⁰ˢ 26 et 62.
27. R. SAUZET, *Contre-Réforme*, p. 269.
28. Cité *ibid.*, p. 267.
29. *M.C.*, I, col. 2063-2064.
30. Cité par R. DEBON, « Religion et vie quotidienne à Gap », in *Le protestantisme en Dauphiné au XVIIᵉ siècle*, p. 147-148.
31. A.D. Hautes-Alpes, H Supplément 340 et C. CHARRONNET, *Les guerres de religion et la société protestante dans les Hautes-Alpes*, Gap, 1861, p. 340.
32. A.D. Drôme, D 70.
33. R. SAUZET, *Contre-Réforme*, p. 276-277.
34. S.O.C.G., vol. 199, f⁰ 382.
35. *Le diocèse de Die en l'année 1644. Procès-verbal d'une visite pastorale*, éd. J. Chevalier, Valence, 1914, p. 94.
36. R. SAUZET, *Contre-Réforme*, p. 169-172 (ici p. 171).
37. *La perpétuité de la foi catholique*, t. I, Paris, 1669, Préface (non paginée).
38. O. MARTIN, art. cité, p. 309 et 316-317.
39. R. SAUZET, *Contre-Réforme*, p. 271; R. PINTARD, *Le libertinage érudit dans la première moitié du XVIIᵉ siècle*, Paris, 1943, p. 17-22. On trouvera aussi dans ce dernier ouvrage une présentation détaillée de l'académie des frères Dupuy, réunissant des membres d'horizons religieux très divers (*ibid.*, p. 94-97).
40. R. SAUZET, *op. cit.*, p. 174.
41. Registre du consistoire de Die, cité in E. ARNAUD, *Histoire des protestants du Dauphiné*, t. II, p. 319-320.
42. *Ibid.*, p. 321.
43. R. SAUZET, *Contre-Réforme*, p. 168.
44. *Ibid.*, p. 259 et 400.
45. *Ibid.*, p. 401.
46. A.D. Hautes-Alpes, 3 H 2/1 *(Livre des faits du couvent de Gap)*, p. 84.
47. A.R.S.I. (= Archivum Romanum Societatis Iesu), *Lugd.* 29, f⁰ 168.
48. « Charenton en 1645. Récit d'un voyageur alsacien », in *Bulletin de la Société pour l'histoire du protestantisme français*, 1921, p. 155.
49. J.-D. LEVESQUE, *L'ancien couvent des Frères Prêcheurs de Grenoble*, Lyon, 1975, multigraphié, p. 28.
50. R. SAUZET, *Contre-Réforme*, p. 189.
51. *Ibid.*, p. 197 et 306-335.
52. G. BONET-MAURY, *Histoire de la liberté de conscience en France*, Paris, 1900, p. 40.
53. J. D'HOREL, *Le Mercure reformé apportant à Messieurs et Révérends Pères les Ministres de Dyois et Valentinois...*, La Rochelle, s.d. (en fait Tournon, 1620), p. 54.
54. A.C.P.F., S.C. *Francia*, vol. 1, f⁰ 89 v⁰.
55. J. D'HOREL, *Le Mercure reformé...*, p. 196.
56. A. LOTTIN, *Chavatte, ouvrier lillois. Un contemporain de Louis XIV*, Paris, 1979, p. 286.
57. R. DEBON, « Religion et vie quotidienne à Gap... », p. 106-107 et 152-155.
58. R. SAUZET, *Contre-Réforme*, p. 311-322.
59. P. BLET, *Les Assemblées du Clergé et Louis XIV*, p. 430.

Chapitre 7
ASSURER LE TRIOMPHE DE LA VÉRITÉ

1. E. LABROUSSE, « Rapport », in *Historiographie de la Réforme*, p. 108.
2. Pour les estimations chiffrées, L. DESGRAVES, *Répertoire des ouvrages de controverse*, t. I, Genève, 1984, Introduction. La citation du *Mercure français* est donnée par E. KAPPLER, *Conférences théologiques entre Catholiques et*

Protestants en France au XVIIe siècle (thèse dactylographiée, soutenue à Clermont-Ferrand en 1980), t. I, p. 1.

3. Les principaux travaux récents sont ceux de J. SOLÉ, *Le débat confessionnel...* et E. KAPPLER, *Conférences théologiques...* On consultera aussi *La controverse religieuse (XVIe-XIXe siècles)*, Montpellier, 1980, 2 vol. (Il s'agit des Actes d'un colloque tenu à l'Université Paul-Valéry.)

4. G. LE FÉRON, *L'hérésie chassée de son dernier retranchement...*, Grenoble, 1648, p. 133.

5. A. RÉBELLIAU, *Bossuet, historien du protestantisme*, 2e éd., Paris, 1892, p. 5 et 23.

6. Ouvrage du Père Ange de Raconis, publié en 1613 (DESGRAVES, n° 1560).

7. Ouvrage de François du Bourg, publié en 1614 (DESGRAVES, n° 1616).

8. Ouvrage publié sous un pseudonyme par le Père Marcellin du Pont-de-Beauvoisin en 1617 (DESGRAVES, n° 2082).

9. E. KAPPLER, *Conférences*, t. I, p. 98-99. Nous empruntons beaucoup à cet auteur pour l'ensemble de ce développement.

10. Ces deux citations sont données par E. KAPPLER, *Conférences*, t. I, p. 249.

11. R. BARTHES, cité in E. KAPPLER, *Conférences*, t. I, p. 257.

12. A.C.P.F., *Scritture riferite nei Congressi, Francia*, vol. 1, f° 88 v.

13. Cité *in* E. KAPPLER, *Conférences*, t. I, p.64.

14. Cité *in* E. KAPPLER, *Conférences*, t. II, p. 136.

15. LE FÉRON, *L'hérésie chassée*, p. 141.

16. *Ibid.*, p. 3.

17. G. MARTIN, *Le Capucin réformé déclarant au long la cause de sa conversion à l'Église réformée*, Genève, 1618, p. 53-54.

18. *Réponse pour les Églises des Vallées de Piémont au sieur Illuminé Faverot*, Genève, Préface, f° 3.

19. Sur Véron, on consultera toujours P. FÉRET, *Un curé de Charenton au XVIIe siècle*, Paris, 1881, ainsi que l'introduction de Labouderie à l'édition de 1825 de *La Règle générale de la Foi catholique*.

20. F. VÉRON, *L'Établissement de la Congrégation de la Propagation de la Foi...*, Paris, 1624, p. 5-9.

21. Ce livre a pour auteur le pasteur Jean Faucher et fut publié à Nîmes en 1625 (DESGRAVES, n° 3338).

22. Sur ce point E. KAPPLER, *Conférences*, t. I, p. 200-214.

23. A.C.P.F., S.O.C.G., vol. 198, f° 163 v (lettre de F. Véron du 15 avril 1622).

24. *Ibid.*, f° 162 (lettre du 20 avril 1622).

25. S.O.C.G., vol. 199, f° 378 v-379.

26. Cité in E. KAPPLER, *Conférences*, t. I, p. 226.

27. J. DAILLÉ, *La Foi fondée sur les Saintes Écritures*, Charenton, 1634. Cité in E. KAPPLER, *Conférences*, t. I, p. 221.

28. C. DRELINCOURT, *Avertissement sur les disputes et les procédés des missionnaires*, Charenton, 1654, p. 131.

29. *Ibid.*, p. 16-17.

30. Cité in J. PANNIER, *L'Église réformée de Paris sous Henri IV*, Paris, 1911, p. 242.

31. Cité in E. KAPPLER, *Conférences*, t. I, p. 20.

32. Sur ces diverses affaires, B. DOMPNIER, « Les mutations de la controverse en Dauphiné au XVIIe siècle », in *La controverse religieuse*, p. 31-33.

33. *Réponse pour les Églises des Vallées de Piémont...* Cité *ibid.*, p. 32.

34. Cité in H. FOUQUERAY, *Histoire de la Compagnie de Jésus en France*, t. IV, p. 264.

35. J. EUDES, « Le prédicateur apostolique », in *Œuvres Complètes* (éd. Dauphin et Lebrun), Vannes, 1905-1911, t. IV, p. 53-56.

36. Cité in P. COSTE, *Le grand saint du grand siècle. Monsieur Vincent*, Paris, 1932, t. I, p. 295.

37. VINCENT DE PAUL, *Correspondance,* éd. P. Coste, t. VIII, p. 526 (lettre de 1643).

38. J.-P. CAMUS, *Des missions ecclésiastiques...,* Paris, 1643, p. 295.

39. *Ibid.,* p. 271.

40. J.-P. CAMUS, *L'Avoisinement des protestants vers l'Église Romaine,* Paris, 1640, Avant-propos.

41. *Ibid.* Cité in J. SOLÉ, *Le débat,* p. 371.

42. P. BLET, « Le plan de Richelieu pour la réunion des protestants », in *Gregorianum,* t. 48, 1967, p. 127. (Cet article constitue la meilleure mise au point sur la question.)

43. *Ibid.,* p. 107-108. Il s'agit de dépêches de 1641.

44. F. VÉRON, *Règle générale de la Foi catholique* (éd. Labouderie), Préface et p. 347-348.

45. P. BLET, « Le plan... », p. 109.

46. *Ibid.,* p. 112-113.

47. Cité *ibid.,* p. 122.

48. E.-G. LÉONARD, *Histoire générale du protestantisme,* t. 2, p. 354-355; J. ORCIBAL, *Louis XIV et les protestants,* Paris, 1951, p. 36 et suiv.

49. A. RÉBELLIAU, *Bossuet, historien...,* p. 14-18.

50. J. SOLÉ, *Le débat,* p. 1166.

51. *Ibid.,* p. 103.

52. Sur Bossuet controversiste, A. RÉBELLIAU, *Bossuet, historien...*

53. Les développements qui suivent s'inspirent de J. SOLÉ, *Le débat* (en particulier, p. 1763 et suiv.).

54. J. SOLÉ, *Le débat,* p. 1770.

Chapitre 8
LA RECONQUÊTE DES TERRITOIRES ET DES ÂMES

1. CHARLES DE GENÈVE, *Les Trophées sacrés,* t. III, p. 171.

2. LEPRÉ-BALAIN, *La vie du R. Père Joseph de Paris* (manuscrit de la Bibliothèque franciscaine provinciale de Paris), f° 177.

3. ARCANGE-GABRIEL DE L'ANNONCIATION, *La vie du vénérable Père Antoine du Saint-Sacrement,* Avignon, 1682, t. I, p. 411.

4. CHARLES DE GENÈVE, *Les Trophées sacrés,* t. I, p. 269.

5. *Sommaire de l'état de la Religion...,* p. 3.

6. *Œuvres complètes* (éd. de La Visitation), t. VI, p. 226.

7. *La véritable manière de prêcher selon l'esprit de l'Évangile,* 3ᵉ éd., Paris, 1701, p. 356.

8. *La conduite du religieux,* Paris, 1653, p. 587.

9. « Histoire critique de la chaire française », in *Revue Bourdaloue,* 2ᵉ année, 1903, p. 490.

10. *Ibid.,* p. 491 et 496.

11. *Théologie naturelle,* t. IV, Paris, 1641, p. 121-122.

12. CHARLES DE GENÈVE, *Les Trophées sacrés,* t. III, p. 198.

13. A.D. Hautes-Alpes, 3 H 2, 1, p. 89.

14. Cité in J. SOLÉ, *Le débat...,* p. 217.

15. A.C.P.F., S.C. *Francia,* vol. 1, f° 89 et S.O.C.G., vol. 199, f° 377 v.

16. S.O.C.G., vol. 199, f° 382.

17. S.C. *Francia,* vol. 1, fᵒˢ 88-89.

18. S.O.C.G., vol. 199, fᵒˢ 355 et 367 v.

19. Un épisode de ce type a lieu à Florac; cf. *M.C.,* t. I, col. 1761-1763 et E. BENOIST, *Histoire de l'édit de Nantes,* Delft, 1693-1694, t. III, p. 276.

20. ARCANGE-GABRIEL DE L'ANNONCIATION, *La vie du vénérable...,* t. I, p. 423-436.

21. *Lettres inédites du cardinal Le Camus,* éd. C. Faure, Paris, 1933, p. 285.

22. *Lettres du cardinal Le Camus,* éd. Ingold, Paris, 1892, p. 96.
23. B. GROSPERRIN, *Les petites écoles sous l'Ancien Régime,* Rennes, 1984, p. 16 (d'après les travaux de M. Laget).
24. J. PANNIER, *L'Église réformée de Paris sous Henri IV,* p. 212; P. BLET, *Les assemblées du clergé et Louis XIV,* p. 456-457.
25. P. BLET, *Les assemblées du clergé...,* p. 457-458.
26. Délibération du 8 février 1647, in A.D. Isère, 26 H 101, f° 1 v.
27. Sur Pellisson, on consultera surtout J. ORCIBAL, *Louis XIV et les protestants,* Paris, 1951, p. 43-78.
28. Le point est fait par D. LIGOU, *Le protestantisme en France de 1598 à 1715,* Paris, 1968, p. 225-226.
29. E.-G. LÉONARD, *Histoire générale du protestantisme,* t. 2, p.357.
30. Cité in J. ORCIBAL, *op. cit.,* p. 50.
31. Les résultats obtenus par la caisse des conversions ont été analysés, dans un cadre régional, par R. SAUZET, *Contre-Réforme,* p. 392-396.
32. Ces indications sont données par L. PÉROUAS, « La mission de Poitou des Capucins pendant le premier quart du XVIIe siècle », in *Bulletin de la Société des Antiquaires de l'Ouest,* 1964, p. 358.
33. *Ibid.,* p. 359.
34. ARCANGE-GABRIEL DE L'ANNONCIATION, *La vie du vénérable...,* t. I, p. 488.
35. R. SAUZET, Contre-Réforme, p. 390.
36. L PÉROUAS, *Le diocèse de La Rochelle...,* p. 305.
37. R. SAUZET, *Contre-Réforme,* p. 392.
38. O. MARTIN, Prosélytisme et tolérance... », p. 314.
39. *Ibid.,* p. 315.

Chapitre 9
LES TRIOMPHES DU BRAS SÉCULIER

1. Cité par V.-L. TAPIÉ, *La France de Louis XIII et Richelieu,* p. 192.
2. *M.C.,* I, col. 1618.
3. Pour la question du culte dans les annexes, E. BENOIT, *Histoire de l'édit de Nantes,* Delft, 1693-1694, t. II, p. 508, 522-525, 534-535, 560; P. BERNARD, *Explication de l'édit de Nantes par les autres édits de pacification,* Paris, 1666, p. 44 et 76.
4. Bibl. mun. de Grenoble, V 18.616.
5. Cité par J. SOLÉ, « Le gouvernement royal et les protestants de Languedoc à la veille de la Fronde (1633-1648) », in B.S.H.P.F. *(Bulletin de la Société d'Histoire du Protestantisme français),* t. 114, 1968, p. 5-32. C'est à cet article que nous empruntons notre analyse de l'attitude de Baltazar.
6. Cité en particulier par E.-G. LÉONARD, *Histoire générale du protestantisme,* t. 2, p. 333.
7. R. SAUZET, *Contre-Réforme,* p. 256.
8. P. BERNARD, *Explication,* 1re partie, p. 76 et 92; 2e partie, p. 14-22.
9. *M.C.,* I, col. 1876.
10. *Ibid.,* col. 1446-1447.
11. P. BERNARD, *Explication,* 2e partie, p. 235-239.
12. E. BENOIT, *Histoire de l'édit,* t. III, 1re partie, p. 360.
13. *M.C.,* I, col. 1600.
14. *Ibid.,* col. 1595-1596.
15. *Ibid.,* col., 2009.
16. *Ibid.,* col. 1999.
17. *Ibid.,* col. 2017 (arrêt du conseil du 30 janvier 1665).
18. *Ibid.,* col. 2093-2094.

19. *Recueil des édits, déclarations et arrêts du conseil concernant les gens de la R.P.R...*, Rouen, 1721, p. 32-34.

20. *Ibid.*, p. 48-49.

21. *M.C.*, I, col. 2035.

22. *Ibid.*, col. 1611.

23. *Ibid.*, col. 1384.

24. *Ibid.*, col. 1397.

25. Cité par S. MOURS, *Le protestantisme en France au XVIIᵉ siècle*, p. 166.

26. *Ibid.*, p. 170.

27. SOULIER, *Histoire du calvinisme*, p. 597.

28. *Ibid.*, p. 598.

29. Lettre de Colbert de Croissy d'octobre 1685, publiée in B.S.H.P.F., t. 34, 1885, p. 592-593.

30. Archives Nationales, TT 247, fᵒ 702 et suiv.

31. On trouvera le texte intégral de l'édit de Fontainebleau dans *M.C.*, I, col. 1955-1960 ou dans HAAG, *La France protestante*, t.X, p. 389-392.

32. SOULIER, *Histoire du calvinisme*, p. 609.

33. « Oraison funèbre de Michel Le Tellier », in *Œuvres*, éd. Velat et Champailler, Paris, 1961, p. 183.

34. ANDRÉ-FRANÇOIS DE TOURNON, « Panégyrique du roi prononcé dans l'église de Valence en Dauphiné le 6 août 1690, publié in B.S.H.P.F., t. 13, 1864, p. 326-327.

35. *Mémoires des évêques de France sur la conduite à tenir à l'égard des Réformés*, édités par J. Lemoine, Paris, 1902, p. 269.

ORIENTATIONS BIBLIOGRAPHIQUES

1. Pour connaître le protestantisme français du XVIIᵉ siècle et plus généralement la Réforme :

DELUMEAU J., *Naissance et affirmation de la Réforme*, Paris, 1965.
GARRISSON-ESTÈBE J., *L'homme protestant*, Paris, 1980.
LÉONARD E.-G., *Histoire générale du protestantisme*, t. II, *L'Établissement*, Paris, 1961.
LIGOU D., *Le protestantisme en France de 1598 à 1715*, Paris, 1968.
LIGOU D. et coll., *Histoire des protestants en France*, Toulouse, 1977.
MOURS S., *Le protestantisme en France au XVIIᵉ siècle*, Paris, 1967.
VIENOT J., *Histoire de la Réforme française. De l'édit de Nantes à sa révocation*, Paris, 1934.

2. Sur les mentalités religieuses, l'image du protestantisme et les controverses :

La controverse religieuse (XVIᵉ-XIXᵉ siècle), Montpellier, 1980, 2 vol.
DELUMEAU J., *La peur en Occident (XIVᵉ-XVIIIᵉ siècle). Une cité assiégée*, Paris, 1978.
DELUMEAU J., *Le péché et la peur. La culpabilisation en Occident. XIIIᵉ-XVIIIᵉ siècle*, Paris, 1983.
Historiographie de la Réforme, sous la direction de Ph. JOUTARD, Paris-Neuchâtel, 1977.
Historiographie du catharisme, Toulouse, 1979 (Cahiers de Fanjeaux, nº 14).
JOUTARD Ph., ESTÈBE J., LABROUSSE E., LECUIR J., *La Saint-Barthélemy ou les résonances d'un massacre*, Neuchâtel, 1976.
KAPPLER E., *Conférences théologiques entre catholiques et protestants*

en France au XVIIe siècle (thèse dactylographiée), Université de Clermont-Ferrand, 1980, 2 vol.

MUCHEMBLED R., *Culture populaire et culture des élites dans la France moderne*, Paris, 1978.

SOLÉ J., *Le débat entre catholiques et protestants français de 1598 à 1685* (thèse dactylographiée), Université de Lyon II, 1981, 5 vol.

3. Quelques études régionales sur le protestantisme et sur la pastorale catholique :

BOLLE P. et coll., *Les pays protestants à la veille de la révocation*, t. I, *Le protestantisme en Dauphiné au XVIIe siècle*, Paris, 1983.

PÉROUAS L., *Le diocèse de La Rochelle de 1648 à 1724. Sociologie et pastorale*, Paris, 1964.

SAUZET R., *Contre-Réforme et Réforme catholique en Bas-Languedoc. Le diocèse de Nîmes au XVIIe siècle*, Paris-Louvain, 1979.

Pour une étude plus approfondie, on se reportera aux divers articles et ouvrages cités en notes.

On consultera également les ouvrages récents, publiés à l'occasion du tricentenaire de l'édit de Fontainebleau, en particulier :

GARRISSON J., *L'édit de Nantes et sa révocation. Histoire d'une intolérance*. Le Seuil. Paris. 1985

LABROUSSE E., *Une foi, une loi, un roi*. Payot-Labor et Fides. Genève. 1985.

QUENIART J., *La révocation de l'édit de Nantes*. DDB. Paris. 1985.

Il ne nous a malheureusement pas été possible de les utiliser pour ce livre, dont la rédaction a été achevée soit avant leur publication, soit dans les semaines qui l'ont suivie (pour celui de J. Garrisson).

TABLE DES MATIÈRES

Seconde partie

PASTORALE DE RECONQUÊTE
ET POLITIQUE DE CONVERSION

*Cet ouvrage
a été composé
et achevé d'imprimer
en septembre 1985
par l'Imprimerie Floch
53100 – Mayenne.*

*Dépôt légal : septembre 1985.
N° d'imprimeur : 23185.
Imprimé en France.*